TASCABILI ...

NARR...

Alberto Moravia

GLI INDIFFERENTI

TASCABILI BOMPIANI

ISBN 88-452-0647-5

© 1949 Gruppo Editoriale Fabbri, Bompiani, Sonzogno, Etas S.p.A.
Via Mecenate 91 - Milano

XXIII edizione "Tascabili Bompiani" gennaio 1992

Entrò Carla; aveva indossato un vestitino di lanetta
marrone con la gonna cosí corta, che bastò quel movimento di chiudere l'uscio per fargliela salire di un buon
palmo sopra le pieghe lente che le facevano le calze intorno alle gambe; ma ella non se ne accorse e si avanzò
con precauzione guardando misteriosamente davanti a
sé, dinoccolata e malsicura; una sola lampada era accesa e illuminava le ginocchia di Leo seduto sul divano;
un'oscurità grigia avvolgeva il resto del salotto.

"Mamma sta vestendosi", ella disse avvicinandosi "e
verrà giú tra poco".

"L'aspetteremo insieme", disse l'uomo curvandosi in
avanti; "vieni qui Carla, mettiti qui". Ma Carla non
accettò questa offerta; in piedi presso il tavolino della
lampada, cogli occhi rivolti verso quel cerchio di luce
del paralume nel quale i gingilli e gli altri oggetti, a differenza dei loro compagni morti e inconsistenti sparsi
nell'ombra del salotto, rivelavano tutti i loro colori e la
loro solidità, ella provava col dito la testa mobile di una
porcellana cinese: un asino molto carico sul quale tra
due cesti sedeva una specie di Budda campagnolo, un
contadino grasso dal ventre avvolto in un kimono a fio-
rami; la testa andava in su e in giú, e Carla, dagli occhi

6

bassi, dalle guance illuminate, dalle labbra strette, pareva tutta assorta in questa occupazione.

" Resti a cena con noi? " ella domandò alfine senza alzare la testa.

" Sicuro ", rispose Leo accendendo una sigaretta; " forse non mi vuoi? ". Curvo, seduto sul divano, egli osservava la fanciulla con una attenzione avida; gambe dai polpacci storti, ventre piatto, una piccola valle di ombra fra i grossi seni, braccia e spalle fragili, e quella testa rotonda cosí pesante sul collo sottile.

" Eh che bella bambina "; egli si ripeté " che bella bambina ". La libidine sopita per quel pomeriggio si ridestava, il sangue gli saliva alle guance, dal desiderio avrebbe voluto gridare.

Ella diede ancora un colpo alla testa dell'asino: " Ti sei accorto quanto fosse nervosa mamma oggi al tè? Tutti ci guardavano ".

" Affari suoi " disse Leo; si protese e senza parer di nulla, sollevò un lembo di quella gonna:

" Sai che hai delle belle gambe, Carla? " disse volgendole una faccia stupida ed eccitata sulla quale non riusciva ad aprirsi un falso sorriso di giovialità; ma Carla non arrossí né rispose e con un colpo secco abbatté la veste:

" Mamma è gelosa di te " disse guardandolo; " per questo ci fa a tutti la vita impossibile ". Leo fece un gesto che significava: " E che ci posso fare io? "; poi si rovesciò daccapo sul divano e accavalciò le gambe.

" Fai come me " disse freddamente; " appena vedo che il temporale sta per scoppiare, non parlo piú... Poi passa e tutto è finito ".

" Per te, finito " ella disse a voce bassa e fu come se quelle parole dell'uomo avessero ridestato in lei una rabbia antica e cieca; " per te... ma per noi... per me " proruppe con labbra tremanti e occhi dilatati dall'ira, puntandosi un dito sul petto; " per me che ci vivo insieme non è finito nulla... ". Un istante di silenzio. " Se tu sapessi ", ella continuò con quella voce bassa a cui il risentimento marcava le parole e prestava un singolare accento come straniero, " quanto tutto questo sia opprimente e miserabile e gretto, e quale vita sia assistere tutti i giorni, tutti i giorni... ". Da quell'ombra, laggiú, che riempiva l'altra metà del salotto, l'onda morta del rancore si mosse, scivolò contro il petto di Carla, disparve, nera e senza schiuma; ella restò cogli occhi spalancati, senza respiro, resa muta da questo passaggio di odio.

Si guardarono: " Diavolo " pensava Leo un po' stupito da tanta violenza, " la cosa è seria ". Si curvò, tese l'astuccio: " Una sigaretta " propose con simpatia; Carla accettò, accese e tra una nuvola di fumo gli si avvicinò ancora di un passo.

" E cosí " egli domandò guardandola dal basso in alto " proprio non ne puoi piú? ". La vide annuire un poco impacciata dal tono confidenziale che assumeva il dialogo. " E allora ", soggiunse " sai cosa si fa quando non se ne può piú? Si cambia ".

" È quello che finirò per fare " ella disse con una certa teatrale decisione; ma le pareva di recitare una parte falsa e ridicola; cosí, era quello l'uomo a cui questo pendío di esasperazione l'andava insensibilmente portando? Lo guardò: né meglio né peggio degli altri, anzi meglio senza alcun dubbio, ma con in piú una certa sua fatalità che aveva aspettato dieci anni che ella si sviluppasse e maturasse per insidiarla ora, in quella sera, in quel salotto oscuro.

" Cambia ", gli ripeté; " vieni a stare con me ".

Ella scosse la testa: " Sei pazzo... ".

" Ma sí! " Leo si protese, l'afferrò per la gonna: " Daremo il benservito a tua madre, la manderemo al diavolo, e tu avrai tutto quel che vorrai, Carla... ": tirava la gonna, l'occhio eccitato gli andava da quella faccia spaventata ed esitante a quel po' di gamba nuda che s'intravedeva là, sopra la calza. " Portarmela a casa "; pensava " possederla... ". Il respiro gli mancava: " Tutto

8

quel che vorrai... vestiti, molti vestiti, viaggi...; viaggeremo insieme...; è un vero peccato che una bella bambina come te sia cosí sacrificata...: vieni a stare con me Carla...".

" Ma tutto questo è impossibile ", ella disse tentando inutilmente di liberare la veste da quelle mani; " c'è mamma... è impossibile ".

" Le daremo il benservito... " ripeté Leo afferrandola questa volta per la vita; " la manderemo a quel paese, è ora che la finisca...; e tu verrai a stare con me, è vero? Verrai a stare con me che sono il tuo solo vero amico, il solo che ti capisca e sappia quel che vuoi ". La strinse piú davvicino nonostante i suoi gesti spaventati; " Essere a casa mia " pensava, e queste rapide idee erano come lucidi lampi nella tempesta della sua libidine: " Le farei vedere allora che cosa vuole ". Alzò gli occhi verso quella faccia smarrita e provò un desiderio, per rassicurarla, di dirle una tenerezza qualsiasi: " Carla, amor mio... ".

Ella fece di nuovo il vano gesto di respingerlo, ma ancor piú fiaccamente di prima, ché ora la vinceva una specie di volontà rassegnata; perché rifiutare Leo? Questa virtú l'avrebbe rigettata in braccio alla noia e al meschino disgusto delle abitudini; e le pareva inoltre, per un gusto fatalistico di simmetrie morali, che questa avventura quasi familiare fosse il solo epilogo che la sua vita meritasse; dopo, tutto sarebbe stato nuovo; la vita e lei stessa; guardava quella faccia dell'uomo, là, tesa verso la sua: " Finirla ", pensava " rovinare tutto... " e le girava la testa come a chi si prepara a gettarsi a capofitto nel vuoto.

Ma invece supplicò: " Lasciami ", e tentò di nuovo di svincolarsi; pensava vagamente prima di respingere Leo e poi di cedergli, non sapeva perché, forse per avere il tempo di considerare tutto il rischio che affrontava, forse per un resto di civetteria; si dibatté invano; la sua voce sommessa, ansiosa e sfiduciata ripeteva in fretta la

preghiera inutile: "Restiamo buoni amici Leo, vuoi?
Buoni amici come prima" ma la veste tirata le discopriva
le gambe, e c'era in tutto il suo atteggiamento renitente
e in quei gesti che faceva per coprirsi e per difendersi,
e in quelle voci che le strappavano le strette libertine
dell'uomo, una vergogna, un rossore, un disonore che
nessuna liberazione avrebbe potuto piú abolire.

"Amicissimi" ripeteva Leo quasi con gioia, e torceva
in pugno quella vesticciola di lana; "amicissimi Carla..."
Stringeva i denti, tutti i suoi sensi si esaltavano alla vi-
cinanza di quel corpo desiderato: "Ti ho alfine" pensava torcendosi tutto sul divano per fare un posto alla
fanciulla, e già stava per piegare quella testa, là, sopra
la lampada, quando dal fondo oscuro del salotto un tintinnío della porta a vetri l'avvertí che qualcheduno
entrava.

Era la madre; la trasformazione che questa presenza
portò nell'atteggiamento di Leo fu sorprendente: subito,
egli si rovesciò sullo schienale del divano, accavalciò le
gambe e guardò la fanciulla con indifferenza; anzi spinse
la finzione fino al punto di dire col tono importante
di chi conclude un discorso incominciato: "Credimi
Carla, non c'è altro da fare".

La madre si avvicinò; non aveva cambiato il vestito
ma si era pettinata e abbondantemente incipriata e dipinta; si avanzò, là, dalla porta, con quel suo passo mal-
sicuro; e nell'ombra la faccia immobile dai tratti inde-
cisi e dai colori vivaci pareva una maschera stupida e
patetica.

"Vi ho fatto molto aspettare?" domandò. "Di che
cosa stavate parlando?".

Leo additò con un largo gesto Carla diritta in piedi
nel mezzo del salotto: "Stavo appunto dicendo a sua
figlia che questa sera non c'è altro da fare che restare
in casa".

"Proprio nient'altro"; approvò la madre con sussiego e autorità sedendosi in una poltrona, in faccia all'aman-

te; " al cinema siamo già state oggi e nei teatri dànno tutte cose che abbiamo già sentite... Non mi sarebbe dispiaciuto di andare a vedere ' Sei personaggi ' della compagnia di Pirandello...: ma francamente come si fa?... è una serata popolare ".

" E poi le assicuro che non perde nulla " osservò Leo.

" Ah, questo poi no " protestò mollemente la madre: " Pirandello ha delle belle cose...: come si chiamava quella sua commedia che abbiamo sentito poco tempo fa?... Aspetti... ah sí, ' La maschera e il volto ': mi ci sono tanto divertita ".

" Mah, sarà... " disse Leo rovesciandosi sopra il divano; " però io mi ci sono sempre annoiato a morte ". Mise i pollici nel taschino del panciotto e guardò prima la madre e poi Carla.

Dritta dietro la poltrona della madre, la fanciulla ricevette quell'occhiata inespressiva e pesante come un urto che fece crollare in pezzi il suo stupore di vetro; allora, per la prima volta, si accorse quanto vecchia, abituale e angosciosa fosse la scena che aveva davanti agli occhi: la madre e l'amante seduti in atteggiamento di conversazione l'uno in faccia all'altra; quell'ombra, quella lampada, quelle facce immobili e stupide, e lei stessa affabilmente appoggiata al dorso della poltrona per ascoltare e per parlare. " La vita non cambia ", pensò, " non vuol cambiare ". Avrebbe voluto gridare; abbassò le due mani e se le torse, là, contro il ventre, cosí forte che i polsi le si indolenzirono.

" Possiamo restare in casa ", continuava la madre " tanto piú che abbiamo tutti i giorni della settimana impegnati...: domani ci sarebbe quel tè danzante pro infanzia abbandonata...; dopodomani il ballo mascherato al Grand Hôtel...; negli altri giorni siamo invitate un po' qua un po' là... E, Carla... ho veduto oggi la signora Ricci...: è invecchiata a un tal punto...; l'ho osservata con attenzione...: ha due rughe profonde che le partono dagli occhi e le arrivano alla bocca..., e i capelli non si sa piú di che colore siano...: un orrore!... ". Ella storse la bocca e agitò le mani in aria.

" Non è poi questo orrore " disse Carla facendosi avanti e sedendosi presso l'uomo; una leggera dolorosa impazienza la pungeva; prevedeva che per vie indirette e tortuose la madre sarebbe alfine arrivata a fare, come sempre, la sua piccola scena di gelosia all'amante; non sapeva quando e in che modo ma ne era certa come del sole che avrebbe brillato all'indomani e della notte che l'avrebbe seguito; e questa chiaroveggenza le dava un senso di paura; non c'era rimedio, tutto era inamovibile e dominato da una meschina fatalità.

" Mi ha fatto una quantità di chiacchiere "; continuò la madre " mi ha detto che hanno venduto la vecchia automobile e ne hanno comprata una nuova... una Fiat... ' Sa ' mi fa ' mio marito è diventato il braccio destro di Paglioni, alla Banca Nazionale... Paglioni non può fare a meno di lui, Paglioni lo indica come il suo piú probabile socio '; Paglioni qui, Paglioni là...: ignobile!... ".

" Perché ignobile? " osservò Leo contemplando la donna tra le sue palpebre socchiuse. " Cosa c'è di ignobile in tutto questo? ".

" Lei sa " domandò la madre fissandolo acutamente, come per invitarlo a soppesare bene le parole, " che Paglioni è l'amico della Ricci? ".

" Tutti lo sanno " disse Leo, e pesantemente quei suoi occhi torpidi si posarono su Carla trasognata e rassegnata.

" E lei sa anche " insistette Mariagrazia distaccando le sillabe, " che prima di conoscere Paglioni i Ricci non avevano un soldo... e ora hanno l'automobile? ".

Leo voltò la testa: " Ah, è per questo "; esclamò " e che male c'è?... Povera gente, s'industriano ".

Fu come se avesse dato fuoco a una miccia accuratamente preparata.

" Ah, è cosí ", disse la madre spalancando ironicamente gli occhi; " lei giustifica una svergognata, e neppure bella, un mucchio d'ossa, che sfrutta senza scrupoli l'amico e si fa pagare le automobili ed i vestiti e trova anche modo di mandare avanti quel suo marito non si sa se piú imbecille o piú furbo... Lei ha di questi principî? Ah benissimo proprio benissimo... allora non c'è piú nulla da dire... tutto si spiega... a lei evidentemente piacciono quelle donne... ".

" Ecco " pensò Carla; un leggero tremito di insofferenza corse per le sue membra, socchiuse gli occhi e rovesciò la testa fuori da quella luce e da quei discorsi; nell'ombra.

Leo rise: " No, francamente non sono quelle le donne che mi piacciono ". Gettò una rapida, cupida occhiata alla fanciulla, là, al suo fianco...: petto florido, guance in fiore, anatomia giovane: " Ecco le donne che mi piacciono " avrebbe voluto gridare all'amante.

" Lo dice ora ", insistette la madre " lo dice ora... ma chi disprezza compra... ma quando le è vicino, l'altro giorno, per esempio, in casa Sidoli, si prodiga in complimenti; allora le dice una quantità di sciocchezze...; eh vada là, la conosco... Sa cos'è lei?... Un bugiardo... ".

" Ecco " si ripeté Carla; quella conversazione poteva continuare; ma ella aveva riconosciuto che la vita incorreggibile e abitudinaria non cambiava; e questo le bastava; si alzò: " vado a mettermi un golf e torno ", e senza voltarsi indietro, ché sentiva gli sguardi di Leo incollarsi al suo dorso come due sanguisughe, uscí.

Nel corridoio incontrò Michele: " C'è Leo di là? " egli le domandò; Carla guardò il fratello: " C'è ".

" Vengo proprio ora dall'amministratore di Leo "; continuò tranquillamente il ragazzo. " Ho saputo un monte di belle cose... e prima di tutto che siamo rovinati ".

" Vorrebbe dire? " chiese la fanciulla interdetta.

" Vorrebbe dire " spiegò Michele " che dovremo cedere la villa a Leo, in pagamento di quell'ipoteca, e andarcene, senza un soldo, andarcene altrove ".

Si guardarono; un sorriso forzato squallido passò sulla faccia del ragazzo: " Perché sorridi? " ella domandò. " Ti par cosa da sorridere? ".

" Perché sorrido? " egli ripeté. " Perché tutto questo mi è indifferente... e anzi quasi mi fa piacere ".

" Non è vero ".

" Sicuro che è vero " egli ribatté, e senza aggiungere parola, lasciandola lí stupita e vagamente spaventata, entrò nel salotto.

La madre e Leo disputavano ancora; Michele ebbe il tempo di percepire un *tu* che si trasformò in *lei* alla sua entrata, e ne sorrise di disgustata pietà: " Credo che sia ora di cena " disse alla madre, senza salutare, senza neppure guardare l'uomo; ma questo suo freddo contegno non sconcertò Leo: " Oh chi si vede ", egli gridò con la consueta giovialità " il nostro Michele... vieni qui Michele... è tanto tempo che non ci vediamo ".

" Due giorni soltanto " disse il ragazzo guardandolo fissamente; si sforzava di parer freddo e vibrante benché non si sentisse che indifferente; avrebbe voluto soggiungere: " E meno ci vediamo meglio è " o qualcosa di simile, ma non ne ebbe la prontezza né la sincerità.

" E ti par nulla due giorni? " gridò Leo. " Si possono far tante cose in due giorni ". Chinò la sua larga faccia trionfale nel lume della lampada: " Eh eh, che bel vestito che hai... chi te lo ha fatto?... ".

Era un vestito di stoffa turchina di buon taglio ma molto usato, che Leo doveva avergli veduto addosso almeno cento volte; ma colpito da questo diretto attacco alla sua vanità, Michele dimenticò in un solo istante tutti i suoi propositi di odio e di freddezza.

" Ti pare?... " domandò non nascondendo un mezzo sorriso di compiacimento; " è un vecchio vestito... è tanto tempo che lo porto, me lo ha fatto Nino, sai?... ". E istintivamente si girò per mostrare il dorso all'uomo e con le mani tirò i bordi della giacca affinché aderisse al torso; vide la sua immagine nello specchio di Venezia appeso alla parete di faccia; il taglio era perfetto, su questo non c'era dubbio, ma gli parve che il suo atteggiamento fosse pieno d'una ridicola e fissa stupidità simile a quella dei fantocci ben vestiti esposti col cartello del prezzo sul petto, nelle vetrine dei negozi; una leggera inquietudine serpeggiò nei suoi pensieri.

" Buono... proprio buono ". Ora, curvandosi, Leo palpava la stoffa; poi si rialzò: " E bravo il nostro Michele " disse battendogli la mano sul braccio; " sempre inappuntabile, non fa che divertirsi e non ha pensieri di nessuna sorta ". Allora dal tono di queste parole e dal sorriso che le accompagnava, Michele capí troppo tardi di essere stato astutamente lusingato e in definitiva canzonato; dove erano l'indignazione, il risentimento che aveva immaginato di provare in presenza del suo nemico? Altrove, nel limbo delle sue intenzioni; odiosamente impacciato da questo suo vano atteggiamento, egli guardò sua madre:

" Peccato che tu non fossi oggi con noi "; ella disse " abbiamo visto un film magnifico ".

" Ah sí " fece il ragazzo; e poi voltandosi verso l'uomo, colla voce piú secca e piú vibrante che poté:

" Sono stato dal tuo amministratore, Leo... ".

Ma con un gesto netto della mano l'altro lo interruppe: " Ora no... ho capito... ne parleremo dopo... dopo cena... ogni cosa nel suo momento ".

" Come vuoi " disse il ragazzo con istintiva mansuetudine, e subito si accorse di essere stato dominato per la seconda volta. " Dovevo dire: subito ", pensò, " chiunque avrebbe fatto cosí...; subito e discutere e magari ingiuriare ": dalla rabbia avrebbe voluto gridare; vanità e indifferenza, nel giro di pochi minuti Leo aveva saputo farlo cadere in ambedue queste sue meschine voragini. Quei due, la madre e l'amante, si erano alzati.

" Ho appetito ", diceva Leo abbottonandosi la giacca; " un appetito... ". La donna rideva; macchinalmente Michele li seguí. " Ma dopo cena ", pensava tentando invano di mettere dell'acredine in queste sue idee quasi distratte, " non la passerai cosí liscia ".

Alla porta si fermarono: " Prego " disse Leo; e la madre uscí; restarono l'uno in faccia all'altro, l'uomo e

il ragazzo, e si guardarono: " Avanti avanti " insistette
Leo complimentosissimo posandogli una mano sulla spalla; " cediamo il posto al padrone di casa... ". E con gesto
paterno, con un sorriso tanto amichevole da parere canzonatorio spinse dolcemente il ragazzo. " Il padrone di
casa ", pensò questi senz'ombra d'ira, " eccone una bella...: il padrone di casa sei tu ". Ma non disse nulla e
uscí nel corridoio dietro la madre.

Sotto il lampadario a tre braccia il blocco bianco della tavola scintillava di tre minute schegge di luce, i piatti, le caraffe, i bicchieri, come appunto un blocco di marmo appena scalfito dagli scalpellini; c'erano delle macchie, il vino era rosso, il pane marrone, una minestra verde fumava dal fondo delle scodelle; ma quel candore le aboliva e splendeva immacolato tra quattro pareti su cui, per contrasto, tutto, mobili e quadri, si confondeva in una sola ombra nera; e già seduta al suo posto, cogli occhi attoniti fissi nel vapore della vivanda, Carla aspettava senza impazienza.

Prima dei tre entrò la madre, colla testa voltata verso Leo che la seguiva, dichiarando con voce ironica ed esaltata: " Non si vive per mangiare, ma si mangia per vivere... invece lei fa tutto l'opposto... beato lei ".

" Ma no... ma no... " disse Leo entrando a sua volta e toccando con un gesto sfiduciato, per pura curiosità, il termosifone appena tiepido; " lei non mi ha capito...: io ho detto che quando si fa una cosa non bisogna pensare ad altro...; per esempio quando lavoro non penso che a lavorare... quando mangio non penso che a mangiare... e cosí di seguito... allora tutto va bene... ".

"·E quando rubi? " avrebbe voluto domandargli Michele che gli veniva dietro: ma non sapeva odiare un uomo che a malavoglia invidiava. " In fondo ha ragione " si disse andando al suo posto, " io penso troppo ".

" Beato lei ", ripeté la madre sarcastica " invece a me tutto va male ". Sedette, assunse un aspetto di triste dignità e cogli occhi bassi rimescolò col cucchiaio la minestra, affinché si freddasse.

" E perché tutto va male? " domandò Leo sedendosi a sua volta. " Io al suo posto sarei felice: una graziosa figlia... un figlio intelligente e pieno di belle speranze... una bella casa... cosa si può desiderare di piú? ".

" Eh lei mi capisce a volo " disse la madre con un mezzo sospiro.

" Io no, a rischio di passare per ignorante le confesso che non capisco nulla... ". La minestra era finita, Leo posò il cucchiaio: " E del resto siete tutti malcontenti voi... non creda signora di esser la sola... vuol vedere?... Dunque, tu Carla, di' la verità, sei contenta tu?... ".

La fanciulla alzò gli occhi: questo spirito gioviale e falsamente bonario inaspriva la sua impazienza: ecco, ella sedeva alla tavola familiare, come tante altre sere; c'erano i soliti discorsi, le solite cose, piú forti del tempo, e soprattutto la solita luce senza illusioni e senza speranze, particolarmente abitudinaria, consumata dall'uso come la stoffa di un vestito e tanto inseparabile dalle loro facce, che qualche volta accendendola bruscamente sulla tavola vuota ella aveva avuto la netta impressione di vedere i loro quattro volti, della madre, del fratello, di Leo e di se stessa, là, sospesi in quel meschino alone; c'erano dunque tutti gli oggetti della sua noia, e ciononostante Leo veniva a pungerla proprio dove tutta l'anima le doleva; ma si trattenne: " Infatti potrebbe andare meglio ", ammise; e riabbassò la testa.

" Ecco ", gridò Leo trionfante, " glielo avevo detto... anche Carla... ma non basta... pure Michele, sicuro... Non è vero Michele che pure a te le cose vanno male? ".

Anche il ragazzo prima di rispondere lo guardò. " Ec-

co ", pensava " ora bisognerebbe rispondergli per le rime,
ingiuriarlo, far nascere una bella questione e alfine rompere con lui "; ma non ne ebbe la sincerità; calma mortale; ironia; indifferenza.

" E se tu la facessi finita? " disse tranquillamente;
" lo sai meglio di me come vanno le cose ".

" Eh furbacchione... " gridò Leo " furbacchione di un
Michele... vuoi evitare la risposta, vuoi passarci sopra...
ma è chiaro che anche tu sei un malcontento, altrimenti
non faresti quella faccia lunga come la quaresima ". Si
serví dal piatto che la cameriera gli porgeva; poi: " Ed
io invece signori miei tengo ad affermare che tutto mi
va bene, anzi benissimo e che sono contentissimo e soddisfattissimo e che se dovessi rinascere non vorrei rinascere che come sono e col mio nome: Leo Merumeci ".

" Uomo felice! " esclamò Michele ironico; " ma almeno dicci come fai ".

" Come faccio? " ripeté l'altro colla bocca piena; " cosí... ma volete sapere invece ", egli soggiunse versandosi
da bere, " perché voi tre non siete come me? ".

" Perché? ".

" Perché " egli disse " vi arrabbiate per delle cose che
non meritano... ". Tacque e bevve; seguí un minuto di
silenzio; tutti e tre, Michele, Carla e la madre si sen-
tivano offesi nel loro amor proprio; il ragazzo si vedeva
com'era, miserabile, indifferente e sfiduciato, e si diceva:
" Ah vorrei vederti in queste mie condizioni "; Carla
pensava alla vita che non cambiava, a quelle insidie del-
l'uomo, e avrebbe voluto gridare: " Io ho delle vere
ragioni "; ma per tutti e tre fu la madre impulsiva e
loquace che parlò.

L'essere stata accomunata coi figli in quella generale
tendenza al malcontento, per il gran concetto in cui ella
si teneva, l'aveva ferita come un tradimento; l'amante
non solamente l'abbandonava ma anche si burlava di lei:

" Va bene ", disse alfine dopo quel silenzio, con la
voce ironica e malevola di chi vuole attaccar briga; " ma

io, caro lei, ho delle buone ragioni per non esser contenta ".

" Non ne dubito " disse Leo tranquillamente.

" Non ne dubitiamo " ripeté Michele.

" Non sono piú una bambina come Carla ", continuò la madre in tono risentito e commosso, " sono una donna che ha avuto delle esperienze, che ha avuto dei dolori, oh sí, molti dolori " ella ripeté eccitata dalle sue parole; " che è passata attraverso molte noie e molte difficoltà, e ciò nonostante ha saputo sempre serbare intatta la propria dignità e sempre mantenersi superiore a tutti, sí, caro Merumeci " ella proruppe amara e sarcastica; " a tutti quanti compreso lei... ".

" Non ho mai pensato che... " incominciò Leo; ora tutti comprendevano che la gelosia della madre aveva trovato una via e l'avrebbe percorsa per intero; tutti prevedevano con noia e disgusto la meschina tempesta che si addensava in quella luce tranquilla della cena:

" E lei caro Merumeci " continuò Mariagrazia fissando sull'amante gli occhi spiritati; " ha parlato pocanzi molto leggermente... io non sono una di quelle sue eleganti amiche senza tanti scrupoli per la testa, che non pensano che a divertirsi e a tirare avanti, oggi uno, domani un altro, alla meno peggio... no, lei s'inganna... io mi sento molto ma molto diversa da quelle signore... ".

" Non ho voluto intendere questo... ".

" Io sono una donna ", continuò la madre con crescente esaltazione " che potrebbe insegnare a vivere a lei e a tanti altri pari suoi, ma che ha la rara delicatezza o la stupidaggine di non mettersi in prima fila, di parlar poco di se stessa e perciò è quasi sempre misconosciuta e incompresa... ma non per questo " ella disse alzando la voce al diapason piú forte; " non perché sono troppo buona, troppo discreta, troppo generosa, non per questo, ripeto, ho meno delle altre il diritto di domandare di non venire insultata ad ogni momento da chicchessia... ". Diede un ultimo folgorante sguardo all'amante e poi abbassò gli occhi e si diede macchinalmente a cambiar di posto gli oggetti che le stavano davanti.

La piú grande costernazione si dipinse su tutti i volti: " Ma io non ho mai pensato di insultarla " disse Leo con calma; " ho detto soltanto che tra tutti noi il solo che non sia malcontento sono io ".

" Eh, si capisce ", rispose la madre molto allusiva, " si capisce benissimo che lei non sia malcontento ".

" Vediamo mamma ", intervenne Carla " egli non ha detto nulla di insultante ": ora, dopo quest'ultima scena, un'atterrita disperazione possedeva la fanciulla: " finirla ", pensava guardando la madre puerile e matura che a testa bassa pareva ruminare la propria gelosia; " finirla con tutto questo, cambiare ad ogni costo ". Delle risoluzioni assurde passavano per la sua testa; andarsene, sparire, dileguarsi nel mondo, nell'aria. Si ricordò delle interessanti parole di Leo: " Tu hai bisogno di un uomo come me ". Era la fine: " Lui o un altro... " pensò; la fine della sua pazienza, dalla faccia della madre i suoi occhi sofferenti passarono a quella di Leo: eccoli i volti della sua vita, duri, plastici, incomprensivi, allora riabbassò gli sguardi sul piatto dove il cibo si freddava nella cera coagulata dell'intingolo.

" Tu ", ordinò la madre " non dir nulla: non puoi capire ".

" Eh, mia cara signora ", protestò l'amante " anch'io non ho capito nulla ".

" Lei " disse la madre calcando sulle parole e inarcando le sopracciglia, " mi ha capito fin troppo ".

" Sarà " incominciò Leo stringendosi nelle spalle.

" Ma taccia... taccia dunque " lo interruppe la donna con dispetto; " è meglio che lei non parli... al suo posto io tenterei di farmi dimenticare, di scomparire ". Silenzio; la cameriera entrò e tolse via i piatti. " Ecco " pensò Michele vedendo quell'espressione adirata del volto della madre a poco a poco distendersi; " il temporale è passato, ora torna il bel tempo ". Alzò la testa e:

" Dico ", domandò senz'ombra di allegria " l'incidente è chiuso? ".

" Chiusissimo " rispose Leo con sicurezza; " io e tua madre ci siamo riconciliati ". Si volse verso Mariagrazia: " Non è vero signora che ci siamo riconciliati? ". Un sorriso patetico esitava sulla faccia dipinta della donna; ella conosceva quella voce e quel tono insinuante dei tempi migliori, di quando ella era ancora giovane e l'amante era ancora fedele: " Crede Merumeci " domandò guardandosi vezzosamente le mani, " che sia cosí facile perdonare? ".

La scena diventava sentimentale; Carla fremette e abbassò gli occhi; Michele sorrise di disprezzo. " Ecco " pensò " ci siamo, abbracciatevi e non se ne parli piú ".

" Perdonare " disse Leo gravemente buffonesco, " è dovere di ogni buon cristiano " (" Che il diavolo se la porti " pensava intanto; " per fortuna che c'è la figlia a compensarmi della madre "). Osservò la fanciulla, impercettibilmente, senza voltar la testa; sensuale; piú di sua madre; labbra rosse, carnose; certo disposta a cedere; dopo cena bisognava tentare; battere il ferro finché è caldo; il giorno dopo no.

" Allora " disse la madre del tutto rassicurata, " siamo cristiani e perdoniamo ". Il sorriso, fin allora contenuto, s'allargò patetico e brillante su due file di denti d'una bianchezza dubbia; tutto il corpo disfatto palpitò: " E, a proposito " ella soggiunse con improvviso amor materno; " non bisogna dimenticarlo: domani è l'anniversario della nostra Carla ".

" Non si usa piú, mamma " disse la fanciulla alzando la testa.

" E invece lo festeggeremo " rispose la madre, solenne, " e lei Merumeci si consideri già invitato per domani mattina ".

Leo fece una specie d'inchino sopra la tavola: " obbligatissimo "; poi rivolgendosi verso Carla, " quanti anni? " domandò.

Si guardarono; la madre che sedeva in faccia alla fanciulla alzò due dita e compose la bocca come per dire " venti "; Carla vide, capí, esitò; poi un'improvvisa durezza devastò la sua anima: " Vuole " pensò " che io mi diminuisca gli anni per non invecchiar lei "; e disobbedí; " Ventiquattro " rispose senza arrossire.

Un'espressione delusa passò sul volto della madre.

" Cosí vecchia? " esclamò Leo con scherzosa meraviglia; Carla assentí: " Cosí vecchia " ripeté.

" Ma non avresti dovuto dirlo " rimproverò la madre; l'arancia agra che stava mangiando aumentava l'acidità della sua espressione; " si ha sempre l'età che si mostra... Ora tu non mostri piú di diciannove anni ". Inghiottí l'ultimo spicchio, l'arancia era finita; Leo estrasse l'astuccio delle sigarette e ne offrí a tutti; il fumo azzurro salí sottile dalla tavola in disordine; per un istante stettero immobili guardandosi negli occhi, attoniti; poi la madre si alzò. " Andiamo nel salotto " disse; e uno dopo l'altro uscirono tutti e quattro dalla sala da pranzo.

Piccolo ma angoscioso tragitto attraverso il corridoio;
Carla guardava in terra pensando vagamente che quel
passaggio quotidiano dovesse aver consumato la trama
del vecchio tappeto che nascondeva il pavimento; e anche gli specchi ovali appesi alle pareti dovevano serbare
la traccia delle loro facce e delle loro persone che piú
volte al giorno da molti anni vi si riflettevano, oh, appena per un istante, il tempo di esaminare, la madre e
lei, il belletto, e Michele il nodo della cravatta; in quel
corridoio l'abitudine e la noia stavano in agguato e tra-
figgevano l'anima di chi vi passava come se i muri stessi
ne avessero esalato i velenosi spiriti; tutto era immutabile, il tappeto, la luce, gli specchi, la porta a vetri del
vestibolo a sinistra, l'atrio oscuro della scala a destra,
tutto era ripetizione: Michele che si soffermava un istante ad accendere una sigaretta e soffiava sul fiammifero,
la madre che compiacentemente domandava all'amante:
" Non è vero, che ho la faccia stanca questa sera? "; Leo,
con indifferenza, senza togliersi di bocca la sigaretta, rispondeva: " Ma no, al contrario, non l'ho mai vista cosí
brillare ", e lei stessa che ne soffriva; la vita non cambiava.
Entrarono nel freddo oscuro salone rettangolare che

una specie di arco divideva in due parti disuguali e sedettero nell'angolo opposto alla porta; delle tende di velluto cupo nascondevano le finestre serrate, non c'era lampadario ma solamente dei lumi in forma di candelabri,
infissi alle pareti a eguale distanza l'uno dall'altro; tre
dei quali, accesi, diffusero una luce mediocre nella metà
piú piccola del salone; l'altra metà, oltre l'arco, rimase
immersa in un'ombra nera in cui si distinguevano a ma-
lapena i riflessi degli specchi e la forma lunga del pianoforte.

Per un istante non parlarono; Leo fumava con compunzione, la madre considerava con una mesta dignità
le sue mani dalle unghie smaltate, Carla quasi carponi
tentava di accendere la lampada nell'angolo e Michele
guardava Leo; poi la lampada si accese, Carla sedette e
Michele parlò: " Sono stato dall'amministratore di Leo
e mi ha fatto un monte di chiacchiere... il sugo della
faccenda è poi questo: che a quel che pare tra una
settimana scade l'ipoteca e perciò bisognerà andarsene e
vendere la villa per pagare Merumeci... ".

La madre spalancò gli occhi: " Quell'uomo non sa
quello che dice... ha agito di testa sua... l'ho sempre detto
io che aveva qualche cosa contro di noi... ".

Silenzio: " Quell'uomo ha detto la verità " disse alfine
Leo senza alzare gli occhi.

Tutti lo guardarono. " Ma vediamo, Merumeci ", supplicò la madre giungendo le mani; " non vorrà mica man-
darci via cosí su due piedi?... ci conceda una proroga... ".

" Ne ho già concesse due "; disse Leo " basta... tanto
piú che non servirebbe ad evitare la vendita... ".

" Come a non evitare? " domandò la madre.

Leo alzò finalmente gli occhi e la guardò: " Mi spiego: a meno che non riusciate a mettere insieme ottocen-
tomila lire, non vedo come potreste pagare se non ven-
dendo la villa... ".

La madre capí, una paura vasta le si aprí davanti agli
occhi come una voragine; impallidí, guardò l'amante; ma
Leo tutto assorto nella contemplazione del suo sigaro non

la rassicurò: " Questo significa " disse Carla " che dovremo lasciare la villa e andare ad abitare in un appartamento di poche stanze? ".

" Già ", rispose Michele " proprio cosí ".

Silenzio; la paura della madre ingigantiva; non aveva mai voluto sapere di poveri e neppure conoscerli di nome, non aveva mai voluto ammettere l'esistenza di gente dal lavoro faticoso e dalla vita squallida. " Vivono meglio di noi " aveva sempre detto; " noi abbiamo maggiore sensibilità e piú grande intelligenza e perciò soffriamo piú di loro... "; ed ora, ecco, improvvisamente, ella era costretta a mescolarsi, a ingrossare la turba dei miserabili; quello stesso senso di ripugnanza, di umiliazione, di paura che aveva provato passando un giorno in un'automobile assai bassa attraverso una folla minacciosa e lurida di scioperanti, l'opprimeva; non l'atterrivano i disagi e le privazioni a cui andava incontro, ma invece il bruciore, il pensiero di come l'avrebbero trattata, di quel che avrebbero detto le persone di sua conoscenza, tutta gente ricca, stimata ed elegante; ella si vedeva, ecco... povera, sola, con quei due figli, senza amicizie ché tutti l'avrebbero abbandonata, senza divertimenti, balli, lumi, feste, conversazioni: oscurità completa, ignuda oscurità.

Il suo pallore aumentava: " Bisognerebbe che gli parlassi da sola a solo ", pensava attaccandosi all'idea della seduzione; " senza Michele e senza Carla... allora capirebbe ".

Guardò l'amante. " Lei, Merumeci ", propose vagamente " ci conceda ancora una proroga, e noi il denaro lo si troverà in qualche modo ".

" In che modo? " domandò l'uomo con un mezzo sorriso ironico.

" Le banche... " arrischiò la madre.

Leo rise: " Oh, le banche ". Si chinò e fissò in volto l'amante: " Le banche " sillabò " non prestano denaro che contro sicure garanzie e ora poi con questa penuria di quattrini che c'è in giro non ne prestano affatto; ma

28

ammettiamo che ne prestassero...: che specie di garanzia potrebbe lei dare, cara signora? ".

" Il ragionamento non fa una grinza " osservò Michele; avrebbe voluto appassionarsi a questa loro questione vitale, protestare: " Vediamo " pensava " si tratta della nostra esistenza... potremmo da un momento all'altro non avere di che vivere materialmente "; ma per quanti sforzi facesse questa rovina gli restava estranea; era come vedere qualcheduno affogare, guardare e non muovere un dito.

Tutt'altra era invece la madre: " Lei ci dia questa proroga ", ella disse con fierezza, ergendosi sul busto e staccando le parole; " e può star sicuro che alla data della scadenza lei avrà i suoi quattrini, non ne dubiti, fino all'ultimo centesimo ".

Leo rise dolcemente chinando la testa: " Ne sono certo... ma allora a che serve la proroga?... Quei mezzi che lei adopererà tra un anno per ottenere denari perché non usarli ora e così pagarmi subito? ".

Quella faccia china era così calma e sagace che la madre ne ebbe timore; da Leo i suoi occhi irresoluti passarono a Michele, poi a Carla: eccoli là i suoi due figli deboli che avrebbero provato le angustie della povertà; le venne un esaltato amor materno: " Senta Merumeci ", incominciò con voce persuasiva " lei è un amico di famiglia, a lei posso dir tutto... non si tratta di me, non è per me che chiedo questa proroga, io sarei anche pronta ad andare a vivere in una soffitta... ". Alzò gli occhi al cielo e: " Dio sa se penso a me... ma io ho Carla da maritare... ora lei conosce il mondo... il giorno stesso che io lasciassi la villa e andassi a vivere in qualche appartamentino, tutti ci volterebbero le spalle... la gente è fatta così... e allora, me lo saluta lei il matrimonio di mia figlia? ".

" Sua figlia " disse Leo con una falsa serietà, " ha una bellezza che troverà sempre pretendenti ". Guardò Carla, e le ammiccò; ma una rabbia trattenuta e profonda possedeva la fanciulla: " Chi vuoi che mi sposi ",

avrebbe voluto gridare alla madre " con questo uomo
per casa e te in quelle condizioni? ". L'offendeva, l'umiliava la disinvoltura con la quale la madre, che abitualmente non si curava affatto di lei, la tirava in ballo come
un argomento favorevole ai suoi scopi; bisognava finirla, ella si sarebbe data a Leo, e cosí nessuno piú l'avrebbe desiderata per moglie; guardò la madre negli occhi:
" Non pensare a me, mamma " disse con fermezza; " io
non c'entro né ci voglio entrare in tutto questo ".

Fu in questo momento che una risata agra, falsa da
allegare i denti partí dall'angolo dove sedeva Michele; la
madre si voltò: " Ma sai ", egli le disse tentando con
sforzo di dare alla sua voce indifferente un'intonazione
sarcastica; " chi sarà il primo ad abbandonarci se lasciamo la villa? Indovina ".

" Mah, non so ".

" Leo " egli proruppe additando l'uomo; " il nostro
Leo ".

Leo ebbe un gesto di protesta. " Ah, Merumeci? "
ripeté la madre incerta e impressionata guardando l'amante come se avesse voluto leggergli in faccia se fosse stato
capace di un simile tradimento; poi ad un tratto, con
occhi e sorriso infiammati di patetico sarcasmo: " Ma
già... sicuro... e io stupida che non ci pensavo... sicuro
Carla " soggiunse rivolgendosi alla figlia; " Michele ha
ragione... il primo che fingerà di non averci mai conosciuto, dopo naturalmente che avrà intascato i quattrini, sarà Merumeci...: non protesti " ella continuò con
un sorriso ingiurioso; " non è colpa sua, tutti gli uomini sono cosí... potrei giurarlo, passerà con una di quelle sue amiche tanto simpatiche e tanto eleganti e appena
mi vedrà... volterà la testa dall'altra parte... sicuro... caro
lei... ci metterei la mano sul fuoco... ". Tacque per un
istante. " E già ", concluse con amarezza e rassegnazione; " già... anche Cristo è stato tradito dai suoi migliori
amici ".

Soverchiato da quel fiotto di accuse, Leo posò il sigaro: " Tu " disse voltandosi verso Michele " sei un ra-

gazzo, e per questo non ti prendo in considerazione...;
ma che lei signora " soggiunse voltandosi alla madre
" possa credere che io per una vendita qualsiasi abbandoni i miei migliori amici, ecco, questo non me l'aspettavo... no, proprio non me l'aspettavo ". Scosse la testa
e riprese il sigaro.

" Quanto è falso ", pensò Michele divertito; poi bruscamente si ricordò di essere l'uomo derubato, canzonato, oltraggiato, nel suo patrimonio, nella sua dignità,
nella persona di sua madre: " Ingiuriarlo " pensò; " provocare una scena ". Capí di aver lasciato passare in quella serata mille occasioni piú favorevoli ad un alterco,
per esempio quando Leo aveva rifiutato di concedere una
proroga; ma ormai era troppo tardi: " Non te l'aspettavi eh? " disse rovesciandosi nella poltrona e accaval-
ciando le gambe; esitò, poi senza muoversi: " mascalzone ".

Tutti si voltarono, la madre con sorpresa, l'uomo
lentamente, togliendosi di bocca il sigaro: " Cosa hai
detto? ".

" Voglio dire ", spiegò Michele aggrappandosi con le
mani ai bracciuoli della poltrona e non ritrovando nella
sua indifferenza le ragioni che lo avevano spinto a quel-
l'ingiuria veemente; " che Leo... ci ha rovinati... e ora
finge di esserci amico... ma non lo è ".

Silenzio; disapprovazione: " Senti Michele ", disse Leo
fissando sul ragazzo due occhi del tutto inespressivi; " mi
sono già accorto da qualche minuto che tu questa sera
vuoi attaccar briga, chi sa perché... mi dispiace ma ti
dico subito che non attacca. Se tu fossi un uomo saprei
come risponderti... ma sei un ragazzo senza responsabilità... per questo la migliore cosa che puoi fare è andare a letto e dormirci sopra ". Tacque e riprese il sigaro: " E mi dici questo " soggiunse bruscamente " proprio quando stavo per proporvi le condizioni piú favorevoli ".

Silenzio: " Merumeci ha ragione " parlò a sua volta
la madre " veramente, Michele, egli non ci ha rovinati

e c'è stato sempre amico... perché ingiuriarlo in questo modo?... ".

"Ah, ora lo difendi" pensò il ragazzo; un'irritazione forte contro se stesso e gli altri lo invase: "Se sapeste quanto tutto questo mi è indifferente", avrebbe voluto gridare loro: la madre eccitata e interessata, Leo falso, Carla stessa che attonita lo guardava, gli parvero in quel momento ridicoli eppure invidiabili appunto perché essi aderivano a questa realtà e consideravano veramente la parola "mascalzone" come una ingiuria mentre per lui, gesti, parole, sentimenti, tutto era un giuoco vano di finzioni.

Però volle andare fin al fondo della strada incominciata: "Quel che ho detto è la pura verità" profferí senza convinzione.

Leo alzò con disgusto e malcontento le spalle: "Ma fammi il piacere" interruppe scuotendo con violenza la cenere del suo sigaro; "fammi il santissimo piacere..." e già la madre stava per sostenere l'amante, con un "hai torto marcio Michele", quando laggiú, in quella poca luce che vi arrivava dal loro angolo, la porta si aprí a metà, e una testa bionda di donna si affacciò:

"Si può?" domandò la testa; tutti si voltarono. "Oh, Lisa!" esclamò la madre "entra, entra pure". La porta si aprí del tutto e Lisa entrò; un soprabito turchino avvolgeva il suo corpo grasso, e le arrivava fin quasi ai piedi minuscoli; la testa dal cappellino cilindrico, azzurro e argento, pareva ancor piú piccola su quelle spalle piene che il panno invernale arrotondava; il soprabito era ampio, eppure il petto e i fianchi floridi vi si stampavano con abbondanza di linee curve e gonfie; invece le estremità di questo corpo meravigliavano per la loro esiguità e sotto la campana larga del mantello si distingueva con stupore la sottigliezza delle caviglie.

"Non disturbo?" domandò Lisa avvicinandosi "è tardi... lo so... ma ho cenato qui accanto e poiché passavo per la vostra strada non ho potuto resistere alla tentazione di farvi una visita e sono venuta...".

" Figurati " disse la madre; si alzò e andò incontro all'amica: " Non ti togli il soprabito? " le domandò.

" No ", rispose l'altra " resto un poco e poi scappo..., lo aprirò, ecco... per non aver troppo caldo ".

Disfece la cintura rivelando un vistoso e lucido vestito di seta nera ornato di grossi fiori azzurrastri; salutò Carla: " Buonasera Carla " " Leo: ah c'è anche Merumeci... impossibile non trovarlo qui " " Michele: come va Michele? " e sedette sul divano accanto alla madre.

" Che bel vestito hai " disse questa allargando il soprabito; " ebbene quali novità mi racconti? ".

" Nessuna ", rispose Lisa guardandosi intorno; " ma... " soggiunse " che facce stralunate avete... si direbbe che steste discutendo e io con la mia venuta abbia interrotto la vostra discussione ".

" Ma no ", protestò Leo posando su Lisa, tra il fumo del suo sigaro, uno sguardo mistificatore; " ma no... La massima allegria ha regnato finora ".

" Si parlava del piú e del meno... ecco tutto " disse la madre; prese una scatola e la porse all'amica: " Fumi? ".

A questo punto Michele, con la consueta inopportunità, interloquí:

" È la pura verità " disse curvandosi e guardando attentamente Lisa; " noi stavamo accapigliandoci e tu hai interrotto la nostra discussione ".

" Oh " fece Lisa senza alzarsi, con un riso forzato e malizioso; " allora me ne vado... non vorrei per tutto l'oro del mondo aver disturbato un consiglio di famiglia... ".

" Neppure per sogno " protestò la madre; e con una smorfia di biasimo verso Michele: " Sciocco! ".

" Io sciocco? " ripeté il ragazzo: " Ben mi sta " pensò " sciocco... sí..., sciocco a volermi per forza appassionare a queste tue questioni ". Un orribile senso di futilità e di noia l'oppresse; girò gli occhi intorno, per l'ombra ostile del salotto; poi su quelle facce; Leo lo guardava, gli parve, ironicamente, un sorriso appena percet-

tibile fioriva sulle sue labbra carnose; quel sorriso era
ingiurioso; un uomo forte, un uomo normale se ne sarebbe offeso e avrebbe protestato; lui invece no... lui
con un certo avvilente senso di superiorità e di compassionevole disprezzo restava indifferente... ma volle per
la seconda volta andar contro la propria sincerità: " Protestare ", pensò " ingiuriarlo daccapo ".

Guardò Leo: " E... dico ", profferí con voce incolore " che bisogno c'è di sorridere? ".

" Io... parola d'onore... " incominciò Leo fingendo la
piú grande stupefazione:

" Dico " soggiunse Michele alzando con uno sforzo
penoso la voce; era cosí che bisognava litigare; ricordava di aver assistito in tram, a un alterco tra due signori ugualmente grassi e importanti; ciascuno dei due
dopo aver preso per testimoni i presenti e citato, con
parole risentite, la propria onorabilità, la propria pro-
fessione, le proprie ferite di guerra, e in generale tutti
quegli elementi che potessero commuovere l'uditorio, aveva finito, pur di soverchiar l'avversario, per urlare francamente, e arrivare a un certo grado di collera sincera;
cosí doveva fare anche lui: " Non credere che perché è
venuta Lisa io non sia piú capace di ripetere quello che
ho detto prima... anzi guarda lo ripeto... mascalzone! ".

Tutti lo guardarono: " Ma insomma... " esplose la madre indignata.

Lisa osservava curiosamente Michele: " Perché... cos'è
successo? " domandava... Leo invece non si mosse né
mostrò di essersi offeso: ebbe soltanto un riso falso, alto
e sprezzante. " Ah... bellissima questa ", ripeté " bellissima... non si potrà piú neppure sorridere... "; poi, bruscamente " finché si scherza, si scherza ", soggiunse alzandosi dal fondo della poltrona, e battendo il pugno
sulla tavola; " ma ora basta... o Michele mi fa delle scuse o io me ne vado ".

Tutti capirono che la faccenda era diventata seria e
che quel riso non era stato che il lampo livido che pre-
cede lo scoppio del fulmine.

" Merumeci ha assolutamente ragione " disse la madre con volto duro e con voce imperiosa, e provava contro il figliolo una crudele irritazione perché temeva che l'amante cogliesse questa occasione per rompere i loro rapporti: " la tua condotta è disgustosa... ti ordino di fargli delle scuse... ".

" Ma... non capisco... perché Merumeci è un mascalzone? " domandava Lisa con l'evidente desiderio di complicare le cose; soltanto Carla non si moveva né parlava: un disgusto meschino e fastidioso l'opprimeva; aveva l'impressione che la marea angosciosa dei piccoli avvenimenti di quella giornata stesse per traboccare e per sommergere la sua pazienza; socchiudeva gli occhi e tra le ciglia spiava con sofferenza le facce stupide e irritate degli altri quattro.

" Oh, oh ", fece Michele ironico, senza muoversi; " me lo ordini?... e se io non obbedissi? ".

" Allora " rispose Mariagrazia non senza una certa patetica e teatrale dignità " daresti un dispiacere a tua madre ".

Per un istante, senza parlare, egli la guardò: " daresti un dispiacere a tua madre ", si ripeteva, e la frase gli pareva a un tempo ridicola e profonda. " Ecco " egli pensò con un disgusto superficiale; " si tratta di Leo... del suo amante... eppure ella non esita a tirare in ballo la sua qualità di madre ". Ma la frase era quella: " daresti un dispiacere a tua madre ", ripugnante e inconfutabile; distolse gli occhi da quella faccia sentimentale; dimenticò ad un tratto tutti i suoi propositi di sincerità e di collera: " E in fin dei conti " pensò " tutto mi è indifferente... perché non far delle scuse e risparmiarle questo famoso dispiacere?... ". Alzò la testa; ma voleva dire la verità, mostrare tutta la propria ingiuriosa indifferenza:

" E voi credete " cominciò " che io non sia capace di far delle scuse a Leo?... ma se sapeste quanto tutto questo mi sia indifferente ".

" Belle cose a dirsi " interruppe la madre.

" Quanto tutto questo m'importi poco " continuò Michele esaltandosi, " non ve lo potete immaginare... cosí non aver paura mamma... se vuoi non solamente gli faccio le scuse ma gli bacio anche i piedi a Leo ".

" No, non scusarti " osservò a questo punto Lisa che aveva seguito la scena con la piú grande attenzione; tutti la guardarono: " Ti ringrazio tanto, Lisa " continuò la madre offesa e teatrale; " proprio tanto di aizzarmi contro mio figlio ".

" Chi ti aizza tuo figlio? " rispose Lisa tranquillamente; " ma mi pare che non valga la pena... ".

Leo la guardò di traverso: " Non mi piace di esser chiamato a quel modo da un ragazzo " disse con voce dura; " ho domandato delle scuse e le avrò ".

" Non sarebbe meglio dimenticar tutto e riconciliarsi? " parlò Carla sporgendo quel suo volto tra attonito e candido.

" No ", rispose la madre " Merumeci ha ragione: bisogna che Michele gli faccia delle scuse ". Michele si alzò in piedi: " Gliele faccio, non dubitare...: dunque Leo ", disse rivolgendosi verso l'uomo " ti faccio tutte le mie scuse per averti ingiuriato " egli si fermò un istante; come facilmente gli erano uscite di bocca le parole umilianti! " E ti prometto che non lo farò piú " concluse con la voce tranquilla e l'indifferenza di un bimbo di sei anni.

" Va bene, va bene ", disse Leo senza guardarlo. " Imbecille ", avrebbe voluto gridargli Michele nel vederlo cosí sicuro e investito nella sua parte; ma piú di tutti, la madre, illusa, era contenta: " Michele è un buon figlio " disse guardando con improvvisa tenerezza il ragazzo; " Michele ha obbedito a sua madre ".

La fiamma della vergogna e dell'umiliazione che non aveva bruciato le guance di Michele mentre porgeva le sue scuse a Leo, lo scottò improvvisamente di fronte a questa incomprensione: " Ho fatto quel che avete voluto ", disse bruscamente " e ora permettete che vada a dormire perché sono stanco ". Girò su se stesso come una marionetta e senza salutare nessuno uscí nel corridoio.

Ma nel momento in cui passava nell'atrio s'accorse che qualcheduno gli era corso dietro; si voltò; era Lisa: " Ero venuta apposta " ella disse ansante, guardandolo con un curioso e appassionato sguardo, " per dirti che quando vuoi ti posso presentare a quel mio parente... e lui potrà trovarti qualche cosa da fare... nella sua ditta o altrove ".

" Grazie tanto " disse Michele fissandola a sua volta.

" Ma bisogna per questo che tu venga a casa mia... e cosí potrete incontrarvi ".

" Va bene ": a misura che Lisa si impacciava, il ragazzo pareva diventare piú calmo e attento: " Quando? ".

" Domani " disse Lisa. " Vieni domani mattina, vieni presto...: lui arriverà verso mezzogiorno... ma non importa... si parlerà un poco non è vero? ". Tacquero ambedue guardandosi: " E perché hai fatto quelle scuse a Leo? " domandò ad un tratto la donna arditamente; " non avresti dovuto fargliele ".

" Perché? " egli domandò; " ah, era a questo " pensò " che volevi venire ".

" Il perché sarebbe troppo lungo a dirtelo ora... e quei di là potrebbero pensare... " spiegò Lisa diventando ad un tratto molto misteriosa; " ma se vieni domani te lo dirò ".

" Va bene, allora... a domani ", e strettale la mano, egli si avviò per la scala.

Lisa tornò nel salotto; quei tre sedevano là, nell'angolo, intorno alla lampada; la madre che stava con tutti i suoi colori in piena luce, parlava di Michele: " È evidente " spiegava all'amante che rovesciato nella sua poltrona l'ascoltava con espressione del tutto abbrutita, senza batter ciglio; " che gli è costato molto far quelle scuse... Non è uno di quelli che si piegano facilmente... è fiero... " ella soggiunse con aria di sfida; " ha un'anima fiera e dritta come la mia ".

" Non ne dubito ", disse Leo sollevando le palpebre

in un lungo sguardo verso Carla; " ma questa volta ha
fatto bene a piegarsi ". Tacquero tutti e tre; l'incidente
era esaurito; e a passi silenziosi, con l'aspetto meno af-
faccendato di questo mondo, Lisa si avvicinò:

" Ha l'automobile Merumeci? " ella domandò.

I tre si voltarono: " L'automobile " ripeté l'uomo
scrollandosi, " sicuro... ho l'automobile ".

" Allora mi accompagnerà " disse Lisa " sempre che
non la disturbi ".

" Si figuri, il piacere è tutto mio ". Leo si alzò, si
abbottonò la giacca: " Bisognerà andare " cominciò, e
dentro di sé si rodeva; non solamente non era riuscito
a far nulla con Carla, ma ora, ecco, gli toccava anche
accompagnare Lisa.

Ma la gelosia incomprensiva della madre lo salvò; tra
quei due, Leo e Lisa, c'era stata una relazione, un amore, molti anni prima, anzi dovevano sposarsi, poi era
venuta lei, già vedova e aveva rubato alla sua migliore
amica il promesso sposo; era una storia molto vecchia,
ma... e se a quei due fosse venuto in mente di ricominciare? Si voltò verso Lisa: " No, tu non te ne vai
subito... " disse: " ho da parlarti... ".

" Sí, va bene ", Lisa la guardò con un falso imbarazzo: " ma poi non ho piú Merumeci che mi accompagna a casa ".

" Oh per questo non si preoccupi... " e questa volta
il piacere era veramente tutto di Leo; " io posso aspettarla nel corridoio o qui... lei parli pure con la signora...
io l'aspetterò... Carla " soggiunse guardando la fanciulla " mi terrà compagnia ".

Indolentemente Carla si alzò e scuotendo la grossa testa si avvicinò. " Ecco " pensava " se ora resto con lui
tutto è finito... "; Leo la guardava, le parve, maliziosamente, e questa complicità anticipata le sembrò odiosa;
ma a cosa sarebbe servito resistere? Una dolorosa impazienza la possedeva: " Finirla " si ripeteva guardando
quel salotto oscuro dove tanti giorni di fuoco si erano
consumati in cenere, e il gruppo solenne e ridicolo che

essi formavano intorno alla lampada: " finirla con tutto
questo ", e si sentiva cadere in questo suo esitante abbandono come una piuma in una tromba di scale.

Per questo non protestò, non parlò.

" Ma lei non sa " si opponeva la madre, " quanto io
tratterrò Lisa... Vada, vada pure... a Lisa faremo chiamare un taxi ". Voce insinuante, voce di gelosia: Leo
fu gentile, ma inflessibile: " Aspetterò... che importa?...
un minuto piú, un minuto meno... aspetterò volentieri... ".

La madre capí che aveva perduto e che le sarebbe stato
impossibile dividere quei due, Leo e Lisa; " è evidente...
vuole aspettarla " pensò scrutando quei due volti, " per
poi andare insieme a casa sua ". Questa idea le parve
atroce; diventò ancor piú pallida e la gelosia brillò francamente nei suoi occhi. " E va bene ", disse alfine " vada... vada ad aspettare di fuori... gliela rendo subito la
sua Lisa, non tema, subitissimo... ". Faceva con la mano
un gesto di minaccia, un riso amaro e cattivo tremava
su quelle sue labbra dipinte; Leo la guardò fissamente
poi alzò le spalle e senza parlare, seguito da Carla, uscí.

Nel corridoio, senza parer di nulla, egli passò un braccio intorno alla vita della fanciulla; ella se ne accorse
ma resistette alla tentazione di svincolarsi: " è la fine ",
pensò " la fine della mia vecchia vita ". Gli specchi che
brillavano nell'ombra riflessero al passaggio le loro due
figure allacciate.

" Hai visto " ella disse ad alta voce; " mamma è gelosa a causa di Lisa... ". Nessuna risposta se non una
pressione del braccio che la fece aderire col fianco al
fianco duro dell'uomo; entrarono cosí uniti nel vestibolo; mura alte, bianche, stanzetta cubica dal pavimento
a losanghe.

" E chi sa ", ella soggiunse con un umiliante senso di
futilità, " chi sa che non sia vero ". Questa volta l'uomo
si fermò e senza lasciarla le si mostrò di faccia.

" E invece " disse con un sorriso goffo, stupido, ed
eccitato, " sai di chi dovrebbe essere gelosa? di te... sí,
proprio di te... ".

" Ci siamo " ella pensò; " di me... perché? " domandò
con voce chiara. Si guardarono: " Verrai da me? " chiese Leo quasi paternamente; la vide abbassare la testa
senza rispondere né sí né no; " è il buon momento "
pensò; e già l'attirava e già stava per chinarsi e baciarla
quando un rumore di voci, là nel corridoio, l'avvertí che
la madre arrivava; dalla rabbia quasi soffocò; era la seconda volta nella giornata che l'amante veniva a gua-
stargli ogni cosa nell'istante piú delicato. " Che il diavolo se la trascini " pensò; si sentiva la donna parlare,
discutere nel corridoio con Lisa, e benché non accennasse
a comparire, Carla ormai inquieta fece il gesto di svincolarsi: " Lasciami, ecco mamma ". Furioso, Leo guardava la porta, si guardava intorno senza tuttavia decidersi a lasciare quella cintola flessibile; ed ecco, gli occhi
gli caddero sopra una tenda che a destra del vestibolo
dissimulava un uscio; stese un braccio, spense la luce:
" Vieni " mormorò nell'oscurità tentando di trascinar
Carla in quel nascondiglio; " vieni là dietro... facciamo
uno scherzo a tua madre ". Ella non capiva, resistette,
i suoi occhi brillavano nell'ombra: " Perché... ma perché? " ripeteva; però alla fine cedette; entrarono dietro
la cortina, s'appiattarono nel vano della porta; Leo ri-
girò il braccio intorno alla cintola della fanciulla. " Ora
vedrai " le mormorò; ma Carla non vedeva nulla; dritta,
rigida, chiudeva gli occhi in quella notte della tenda
piena di ondeggiamenti odoranti di polvere, e lasciava che
la mano di Leo errasse sulle sue guance, sul suo collo:
" Ora vedrai " egli bisbigliò; la tenda fremette da cima
a fondo, ella sentí le labbra dell'uomo posarsi sul suo
petto, strisciare goffamente fino al mento, fermarsi alfine sulla bocca; bacio profondo ma di poca durata. Le
voci si avvicinavano, Leo si drizzò di nuovo: " Eccola "
egli mormorò nel buio, e quel suo braccio strinse Carla
con una forza confidenziale e intima, con una sicurezza
che gli erano mancate prima.

L'uscio a vetri si aprí; Carla allargò un po' la tenda
e guardò: nel quadro luminoso della porta aperta, la

figura della madre, piena di ombre e di rilievi, esprimeva lo stupore e l'incomprensione:

"Ma non ci sono" esclamò la voce familiare; e Lisa, invisibile, dal corridoio chiese: "E dove saranno andati?".

Domanda senza risposta; la testa della madre si tese, si affacciò come per esplorare il vestibolo; l'ombra le scavava i tratti e faceva di quella faccia molle e dipinta una maschera pietrificata in un'espressione di patetico smarrimento; ogni ruga, e la bocca semiaperta e nera di belletto, e gli occhi sbarrati, e il volto intero parevano gridare... "Leo non c'è piú... Leo mi ha abbandonata... Leo è partito". Carla la guardava tra curiosa e compassionevole, intuiva la paura che tremava dietro quella maschera e le pareva di vedere il volto stesso dei giorni avvenire quando la madre avrebbe saputo del tradimento dell'amante e di sua figlia; questo spettacolo durò un istante; poi la testa si ritrasse. "È strano", si udí parlar la voce "il soprabito di Merumeci è ancora là e loro non ci sono".

"Forse sono nell'atrio" rispose Lisa; e cosí tra supposizioni e meraviglie si allontanarono entrambe.

"Hai visto?" mormorò ancora Leo; si chinò di nuovo e strinse al suo petto la fanciulla; "è la fine", ella ripensò tendendo la bocca; le piaceva quest'oscurità che le impediva di veder l'uomo e le lasciava tutte le sue illusioni, le piaceva questo intrigo; si separarono. "E ora usciamo", ella mormorò allargando con le mani la tenda; "usciamo Leo, ché possono accorgersene".

Egli cedette a malincuore e uno dopo l'altro uscirono entrambi, come due ladri, dal loro nascondiglio; la luce brillò; si guardarono: "Sono spettinata?" Carla domandò; egli accennò di no con la testa. "E ora cosa diremo a mamma?" ella soggiunse.

Una grossolana malizia splendette sul volto rosso ed eccitato dell'uomo, egli si diede un colpo sulla coscia e rise: "Ah, ma è stata bella", esclamò "bellissima...

cosa diremo loro? che siamo stati qui... naturalmente... che ci siamo stati per tutto il tempo... ".

" No, Leo ", disse Carla dubitosa guardandolo e giungendo le mani sul ventre, " veramente? ".

" Veramente " egli ripeté; " ah, eccola ".

La porta si aprí, riapparve la madre: " Ma sono qui ", esclamò volgendosi verso Lisa; " e noi che li abbiamo cercati per tutta la casa... dove eravate? ".

Leo fece un gesto di meraviglia: " Siamo sempre stati qui ".

La madre lo guardò come si guarda un povero matto: " Non dica sciocchezze... sono stata io poco fa qui e non c'era nessuno ed era tutto buio ".

" Allora ", rispose l'uomo placidamente, staccando il soprabito dall'attaccapanni, " vuol dire che lei soffre di allucinazioni. Noi siamo sempre stati qui... Non è vero Carla? " egli soggiunse volgendosi verso la fanciulla.

" Verissimo " rispose quella dopo un'esitazione.

Seguí un minaccioso silenzio; la madre aveva l'impressione che tutti si burlassero di lei ma non le riusciva di scoprirne le cause; sospettava fini reconditi e machiavellismi tenebrosi; irresoluta, irritata, intesseva una rete di sguardi scrutatori tra Leo, Carla e Lisa.

" Lei è pazzo " disse finalmente; " cinque minuti fa qui non c'era nessuno... ne è testimone Lisa che era con me " soggiunse additando l'amica.

" È vero, non c'era nessuno " disse questa con calma.

Ancora silenzio: " E Carla è testimone che noi eravamo qui " disse Leo gettando un'occhiata allusiva alla fanciulla; " è la pura verità... non è vero Carla? ".

" È vero " ella confessò confusa, colpita per la prima volta da questo fatto: che era incontestabile che quando la madre era venuta essi erano là, dentro il vestibolo.

" E va bene " disse la madre con amarezza; " va benissimo... voi avete ragione, io sono pazza e Lisa anche ". Per un istante tacque.

" Che Leo si permetta questi scherzi " proruppe poi volgendosi verso Carla, " è affar suo... ma che tu ti burli

di me, di questo dovresti vergognarti... bel rispetto verso tua madre... ".

" Ma è la pura verità mamma " protestò Carla; ora
lo scherzo le diveniva doloroso, le si affondava come
una spina in quell'impazienza che la possedeva; " eravamo nel vestibolo "; avrebbe voluto soggiungere " eravamo dietro la tenda io e Leo, abbracciati "; e immaginava la scena che a queste parole sarebbe scoppiata, ma
sarebbe stata l'ultima; poi tutto sarebbe finito.

Intanto Lisa, col volto di chi è annoiata, diceva: " Vogliamo andare Merumeci?... ". E l'uomo pronto per uscire tendeva la mano alla madre: " Ci pensi su ", egli non
poté far a meno di dire sorridendo; " ci pensi tutta la
notte ". Al che la madre rispose con un'alzata di spalle:
" Io la notte dormo ". Poi abbracciò Lisa mormoran-
dole: " Allora ricordati di quello che ti ho detto ". La
fanciulla aprí la porta, una folata d'aria fredda entrò
nel vestibolo, e quei due uscirono, disparvero.

Salirono insieme, la madre e la figlia, al piano superiore; nell'anticamera la madre che offesa da quello scherzo del vestibolo non aveva detto parola, domandò alla
fanciulla cosa avrebbe fatto il giorno dopo. " Il tennis "
rispose Carla; dopo di che senza abbracciarsi andarono
ciascuna nella propria stanza.

In quella di Carla, la lampada era accesa, ella aveva
dimenticato di spegnerla, e in quella bianca luminosità
pareva che i mobili e tutte le altre cose stessero in attesa della sua venuta; ella entrò e subito macchinalmente andò a guardarsi nel grande specchio dell'armadio: nulla di anormale nel suo volto, fuorché gli occhi
stanchi, segnati, eppure misteriosamente scintillanti; un
alone tra azzurro e nero li circondava, e i loro sguardi
profondi pieni di speranze e di illusioni la turbavano
come se fossero partiti da un'altra persona. Restò cosí
per un istante con le mani appoggiate sullo specchio, poi
se ne staccò e sedette sul letto; si guardò intorno: la
stanza per molti aspetti pareva quella di una bambina
di tre o quattro anni; i mobili erano bianchi, bassi, igie-
nici, le pareti erano candide con fregi azzurri, una fila di
bambole dalle teste storte, dagli occhi capovolti, neglette
e cenciose, sedevano su quel piccolo canapè sotto la fine-

44

stra; l'arredamento era quello della sua infanzia e la madre a corto di quattrini non aveva potuto sostituirlo con un altro, piú addicente alla sua maggiore età; e del resto, le aveva detto, che bisogno c'era di un nuovo mobilio? ella si sarebbe sposata e avrebbe lasciato la casa. Cosí Carla era cresciuta nella cornice angusta dei suoi anni piú lontani; ma la stanza non era restata come allora, nuda e infantile, ogni sua età vi aveva lasciato una traccia, gingilli o cenci; ora la stanza era piena, comoda e intima, ma d'una intimità ambigua, a volte donnesca (per esempio la teletta dai nastri sciupati, coi profumi, le ciprie, le pomate, i belletti, e quelle due larghe giarrettiere rosee appese presso lo specchio ovale) a volte puerile; e un molle disordine, tutto femminile, fatto di panni abbandonati sulle sedie, di flaconi aperti, di scarpette rovesciate, complicava l'equivoco.

Carla guardava queste cose con uno stupore tranquillo; nessun pensiero passava attraverso la sua contemplazione: ella stava seduta sul suo letto, nella sua camera, la luce era accesa, ogni cosa era al suo posto come le altre sere, ecco tutto... Incominciò a spogliarsi, si tolse le scarpe, il vestito, le calze... tra questi atti abitudinari osservava furtivamente intorno, vedeva ora una testa irsuta di bambola, ora l'attaccapanni carico di vestiti, ora la teletta, ora la lampada... e quella luce; quella luce speciale, tranquilla, familiare che a forza d'illuminarli pareva essere negli oggetti stessi della stanza, e che insieme con la finestra ben serrata e velata da certe mezze tendine molto candide dava un senso piacevole e lievemente angoscioso di sicurezza... sí non c'era dubbio... ella era nella sua stanza, nella sua casa; era probabile che fuori di quelle mura fosse la notte, ma ella ne era separata da quella luce, da quelle cose in modo che poteva ignorarla... e pensare di essere sola, sí, completamente sola e fuori del mondo.

Finí di spogliarsi, e tutta nuda, scrollando la grossa testa arruffata si alzò e andò all'armadio per prendervi un pigiama nuovo; fece quei pochi passi con leggerezza sulle punte dei piedi; aprí il cassetto e osservò chinandosi che anche i grossi seni si muovevano per conto loro, là, sotto i suoi occhi; nel rialzarsi si vide nello specchio; la colpí l'atteggiamento goffo, se non vergognoso, di tutto il corpo nudo e poi la sproporzione tra la testa troppo grande e le spalle esigue; forse a causa dei capelli; prese uno specchio dalla mensola dell'armadio e se lo passò dietro la nuca; erano lunghi: " Bisogna che io vada dal parrucchiere " pensò.

Si guardò ancora... ecco... le gambe erano un po' storte, oh appena! dai ginocchi in giú, e il petto... il petto era troppo basso; se lo sollevò un poco, con le due mani; " dovrebbe essere cosí " pensò; voltò la testa, tentò di sbirciarsi il dorso; allora mentre i suoi sguardi tentavano da sopra le spalle di abbracciare per intero quella sua altra immagine, l'assalí il senso del contrasto tra la futilità di questi suoi atteggiamenti e gli avvenimenti gravi occorsi in quel giorno; Leo l'aveva baciata, si ricordò, pochi minuti prima; lasciò lo specchio e tornò al letto.

Sedette, per un istante restò immobile, cogli occhi fissi in terra. " Comincia proprio una nuova vita " pensò finalmente; alzò la testa e, d'improvviso, le sembrò che quella stanza tranquilla, pura, e senza sospetto, e quelle sue abitudini tra meschine e sciocche fossero tutta una cosa viva, una sola persona dalla figura definita a cui ella andasse, senza parer di nulla, preparando sottomano un tradimento inaudito, " tra poco... arrivederci per sempre... " si ripeté con una gioia triste e nervosa e fece un gesto di saluto da quel suo letto agli oggetti circostanti, come da una nave in partenza; delle immaginazioni pazze, vaste, tristi passavano per la sua testa, le pareva che una concatenazione fatale legasse questi avvenimenti: " Non è strano? " si diceva; " domani mi darò a Leo e cosí dovrebbe incominciare una nuova vita... e appunto domani è il giorno in cui sono nata "; si ricordò di sua madre; " ed è col tuo uomo " pensò " col tuo uomo, mamma, che andrò ". Anche questa ignobile coincidenza, questa sua rivalità con la madre le piaceva; tutto doveva essere impuro, sudicio, basso, non doveva esserci né amore né simpatia, ma solamente un senso cupo di rovina: " Creare una situazione scandalosa, impossibile, piena di scene e di vergogne " pensava; " completamente rovinarmi... ". Teneva la testa bassa e ad un certo punto alzando gli occhi si vide nello specchio dell'armadio e senza saper perché incominciò a tremare per tutto il corpo; avrebbe voluto piangere e pregare, le pareva che questi pensieri tristi l'avessero già perduta. " Dove va la mia vita? " si ripeteva guardando in terra; " dove va? ".

Finalmente queste parole dolenti non ebbero piú alcun significato, s'accorse di non pensar piú nulla, di esser nuda, di star seduta sulla sponda del letto; la lampada brillava, intorno gli oggetti stavano al loro posto di tutte le sere; dell'esaltazione di poco prima non le restava che un'amarezza vuota; le pareva di essersi con sforzo avvicinata al centro puro del suo problema e poi di averlo inspiegabilmente perso di vista.

" Succederà quel che succederà " pensò; raccolse il pigiama, pigramente lo infilò; scivolò sotto le coltri, spense la luce; chiuse gli occhi.

Nessun servitore dormiva in casa di Lisa, ella non ne voleva, e per le faccende indispensabili come la cucina e la pulizia faceva venire una donnetta alacre, la portiera della casa; questo sistema, certo, non andava senza incomodità, ma Lisa che aveva una vita molto libera anzi sregolata preferiva che fosse cosí.

Quella mattina ella si destò tardi; era qualche tempo che rincasava dopo mezzanotte, dormiva senza piacere e si levava quasi piú stanca e nervosa del giorno avanti; si svegliò con difficoltà e senza muoversi né alzar la testa, guardò: una rada e polverosa oscurità forata come un setaccio da mille fili di luce empiva la stanza; in quest'ombra s'indovinavano, muti e morti, i vecchi mobili, gli specchi silenziosi, i panni appesi, a quella macchia oscura, la porta; l'aria era greve e dell'odore del sonno e di quello delle suppellettili; la finestra era chiusa. Lisa scese dal letto e ravviandosi i capelli che le pendevano sopra la faccia madida andò alla finestra e tirò su l'imposta; un giorno bianco invase la stanza; ella allargò la tendina; i vetri erano tutti imperlati di vapore, doveva far freddo; attraverso questa rugiada s'indovinavano dei colori vaghi, tenui e puri, un bianco, un verde come dissolti in un lago d'acqua; ella squarciò con la mano questo velo liquido e vide subito un pezzo di tetto rossiccio di un aspetto cosí poco luminoso, cosí indifferente e opaco che non ebbe bisogno di guardar piú in su per vedere se il cielo era grigio; si distaccò, fece macchinalmente qualche passo per la stanza ingombra. Il gran letto matrimoniale di noce cupo e volgare, tutto pieno di bianche lenzuola disfatte occupava molto posto, ed era cosí vicino alla finestra rettangolare che qualche volta nelle notti d'inverno le era di gran godimento mentre giaceva sotto le coperte calde, vedere là, a un metro di distanza, l'onda della pioggia colare dalla vasta notte torrenziale sui vetri quadrati; oltre il letto c'erano due grandi armadi dello stesso legno casalingo e malodorante con immensi specchi ingialliti; la stanza era di media grandezza ma con quei mobili il posto che avanzava per muoversi era addirittura esiguo.

Andò all'attaccapanni; non aveva addosso che una trasparente camiciuola che faceva ancor piú corte le sporgenze del corpo, le gambe erano tutte scoperte fino alla piega profonda che staccava la rotondità delle natiche dalle cosce bianche e senza peli, i seni muscolosi, appena piú bassi che a vent'anni, ne uscivano per metà con due rigonfi lisci e venati; ella si vide in uno specchio cosí seminuda e molto piegata in avanti come per nascondere sotto quel velo troppo corto la macchia oscura del grembo, e giudicò di essere dimagrita; infilò una vestaglia e passò nel bagno.

Questo era una stanzetta grigia, nuda, fredda, i tubi erano verniciati e opachi, la vasca era di metallo smaltato, non c'era che un solo specchio tutto rugginoso, un'ombra umida empiva gli angoli; Lisa accese la luce; le venne in mente che erano passati tre giorni da quando si era lavata per l'ultima volta tutto il corpo, e che sarebbe stato necessario prendere un bagno; esitò; era veramente indispensabile? Si guardò i piedi: le unghie erano bianche, parevano puliti; no, non ce n'era bisogno, tanto piú che se, come era probabile, passava la notte con Michele, avrebbe dovuto ripulirsi interamente il gior-

no dopo; si decise, andò ad un lavabo inchiodato al
muro, aprí i rubinetti, aspettò che si fosse riempito; allora si tolse la vestaglia, abbassò la camicia fino alla
cintola e si lavò; prima la faccia, starnutendo e soffian-
do, poi con gesti che avrebbero voluto impedire che
l'acqua colasse dal petto e dalle spalle sulle parti inferiori ancora tutte piene del tepore notturno, il collo e
le ascelle; ogni volta che si chinava sentiva la camicia
risalire sul dorso, un freddo di pietre le veniva dalle
mattonelle del pavimento: all'ultimo non trovò l'asciu-
gamano e scappò tutta accecata tutta bagnata e nuda a
prenderne uno nella stanza da letto.

Si asciugò, sedette alla teletta; breve acconciatura;
ella non usava pomate, né belletti, non c'era che da mettersi un po' di cipria, da profumarsi e da pettinarsi: voltò alfine le spalle allo specchio, e si chinò per infilare le
calze: ora due pensieri s'alternavano nella sua mente,
quello della colazione e quello di Michele; le piaceva
la mattina mangiare col caffè delle buone cose, delle con-
serve dolci, dei pasticcini, del burro, dei croccanti; era
ghiotta e non si staccava dalla tavola se non quando era
sazia; ma oggi temeva di restare a digiuno. " Se Michele
viene tra poco " pensò " è meglio che non mi faccia
trovare a mangiare... pazienza... sarà per un'altra volta ".
Si drizzò, indossò una combinazione rosa, poi una sottoveste dal busto strettissimo che le fasciava il petto come
un corsetto; la sua fantasia, per consolarsi, dipingeva un
Michele innamoratissimo e timido, un adolescente ine-
sperto a cui ella si sarebbe data tremante di gioia; alfine un amore puro: " Dopo la vita che ho fatto " pensò
convinta, " fa bene un po' d'innocenza ". Notti insonni,
faticosi piaceri, eccitamenti senza gioia, questa sudicia
nebbia dileguava. Michele le portava il sole, il cielo azzurro, la franchezza, l'entusiasmo, l'avrebbe rispettata
come una dea, avrebbe appoggiato la testa sulle sue ginocchia; ne aveva un desiderio insaziabile, e non vedeva
l'ora di bere a questa fontana di giovinezza, di tornare
a quest'amore nuovo, balbettante, pudico che da ven-

t'anni quasi aveva dimenticato; Michele era la purezza: ella si sarebbe data al ragazzo senza lussuria, quasi senza ardore; tutta nuda gli sarebbe venuta incontro a passi di danza, e gli avrebbe detto: " Prendimi "; sarebbe stato un amore straordinario, come non si usano piú.

Aveva finito di vestirsi; uscí dalla stanza, attraversò il corridoio oscuro, entrò nel boudoir pieno di luce; era, questa stanza, tutta bianca e rosa; bianchi i mobili e il soffitto, rosei i tappeti, la tappezzeria, il divano; tre grandi finestre leggiadramente velate diffondevano una luce tranquilla; a prima vista tutto appariva puro e innocente, si osservavano mille gentilezze, qui un cestino da ricamo, là una piccola biblioteca dai libri multicolori, e poi dei fiori smilzi sulle mensole laccate, degli acquerelli sotto vetro alle pareti, insomma una quantità di cose che, dapprima, facevano pensare: " Eh, che bel posticino chiaro e sereno, qui non può abitare che qualche giovinetta "; ma se si guardava meglio si cambiava idea; allora ci si accorgeva che il boudoir non era piú giovane del resto dell'appartamento, si osservava che la lacca dei mobili era scrostata e ingiallita, che la tappezzeria era scolorita e qua e là mostrava la trama, che una stoffa lacera e dei cuscini sordidi coprivano il divano d'angolo; ancora uno sguardo e si era convinti: si rivelavano gli strappi delle tendine, i vetri spezzati degli acquerelli, i libri polverosi o sdruciti, le larghe screpolature del soffitto; e se poi alfine era presente la padrona di casa, non c'era neppur bisogno di cercare, tutta questa corruzione saltava agli occhi come accusata dalla figura della donna.

Lisa sedette davanti alla scrivania ed aspettò; ora l'idea della colazione le tornava, ne aveva una gran voglia, non sapeva come fare: " Se almeno sapessi a che ora viene ", pensò con dispetto guardando l'orologio che teneva al polso; alfine seppe dominarsi, rinunziò di nuovo e tornò alle sue fantasie tenere crudeli ed eccitate. " Lo farò sedere sul divano " pensò ad un tratto, " e mi distenderò dietro di lui... parleremo un poco... poi comincerò a pungerlo su qualche soggetto scabroso... e lo guarderò... se non è uno sciocco capirà "; osservava il divano come un istrumento di cui si vuol valutare la bontà e l'efficacia; e se tutto andava bene avrebbe fatto aspettare l'adolescente per il gusto delicato di vederlo sospirare, e finalmente, dopo qualche giorno, l'avrebbe invitato a cena e l'avrebbe trattenuto tutta la notte; che cena sarebbe stata quella: delle leccornie, e soprattutto del vino: avrebbe indossato quel suo vestito che le stava cosí bene, azzurro, e si sarebbe ornata di quei pochi gioielli che aveva potuto salvare dalle mani rapaci del suo ex-marito; la tavola sarebbe stata preparata qui, nel boudoir, la sala da pranzo era meno intima; una tavola per due, piena di buone cose, del pesce, dei pasticci di carne e di legumi, dei dolciumi; una tavola piccola, ricca e scintillante, per due, per due soltanto, un terzo non ci sarebbe entrato, neppure a volercelo... Con occhi brillanti di gioia e di tenerezza ella si sarebbe seduta di fronte al suo caro ragazzo, pur mangiando non avrebbe cessato di guardarlo, gli avrebbe versato del vino, molto vino, gli avrebbe parlato in tono scherzoso, curioso, allusivo, materno; si sarebbe informata dei suoi piccoli amori, l'avrebbe fatto arrossire; gli avrebbe ogni tanto gentilmente ammiccato, si sarebbero toccati coi piedi là sotto la tavola; finita la cena avrebbero insieme sgombrato la tavola, ridendo, toccandosi e urtandosi per il gran desiderio di possedersi; poi ella si sarebbe spogliata, avrebbe infilato una vestaglia, e a Michele avrebbe fatto indossare uno di quei pigiama di suo marito; gli sarebbe andato a meraviglia, avevano ambedue la stessa statura sebbene l'adolescente fosse piú sottile; seduti sul divano lei e Michele avrebbero conosciuto la gioia irritante e avara di questa loro vigilia della prima notte... finalmente sarebbero andati insieme nella camera da letto.

Un po' eccitata da queste fantasie stava seduta presso la scrivania. Teneva la fronte bassa, ogni tanto come per scacciare i pensieri si ravviava i capelli, oppure, pur senza cessare di pensare, storceva i piedi e si guardava le scarpe; il rumore del campanello accelerò i battiti del suo cuore; sorrise, si guardò in uno specchio, uscí nel corridoio.

Prima di aprir la porta accese la luce; Michele entrò.

" Forse sono venuto troppo presto? " egli disse appendendo il mantello e il cappello all'attaccapanni.

" Figurati ". Passarono nel boudoir, sedettero sul divano: " Come va? " domandò Lisa; prese una scatola di sigarette e ne offrí al ragazzo; egli rifiutò e stette sovrappensiero, colle mani sui ginocchi.

" Va bene ", rispose finalmente; silenzio.

" Se permetti " disse la donna " io mi distenderò sopra il divano... ma tu... stai... stai... comodo ". Alzò le gambe e s'allungò sopra i cuscini; Michele vide le due cosce goffe e bianche e ne sorrise dentro di sé; quell'idea gli tornò: " Evidentemente vuole eccitarmi "; ma Lisa non gli piaceva, proprio no, e tutto questo gli era indifferente.

Ella guardava il ragazzo pensando a quel che avrebbe potuto dirgli; quei pretesti per una maggiore intimità che pochi minuti prima le erano sembrati tanto spontanei, ora nel suo turbamento le sfuggivano; aveva la testa vuota, il cuore in tumulto, le tornò in mente, chi sa perché, la scena della sera avanti, quel litigio tra Leo e Michele, che al momento l'aveva interessata; esitò a riparlarne, ma l'idea di potere anche vendicarsi un poco del suo antico amante rivelando al ragazzo, se già non lo sapeva, la tresca di sua madre, la incoraggiò; poi, per vie indirette, avrebbe potuto venire a qualche piú eccitante conversazione.

" Scommetto " disse guardandolo " che tu muori dalla voglia di sapere perché io ti abbia domandato ieri sera di non fare quelle scuse a Leo ".

Egli si voltò: " Sei tu che muori dalla voglia di parlarne " avrebbe voluto risponderle; ma si trattenne: " Proprio morire no... ma di' pure ".

" Io credo di avere piú di chicchessia il diritto di aprirti gli occhi " ella cominciò.

" Non ne dubito ".

" Si tace per molto tempo, si finge di non vedere... ma alla fine il troppo storpia... quel che ho veduto ieri sera mi ha rivoltato ".

" Permetti " disse Michele, " che cosa precisamente ti ha rivoltato? ".

" Quelle scuse a Leo "; ella lo fissò con serietà; " e soprattutto che tua madre, proprio lei, esigesse da te una tale umiliazione ".

" Ah, ora capisco ", e il volto di Michele si illuminò di ironia; " che voglia darmi la gran notizia che mia madre ha un amante? " pensò; gli venne un disgusto acuto di sé e della donna; " ma forse non era una umiliazione " soggiunse.

" Lo era in tutti i casi... e doppiamente quando udirai quello che sto per dirti... "; egli la guardò: " Se ora ti prendessi per i fianchi o ti pizzicassi sul dorso ", pensò " come lasceresti subito quell'aria segreta e dignitosa, come ti dimeneresti! ".

" Ti avverto " disse, e gli parve di essere veramente sincero, " che non m'importa di saper nulla ".

" Benissimo " rispose Lisa per niente sconcertata; " tu hai ragione... ma sento che debbo parlare... mi ringrazierai poi... dunque devi sapere che tua madre ha commesso un errore... ".

" Uno solo? ".

Tra i due partiti, quello di irritarsi e quello di ridere, Lisa scelse il secondo: " Ne avrà commessi mille " disse sorridendo e avvicinandosi alquanto al ragazzo; " ma questo è certo il piú grosso ".

" Un momento " interruppe Michele, " non so cosa tu stia per dirmi... ma se, a quanto pare, è una cosa grave, vorrei sapere perché me la riveli ".

Si guardarono: " Perché? " ripeté Lisa, lentamente abbassando gli occhi; " ma perché m'interessi molto e anche ti voglio bene, e poi, te l'ho già detto, perché certe ingiustizie mi rivoltano ".

Egli sapeva dei legami che c'erano stati tra Leo e la donna: " O piuttosto " pensò " ti rivolta che te l'abbiano portato via, eh ", ma assentí gravemente colla testa. " Hai ragione, non c'è nulla di peggio che l'ingiustizia...! allora, avanti, in che cosa consiste questo errore? ".

" Ecco... dieci anni fa tua madre conobbe Leo Merumeci... ".

" Non vorresti mica dirmi " interruppe Michele col piú falso degli spaventi, " che Leo sia l'amante di mia madre! ".

Si guardarono: " Mi dispiace " disse Lisa con una dolorosa semplicità; " ma è proprio cosí ".

Silenzio; Michele guardava in terra e avrebbe voluto ridere; quel suo disgusto si trasformava in un senso amaro di ridicolaggine.

" E ora puoi capire " continuò Lisa " se e quanto mi abbia rivoltato tua madre che ti chiedeva di umiliarti di fronte a quell'uomo ".

Egli non si muoveva né parlava; rivedeva sua madre, Leo, se stesso in atto di farsi perdonare, figure stupide e piccole, perdute senza speranza nella vita piú vasta... ma queste visioni non l'offendevano né destavano in lui alcun sentimento; avrebbe voluto essere tutt'altro, sdegnato, pieno di rancore, pieno di inestinguibile odio; e soffriva invece di essere a tal punto indifferente.

Vide Lisa alzarsi e sedersi al suo fianco. " Via " ella disse posando una mano goffa e consolatrice sulla sua testa; " via... fatti coraggio... capisco che ti debba dispiacere... si vive con la certezza che una persona meriti il nostro affetto, la nostra stima, e poi... ad un certo punto tutto crolla intorno a noi... ma non importa... questo ti sarà di ammaestramento... ".

Egli scosse la testa, mordendosi le labbra per non ridere; Lisa credette invece che il dolore lo soverchiasse: " Non tutto il male vien per nuocere " disse con voce patetica e melata, senza cessare di passare quella sua mano sui capelli del ragazzo; " questo ci riavvicinerà... vuoi che io diventi per te quello che era prima tua madre... di'? vuoi che io diventi la tua amica, la tua confi-

dente?... ". Era sincera, ma la voce era cosí flautata e
falsa che Michele avrebbe voluto tapparle la bocca con
la mano; ma stette fermo, con la testa ostinatamente curva; giacché si vedeva, seduto accanto a quella donna,
sul bordo del divano, con una faccia tra contrita e idiota... la scena gli pareva tanto ridicola che per non ridere non c'era che un mezzo: non muoversi.

Lisa diventò ancor piú zelante: " Verrai a farmi delle
visite... parleremo... ci sforzeremo di ricostruire, di rior-
ganizzare una nuova esistenza ".

Egli la guardò di sottecchi... rossa, sotto la frangia
dei capelli biondi, rossa ed eccitata: " Ah, è cosí che
cominci a organizzare " pensò; si ricordò di quel parente
che doveva venire nel mattino... e perché non prendere
seriamente tutta la faccenda e giovarsene?... perché non
continuare negli infingimenti?...

Alzò la testa: " È stato duro " profferí come chi è
riuscito a dominare un gran dolore; " ma hai ragione...
bisogna che mi faccia una nuova esistenza... ".

" Certamente " approvò Lisa con fervore; dopo di che
seguí un profondo silenzio; ambedue con scopi diversi,
fingevano una trasognata e ispirata distrazione; stavano
immobili, l'uno accanto all'altra, e guardavano in terra.

Un fruscío; il braccio di Michele scivolò dietro la
schiena della donna e le circondò la vita. " No " ella
disse con voce chiara, senza muoversi o voltarsi, come se
avesse risposto ad una domanda interiore; Michele sorrise
di malavoglia, né sentiva un certo turbamento invaderlo,
e l'attirò piú strettamente; " No, no " ella ripeté in tono
piú debole, ma cedette e appoggiò quella sua testa sper-
duta sulla spalla del ragazzo; allora dopo un istante di
sentimentale immobilità egli la prese per il mento e nonostante la falsa muta protesta degli occhi, la baciò sulla
bocca.

Si separarono: " Sei cattivo " disse Lisa con un mezzo
sorriso di gratitudine, pateticamente; " cattivo e prepo-
tente ". Michele alzò gli occhi e la guardò con freddezza;
poi un sorriso passò sulla sua faccia magra e seria; al-

56

lungò una mano, e con quanta forza aveva pizzicò la
donna al costato, sotto il braccio: " Ohi, ohi " ella gridò
ad un tratto, ridendo spalancando la bocca, e dimenan-
dosi; " ohi, ohi! "; agitava le braccia, le gambe; alfine
cadde fuori del divano e in un movimento convulso di
tutto il corpo la veste le risalí sul ventre e le grosse
cosce di una bianchezza adombrata di muscoli apparvero;
allora Michele lasciò la stretta; Lisa risedette e riabbassò
la gonna sopra le ginocchia.

" Oh che perfido! " ella ripeté in falsetto premendosi
con una mano il petto ansante; " oh che perfido! ". Michele taceva e con una curiosità seria e grave l'osservava: " E invece " ella soggiunse, posandogli le mani
sulle spalle; " dovresti farmi cosí, guarda... ". Avvicinò
quelle sue labbra strette in forma di cuore a quelle del
ragazzo, le toccò lievemente, e le distaccò con occhi lustri
di soddisfazione: " Cosí dovresti farmi " ripeté stupidamente per nascondere il proprio eccitamento.

Michele storse la bocca, si alzò, girò per il boudoir,
con le mani in tasca, guardando i banali acquerelli che
pendevano dalle pareti; era irritato ed eccitato. " Ti piacciono? " udí ad un tratto alle sue spalle; si voltò e vide
Lisa: " Delle porcherie " disse.

" Ma veramente " rispose la donna mortificata, " mi
erano sempre sembrati buoni ".

Tornarono al divano; le tempie del ragazzo battevano,
le sue guance ardevano: " Tutto questo è ignobile " pensava disgustato; ma appena si furono seduti, abbatté Lisa
sopra i cuscini come se avesse voluto prenderla; vide
quel volto chiudere le palpebre lustre e abbandonarsi a
una specie di estasi tra ripugnante e ridicola; l'impressione fu cosí forte che ogni desiderio scomparve; baciò
freddamente la bocca della donna, poi con una specie di
gemito si accasciò con la testa in quel grembo; oscurità:
" Voglio restar cosí fino alla fine della visita " pensò, " e
non vederla piú, e non baciarla piú ".

Sentí delle dita carezzevoli posarsi sui suoi capelli e
lisciarli.

" Cos'hai? " domandò la voce familiare e falsa.

" Penso " rispose in tono profondo chiudendo gli occhi " quale debole sforzo basterebbe per essere sinceri,
e come invece si faccia di tutto per andare nella direzione opposta ". Sospirò; gli parve di essersi definito:
" Perché sto qui? " pensò " perché mentisco? sarebbe
cosí facile dire la verità e andarsene ".

" È proprio cosí " gli rispose la donna senza cessare di
accarezzargli i capelli; " proprio vero... ma ora non devi
piú avere di questi pensieri... non avrai piú bisogno degli
altri... ora ci sono io; staremo insieme... ignoreremo il
mondo intero " ella diceva queste parole con una voce
fervorosa che fece rabbrividire il ragazzo: " vivremo lontano dalle cose che ti dispiacciono, vuoi?... da tutte queste miserie... Tu mi racconterai la tua vita, i tuoi dispiaceri, le tue tristezze, e io ti darò tutto l'amore che
posseggo, che ho messo in serbo per te... sarò la tua
compagna, vuoi? la tua compagna fedele e umile, tanto
umile, sai, che ti ascolterà in silenzio e ti consolerà con
le sue carezze, cosí... cosí... ". La mano che ella passava
sulla testa del ragazzo si contrasse; Lisa si chinò, baciò
i capelli, la nuca, in furia, mentre quelle sue dita febbrili s'aggrappavano, stringevano nervosamente le spalle
curve di Michele; il cuore le tremava: " Finalmente amo
e sono amata " pensava, " finalmente ".

Michele non si muoveva, non gli era mai accaduto di
vedere la ridicolaggine confondersi a tal punto con la
sincerità, la falsità con la verità; un imbarazzo odioso lo
possedeva. " Almeno tacesse " pensava; " ma no, deve
parlare ". A tratti lo prendeva il desiderio isterico di dire
la verità, quella sua, la sola possibile, e andarsene; ma
lo tratteneva un senso di compassione; e poi non era stato
lui il primo a illudere Lisa con quel suo abbraccio?

" Caro... caro " ripeteva la donna, là sulla sua testa,
" non puoi immaginarti quanto tu mi sia caro ". " Esa-
gerata " avrebbe voluto rispondere il ragazzo; ma aveva
gli occhi pieni di oscurità, gli pareva di non aver mai

veduto la luce; quelle parole, quelle carezze, quella voce, gli davano l'impressione di una notte senza speranza.

Alzò la testa, si drizzò a sedere stropicciandosi gli occhi abbagliati: " Sarà ora che io vada " disse; " e questo tuo parente quando viene? ".

" Vado a telefonargli " disse Lisa che evidentemente non si aspettava questa domanda; e uscí.

Egli restò solo; si alzò, andò alla parete, guardò distrattamente uno di quegli acquerelli; poi come sovrappensiero si avvicinò alla porta, l'aprí un poco; il telefono era là, inchiodato alla parete, in fondo al corridoio oscuro, ma Lisa non c'era; quella uscita era stata una finzione; quel parente non esisteva; pur di attirare il ragazzo in casa sua, la donna aveva mentito.

" Fingere " egli pensò richiudendo con precauzione la porta; " è giusto fingere "; tornò alla parete e riprese a contemplare l'acquerello che raffigurava una casa colonica e dei pagliai; un leggero, fastidioso disgusto lo opprimeva; come quando si sente ingrossare il vomito e si vorrebbe trattenerlo; ma questo pensiero: " in fin dei conti, ella è come me ", serví a piegarlo alfine a un po' di compassione per quella figura mentitrice senza bisogno. " Siamo tutti uguali " pensò: " fra le mille maniere di fare un'azione, scegliamo sempre istintivamente la peggiore ".

Dopo un istante la porta si aprí e Lisa entrò: " Mi dispiace tanto " ella disse, " quel mio parente è occupato... non può venire... ma dice domani... se puoi domani nel pomeriggio ". Si guardarono; il disgusto e la compassione di Michele aumentavano. " Questo è troppo " pensò; " questo è menarmi per il naso; e domani sarà la stessa storia: torna domani ". Gli parve che se avesse finto di non aver capito ci sarebbe stato come una complicità tra di loro, un malinteso ruffiano che avrebbe loro permesso, in attesa del parente inesistente, di intendersela senza troppi scrupoli su tutti gli altri punti.

" No " disse, " domani non torno ".

" Ma egli verrà " insistette la donna con una certa
sfrontatezza; " e se tu non ci sei... ".

Michele le posò una mano sulle spalle e la guardò:
" Tutto questo è ridicolo... egli non verrà... perché non
dire la verità? ". La vide turbarsi e, quel che fu peggio,
per sfuggire ai suoi sguardi, arrischiare un sorriso im-
pudico, svergognato, come di chi non è troppo dispia-
cente di essere colto in fallo.

" Quale verità? " ella ripeté senza guardarlo, senza
lasciare quel suo sorriso; " non ti capisco... salvo impre-
visti, egli verrà certamente... ".

" Ho guardato nel corridoio " spiegò Michele con calma; " tu non hai telefonato... e questo parente non
esiste ".

Un istante di silenzio; poi Lisa scelse l'atteggiamento
piú facile; sorrise ancora, alzò un poco le spalle: " E
se hai guardato nel corridoio, perché mi fai tante domande? ".

Michele la osservava. " È mai possibile " pensava,
" che ella non senta che si può essere meglio di cosí? ".
Volle fare ancora uno sforzo: " No " insistette, " non
prenderla su questo tono... è una cosa molto seria...:
perché invece di far quella commedia non hai detto piuttosto ' torna domani... si prenderà il tè insieme '? ".

" Avrei dovuto dirlo, lo so... ": ella parlava senza
umiltà, con una specie d'impazienza; " vuol dire che tu
verrai lo stesso, non è vero?... E poi non aver paura,
al mio parente se non gli ho parlato, parlerò certamente,
il piú presto possibile ".

" Ecco " pensò il ragazzo, " ella crede che questo mio
rimprovero sia dovuto al mio disappunto di non aver
trovato quel suo maledetto parente ". Il suo volto si
indurí: " No, non verrò ", disse, " e non parlare a nessuno ". Lasciò la donna e uscí nel corridoio.

Un odore di cucina empiva quell'ombra angusta. " Allora è proprio vero che non verrai? " ella domandò tra
supplichevole e incredula porgendogli il cappello; egli
la guardò, esitò; tutto era stato in definitiva inutile: di-

sgusto, pietà, la donna restava dove era, nel suo errore; questo senso di vanità dei suoi sforzi gli faceva male, dalla noia disperata e angosciosa che l'opprimeva avrebbe voluto gridare. " A che cosa servirebbe venire? " domandò.

" Come, a che cosa servirebbe? ".

" Non servirebbe a nulla "; egli scosse la testa; " a nulla... tu sei cosí... nulla da fare... siete tutti cosí ".

" Come cosí? " ella insistette arrossendo suo malgrado.

" Meschini, gretti... l'amore per andare a letto... il tuo parente in cima ai miei pensieri " avrebbe voluto risponderle Michele; invece rispose: " Va bene... verrò lo stesso "; un istante di silenzio. " Ma prima che io me ne vada " soggiunse " spiegami una cosa...: poiché ormai sei sicura che io... ti amo e perciò che io tornerò, perché hai continuato a usare quel sotterfugio del tuo parente invece di dirmi la verità? ".

" Mi dispiaceva " ella spiegò non senza esitazione, " di rivelarti che la prima volta avevo inventato questa storia per farti venire ".

" Ma neppure la prima volta era necessaria " disse Michele guardandola attentamente.

" Sí ", ella ammise con umiltà; " hai ragione... ma chi è senza peccati?... e poi quel mio parente esiste veramente, è molto ricco... soltanto non lo vedo da molto tempo ".

" Basta cosí " disse Michele; le prese la mano: " Allora a domani " incominciò; ma si accorse ad un tratto che Lisa lo guardava in modo strano e sorrideva tra timida e lusingatrice; capí; " E sia ", pensò; si chinò, strinse la donna al petto e la baciò sulla bocca; poi la lasciò ed uscí; sulla soglia si voltò per salutare: vide allora che, come una bimba al primo amore, Lisa vergognosa si nascondeva pudicamente dietro un mantello appeso all'attaccapanni, là, nell'ombra del vestibolo, e con due dita posate sulle labbra gli mandava un ultimo bacio.

" Indegna commedia " pensò; e senza voltarsi indietro si avviò giú per la scala.

Quel giorno la madre finí assai tardi di vestirsi; era mezzodí e stava ancora seduta davanti la teletta passandosi con molte smorfie e grandissima cura il pennellino del nero sulle palpebre gonfie; appena desta, le immagini della gelosia l'avevano messa di cattivo umore, ma poi improvvisamente, si era ricordata che appunto quel giorno Carla compiva gli anni, ventiquattro di numero, e un brusco isterico fiotto di amor materno aveva inondato la sua anima: " La mia Carlotta, la mia povera Carlottina " aveva pensato quasi lacrimando dalla tenerezza; " ecco, non c'è che lei al mondo che mi voglia bene ". Si era levata, si era vestita con questo pensiero di Carla, che compiva gli anni; le pareva questa una cosa pietosa, un fatto patetico da piangerci sopra, e non aveva cessato per tutto quel tempo di immaginare i regali e le soddisfazioni che avrebbe elargito alla fanciulla. " Ha pochi vestiti... gliene farò... gliene farò quattro o cinque... le farò anche la pelliccia... è tanto tempo che la desidera... " Dove poi avrebbe pescato i quattrini per questa beneficenza la madre non ci pensava neppure. " E che trovi un marito " pensò ancora; " dopo non avrò piú desideri ". Le venne di riflesso, pensando alla sua figliola ventiquattrenne eppure ancora nubile, una rab-

bia ingiuriosa contro gli uomini: " Tutti questi cretini
di giovinotti... Non vogliono che divertirsi e perdere il
loro tempo, mentre dovrebbero pensare a farsi una famiglia ". Ma Carla si sarebbe certamente sposata: " È
bella " ella si disse contando sulle dita le doti della figlia;
" anzi direi bellissima... È buona, di una bontà ange-
lica... e poi è intelligente, colta... ha avuto una eccellente
educazione... cosa si può voler di piú? ". I denari, ecco,
i denari mancavano; Carla sarebbe andata in casa di suo
marito come era venuta al mondo, tutta nuda, ricca soltanto delle sue virtú, su questo non c'era dubbio; ma era
poi cosí vero che oggigiorno non si sposano che le fanciulle ricche? oh non c'erano stati ultimamente casi di
ragazze maritate benissimo e senza un soldo di dote?...
Un po' rinfrancata, la madre passò dalla camera da letto
nell'anticamera.

Un mazzo di magnifiche rose e una scatola stavano
posati sulla tavola centrale; un biglietto era tra i fiori;
la madre lo prese, lacerò la busta e lesse: " A Carla, alla
mia quasi figlia, coi piú affettuosi auguri, Leo ". Ripose
il biglietto tra le rose: " Com'è delicato " pensò contenta; " un altro al suo posto non saprebbe come com-
portarsi coi figli della sua amica... invece lui toglie ogni
ragione di sospetto... è come un padre ". Dalla gioia
avrebbe voluto battere le mani, se Leo fosse stato presente l'avrebbe abbracciato; poi aprí la scatola; conteneva questa una borsa di seta ricamata con la cerniera
di pietra azzurra; la gioia della madre fu al colmo.

Prese la scatola e il mazzo e corse nella stanza di Carla: " Cento di questi giorni " le gridò; " guarda cosa è
arrivato per te ". Carla era seduta alla tavola con un
libro in mano; si alzò e senza dir parola lesse il biglietto;
quell'impudenza, quella compiacenza di Leo che la chiamava " sua quasi figlia " le ricondussero in mente, per
contrasto e cosí bruscamente che ne fremette, il senso
angoscioso e in un certo modo incestuoso di questo suo
intrigo; alzò gli occhi; quelli della madre brillavano di
gioia, ella sorrideva commossa stringendo al petto, non

senza ridicolaggine, il fascio di fiori: " Molto gentile da parte sua " disse freddamente; " e in quella scatola cosa c'è? ".

" Una borsa " rispose la madre con entusiasmo; " una elegantissima borsa da sera che avrà pagato per lo meno cinquecento lire... guarda... ". Aprí la scatola, mostrò il dono alla figlia: " Non è vero che è bella? " soggiunse.

" Bellissima " rispose Carla; posò l'oggetto sulla tavola, si guardarono:

" E cosí " disse improvvisamente la madre con voce commossa; " la mia figliola compie oggi ventiquattro anni... eppure mi sembra ieri che era una bimba ".

" Sí, mamma, anche a me " rispose Carla senza ombra d'ironia; ma avrebbe voluto soggiungere: " da oggi non lo sarò piú ".

" Giocavi con le bambole " continuò la madre; " le cullavi facendomi cenno di non parlare, dicendomi che dormivano ". Ella si fermò a metà di queste sue patetiche evocazioni e fissò Carla: " Speriamo che possa farlo un giorno con le bambole di carne e ossa ".

" Sí, mamma, speriamo " rispose la fanciulla tra impacciata e pietosa.

" Veramente Carla " insistette la madre come se avesse voluto convincerla di una grande e profonda verità; " veramente non ho che un solo desiderio... che tu ti sposi... poi sarò felice... ".

Carla sorrise: " Tu... ma io sarei felice? " pensò; " Sí, va bene " rispose abbassando la testa; " ma per sposarmi bisogna essere in due... io e lui ".

" Lui verrà " esclamò la madre fiduciosissima; " anzi... guarda... ti sembrerà ridicolo... ma ho come un presentimento che in questo tuo nuovo anno, ti sposerai... o per lo meno ti fidanzerai... ho questa idea... chi sa perché, sono di quelle cose che non si spiegano... e vedrai che si realizzerà ".

" Qualche altra cosa si realizzerà " avrebbe voluto rispondere Carla; e pensava alla sua decisione di darsi a Leo quel giorno stesso; l'incomprensione della madre le dava il senso doloroso di una cecità e di una oscurità nella quale essi tutti si trovavano avvolti senza speranza di liberazione; sorrise e fermamente rispose: " Certo, qualche cosa dovrà pur succedere ".

" Ne ho il presentimento " ripeté la madre convinta; " e questi fiori dove li mettiamo? ".

Misero i fiori in un vaso e passarono in anticamera; c'era poca luce, la stretta vetrata della scala era velata da una tenda rossa, l'ombra empiva gli angoli bianchi; sedettero sopra un divano. " E dimmi " domandò subito la madre, " come ti è sembrata Lisa ieri sera? ".

" Come mi è sembrata? come il solito ".

" Ti pare? " disse la madre dubitosa; " io l'ho trovata più grassa... e poi non so... invecchiata ".

" Ma... non mi pare " rispose Carla; aveva capito dove voleva andare a parare la madre: " È di me, mamma, che dovresti essere gelosa " pensò; " non di Lisa ".

" E quel vestito? " continuò l'altra " non si è mai vista una cosa di più cattivo gusto... lei credeva di portare addosso chi sa che cosa... ".

" Veramente " disse Carla, " non mi sembrava brutto ".

" Bruttissimo " affermò la madre; stette un istante con gli occhi spalancati nel vuoto come se avesse veduto formarsi là, davanti a sé, le immagini della sua gelosia; poi bruscamente voltandosi verso la figlia: " Però di' la verità...: hai veduto come Lisa si era attaccata a Merumeci? ".

" Ecco " pensò Carla; e dalla noia avrebbe voluto gridarle: " Non era Lisa, ma io... stavamo abbracciati dietro la tenda... abbracciati "; invece rispose: " Come attaccata? ".

" Attaccata " ripeté l'altra; " e come le premeva di farsi accompagnare a casa da lui... sai cosa credo io? " soggiunse chinandosi; " che avrebbe una gran voglia di riallacciare gli antichi legami... è per questo che gli faceva gli occhi languidi... Ma Merumeci ha altro da fare che pensare a lei, povera donna... e poi, se volesse, ne troverebbe mille meglio di lei... con quel personale... con quella figura... è impastata d'invidia e di ipocrisia, davanti dice bianco, e dietro nero... ecco, veramente io sono buona con tutti, a tutti trovo delle qualità, non farei male a una mosca, ma quella lí, non la posso soffrire... ".

" Ma le sei amica ".

" Come si fa? " disse la madre; " non si può mica dir sempre la verità in faccia alla gente... le convenienze sociali obbligano spesso a fare tutto l'opposto di quel che si vorrebbe... se no chi sa dove si andrebbe a finire... ". Faceva dei gesti come per dire: " comprendimi, è proprio cosí ": inarcava le sopracciglia, torceva la bocca; ma il volto di Carla s'induriva, ella si sforzava di non guardare quella maschera materna. " Un po' piú di verità " avrebbe voluto gridarle " sarebbe meglio ".

" Ma la fàlsità per la falsità " continuò la madre, " l'ipocrisia sistematica, come fa Lisa... ecco, è una cosa che non ammetto... tutto fuor che quello... per esempio sono sicura che ella ieri sera non è affatto venuta per noi...! doveva invece aver saputo in qualche modo che c'era Merumeci, ed è per questo che è entrata... tanto è vero che non ha detto nulla di interessante, è stata poco, e non vedeva l'ora di partirsene ".

Carla l'osservò quasi con compassione; la maniera faticosa, dolorosa con la quale la madre scavava nell'errore queste sue costruzioni, le ispirava sempre una disgustosa pietà. " Veramente? " domandò tanto per dire qualche cosa.

" Senza dubbio " rispose la madre con sicurezza; stette un istante sovrappensiero, poi là, in quell'ombra lucida dell'anticamera, tra quelle portiere di velluto, la sua faccia dipinta si contrasse in una smorfia di odio: " Vedi... quella donna mi ripugna anche fisicamente... non so... dà l'impressione di essere viscida e insieme piena di ardore, piena di calore... come una cagna... sí... guarda gli uomini con quei suoi occhi lustri come per invitarli... come per dire: venite con me... e pensare che se io fossi un uomo non vorrei toccarla neppure con le punte delle dita... mi farebbe schifo ".

" Ti assicuro mamma " disse Carla " che a me non fa quest'effetto ".

" Tu non puoi capire " disse la madre; " certe cose ti sfuggono... ma io che sono una donna che ha avuto delle esperienze e sa vivere, quando vedo un tipo come quella lí, con quegli occhi, con quella figura... l'ho bell'e giudicato... tac!.... come si prende una fotografia ".

" Sarà " ammise Carla; tacquero un istante ambedue; silenzio; immobilità; poi laggiú nel primo piano, dal fondo del corridoio, arrivò il tonfo della porta di casa chiusa con forza: " Dev'essere Merumeci " disse la madre alzandosi; " ricevilo tu... io vengo subito ".

Il cuore di Carla batté piú in fretta; discese la scala gradino per gradino come chi si sente mancare e va piano per non cadere; entrò nel salotto e come la madre aveva immaginato, Leo era là, in piedi presso la finestra e le volgeva le spalle.

" Oh eccoti qui ": la prese per un braccio e la fece sedere sopra il divano: " Grazie per il regalo " ella disse subito; " ma perché quel biglietto? ".

" Quale biglietto? ".

" ' Quasi mia figlia ' " ella disse guardandolo fissamente.

" Ah " esclamò Leo come se l'avesse dimenticato; " già... cosí ho scritto... quasi mia figlia... verissimo ".

" E perché l'hai scritto? ".

Un sorriso tra compiaciuto e inverecondo illuminò il volto dell'uomo: " Prima di tutto per un riguardo a tua madre... e poi perché mi piace immaginare che tu sia mia figlia ".

Ella lo guardava: " Che vergogna " pensava, " che sconfinata vergogna ". Ma il desiderio di distruzione era piú forte del disgusto: " Io tua figlia... " disse con un mezzo sorriso; " a questo in verità non avevo mai pensato... come ti è venuto in mente? ".

" L'altra sera " rispose Leo tranquillamente, " mentre stavamo dietro la tenda... in quel momento mi ricordai, chi sa perché, che ti avevo veduta bimba, alta cosí, con le gambe nude, e le trecce sulle spalle e pensai: 'Ecco potrei esserle padre e ciò nonostante... ' ".

" Ciò nonostante ci amiamo non è vero? " finí Carla, e, guardandolo negli occhi: " Ma non ti pare che queste due cose siano, come dire? inconciliabili? ".

" Perché? " rispose Leo senza cessare di sorridere, passandosi una mano sulla fronte; " forse in linea generale... ma nei casi singoli ciascuno fa secondo i propri sentimenti ".

" Ma è contro natura! ".

Leo rise davanti al volto serio e inquieto della fanciulla: " Sí, ma poiché tu non sei mia figlia il pensiero non conta ". Si guardarono.

" A proposito " egli soggiunse, " prima che me ne dimentichi... dopo pranzo con un pretesto qualsiasi scendi in giardino... dalla parte del boschetto... io ti raggiungerò subito... siamo intesi? ". Ella accennò di sí con la testa; soddisfatto Leo incrociò le braccia e guardò verso il soffitto; non voleva toccarla, perché aspettava da un momento all'altro l'arrivo indiscreto della madre: " Piuttosto che restarmene con l'eccitamento e col desiderio " pensava, " meglio rimandare tutto a piú tardi, quando non ci sarà nessuno, e ne avrò il tempo ". Ma se guardava Carla, la faccia gli si infiammava come una lanterna: avrebbe voluto afferrarla, abbracciarla, prenderla su quel divano, in quel momento stesso.

Questi appetiti di riflesso aumentavano il suo risentimento contro l'amante; si ricordò della scena di gelosia che Mariagrazia gli aveva fatto la sera avanti, e gli venne una stizza senza pietà. " Tua madre " disse bruscamente a Carla, " è un'oca di prima forza ".

La fanciulla si voltò, stava per rispondergli, ma ne fu impedita da un rumore di porte; e quasi trascinando Michele per mano, la madre entrò: " Buon giorno Merumeci " gridò all'amante; poi, senza transizione additando il figliolo: " Ecco qui Michele ", gridò, " dice che se invece di cederle la villa la vendiamo all'asta, possiamo pagar lei e in piú serbarci qualche decina di migliaia di lire... è vero questo? ".

La faccia di Leo si rabbuiò: " È una sciocchezza " egli disse senza muoversi; " nessuno mai potrà offrire per la vostra villa piú di quello che io ve ne do ".

" Ma in fin dei conti " disse Michele avanzandosi, " tu non ci dai nulla... ci fai andar via... ecco tutto ".

" Vi ho già dato " rispose l'altro irritato e annoiato, guardando la finestra piena di cielo bianco; " e, del resto ", soggiunse con voce risentita, " fate quel che volete... vendete la villa, regalatela, quel che volete... ma vi avverto che io non vi aiuterò in nulla... e che il giorno della scadenza quella somma deve essere qui, nelle mie mani ".

Leo sapeva a quale rischio andava incontro con queste parole; e se quelli avessero venduto la villa all'asta? In tal caso il vero valore si sarebbe rivelato e l'affare sarebbe svanito; ma la madre che non sapeva di aste e di vendite, che aveva l'impressione che affare fosse sinonimo d'imbroglio, e soprattutto temeva un abbandono da parte dell'amante, e tutto avrebbe fatto per ingraziarselo, lo rassicurò.

" No " ella intervenne, " all'asta magari no...: ma lei Merumeci potrebbe farci delle migliori condizioni... si potrebbe venire tra noi a un compromesso ".

" Quale? " domandò l'uomo senza guardarla.

" Per esempio " disse la madre con eccelsa stupidità, " lasciarci l'usufrutto della villa finché Michele non guadagnerà, non lavorerà, e Carla non sarà sposata ".

Una risata alta, forzata, sprezzante accolse questa proposta: " Allora aspetterei un pezzo " disse alfine Leo appena questa sua falsa ilarità si fu chetata; " un bel pezzetto... ". Guardò Carla e in quegli occhi tra tristi e rassegnati lesse il suo pensiero: " Poi chi vorrà sposarmi? "; ma il sentimento che gliene derivò fu differente, nessuna pietà o malinconia, soltanto una vanità, un orgoglio di essere la vivente fatalità di quella vita.

" Come? " domandò la madre offesa; " cosa vuol dire? ".

" Non vorrei essere frainteso " spiegò Leo; " non dubito che Carla si sposi prestissimo e glielo auguro di tutto cuore... ma in quanto a Michele, non credo che possa guadagnare prima di molti anni né che sia sulla buona strada per guadagnare... su questo punto, cara signora, ho i miei riveriti dubbi ".

Finora Michele, che si era a malincuore lasciato trascinare dalla madre in questa discussione, aveva taciuto; ma ora, nel sentirsi cosí palesemente accusato di poltroneria e di incapacità capí che contro ogni indifferenza doveva agire: " È il momento di sdegnarsi " pensò; avanzò di un passo. " Io " disse con un tono assolutamente falso, " non sono quello che tu credi... dimostrerò coi fatti che so lavorare e guadagnare come chiunque altro... vedrai " soggiunse ammirando dentro di sé la faccia della madre piena di approvazione e di fierezza " che anche senza il tuo aiuto riuscirò a sostenere la mia famiglia e me stesso ".

" Giustissimo " esclamò Mariagrazia; passò con orgoglio una mano sulla testa del figlio che ne sorrise di pietà; " Michele lavorerà e diventerà ricco " disse esaltata, " non abbiamo bisogno di nessuno noi ".

Ma Leo non era cosí stupido; alzò con furore le spalle. " Delle sciocchezze " gridò; " con Michele non si sa mai se si scherza o se si parla sul serio...; sei un buffoncello, proprio cosí, nient'altro che un buffoncello ". La sua indignazione era al colmo; se c'era una cosa su cui non ammetteva facezie, erano proprio gli affari; avrebbe voluto lasciarli tutti lí e andarsene.

Michele fece ancora un passo avanti: " buffoncello? ". Era o non era una grave ingiuria ledente il suo onore e la sua reputazione questo " buffoncello "? A giudicare dalla propria indifferente calma, no; se invece si pensava al significato della parola e al poco amichevole sentimento che l'aveva ispirata, sí certamente. " Agire " egli pensò con una specie di ebbrezza; " per esempio schiaffeggiarlo ". Non c'era un minuto da perdere, Leo era là, a un passo di distanza, appoggiato nel vano della finestra, contro la tenda di velluto, quella guancia che egli doveva colpire era in piena luce, larga, sanguigna, ben nutrita, ben rasata, tutta la mano ci sarebbe entrata, non c'era da temere di non cogliere nel segno... dunque...

"Ah, io sono un buffoncello" disse con voce incolore avvicinandosi ancor di piú; "e non credi che potrei offendermene?".

"Per me offenditi pure" rispose Leo con un sorriso noncurante ma guardandolo attentamente.

"Allora prenditi questo"; Michele alzò la mano... ma per il polso, con una sorprendente rapidità, il gesto venne afferrato, rintuzzato; senza neppure capire come fosse avvenuto, egli si trovò schiacciato nell'angolo della finestra; Leo lo stringeva per i polsi; dietro di lui, costernate, erano accorse le due donne.

"Ah tu volevi schiaffeggiarmi" disse alfine l'uomo con una specie di tranquillo sarcasmo; "ma ti sbagli... non è ancora nato quello che ci riuscirà...". Parlava con calma ma stringendo i denti. Alle sue spalle: "Che è? perché?" esclamava la madre. In quanto a Michele, nonostante la propria incomoda posizione, fu soprattutto colpito dall'eleganza forte e sicura dell'uomo: una giacca a doppio petto di panno marrone gli stringeva il dorso, la camicia era bianca e fresca, il colletto inamidato di un lino brillante e candido sosteneva a meraviglia la gola rasata, una cravatta avana filettata di giallo, sobriamente annodata, si inseriva nella spaccatura del panciotto; tutto questo egli osservò in pochi secondi; poi alzò gli occhi e disse semplicemente: "Lasciami".

"No, mio caro" gli rispose l'altro, "no... non ti lascio, ho ancora da parlarti per mezz'ora..." intanto la madre e Carla si erano fatte in mezzo: "Lo lasci, Merumeci" disse la fanciulla posando una mano sulla spalla del fratello, e guardando l'amante; "può anche parlargli senza tenerlo in quel modo, non le pare?".

Quei due si separarono: "Non ho nient'altro da dirgli " pronunziò l'uomo seccamente, " se non che sarebbe ora di finirla... e a parte il fatto che tutto questo è inammissibile, non mi sembra che questo sia il miglior modo per venire a un compromesso ".

" Lei ha mille volte ragione " disse la madre con una fretta adulativa " ma non pensi a Michele... non sa quello che fa... ".

" E tu lo sai! " pensò il ragazzo guardandola: " Ma allora perché mi hai tirato in ballo? " domandò avanzandosi.

" E per questo " continuò la madre senza occuparsi dell'interruzione del figlio, " se vuole parlare di questo affare si rivolga a me ".

" Allora è cosí? " disse Leo guardando intorno quei volti dubitosi.

" Ebbene, una volta per tutte dirò le mie ultime condizioni: vi lascerò la villa finché non avrete trovato un'altra abitazione... e poi... in piú... vi darò una certa somma... vediamo... per esempio trentamila lire ".

" Trentamila lire? " ripeté la madre allargando gli occhi; " come? ".

" Mi spiego " disse Leo; " lei afferma che il valore della villa supera l'ammontare dell'ipoteca... io dico di no, ma per dimostrarle che le sono veramente amico, le do trentamila lire supplementari... che rappresentano... non so... i lavori che possono essere stati eseguiti negli ultimi tempi... e comunque le migliorie arrecate dopo l'ipoteca... ".

" Ma la villa vale di piú, Merumeci " insistette la madre quasi dolorosamente; " vale di piú... ".

" E allora, sa cosa le dico? " rispose Leo con calma " la venda a qualchedun altro... e vedrà che nonché le trentamila lire non riesce neppure a pagar me... prima di tutto con la crisi che c'è, è un brutto momento, nessuno compera e tutti vogliono vendere, basta guardare la quarta pagina di un giornale per accorgersene... e poi, siccome la villa resta fuori della città, è difficile trovare qualcuno che voglia venire ad abitare quassú... ma fac-

cia come vuole... per nulla al mondo vorrei avere il rimorso di averla mal consigliata ".

"Io accetterei le condizioni di Merumeci, mamma "
disse Carla; " per me non vedo l'ora di lasciare questa
nostra villa e di andare altrove, magari povera ".

La madre ebbe un gesto esasperato: " Stai zitta tu ".
Dopo di che seguí un costernato silenzio; Mariagrazia
vedeva la miseria, Carla la distruzione della vecchia vita,
Michele non vedeva nulla ed era il piú disperato dei tre.

"Ad ogni modo " soggiunse l'uomo, " si può riparlarne... venga... venga dopodomani nel mio studio, signora... e cosí si potrà discutere piú a lungo ".

La madre assentí con una specie di avido e doloroso
entusiasmo: " Dopodomani... dopodomani nel pomeriggio? ".

" Nel pomeriggio ".

Per qualche istante non parlarono; poi, dopo una frase
d'invito di Mariagrazia, passarono tutti e quattro dal
salotto nella sala da pranzo.

La tavola era stata preparata con solennità e raffina-
tezza; argento e cristalli, tutto il migliore vasellame della
famiglia scintillava sulla tovaglia bianca, nel giorno bianco della sala da pranzo; la madre sedette a capotavola,
e, benché i posti fossero gli stessi della sera avanti, li
ridistribuí: " Merumeci, qui, là Carla... là Michele " non
si sa se per far risaltare l'importanza della festa o per
una antica abitudine di invitare in tali occasioni piú numerosi commensali.

"Avrei voluto " ella disse cominciando a mangiare,
" fare per questo giorno di Carla un pranzo come lo
intendo io, con tutte le specialità, insomma un pranzo
in regola... ma come si fa? Oggigiorno tutto questo non
è possibile... ho una cuoca che senza essere cattiva non
arriva ad essere buona... si ha un bel dirle... fate cosí
e cosí... la passione manca... Ora quando la passione non
c'è tutto manca ".

"Hai ragione " approvò Michele con gravità ironica,
" proprio cosí... senza passione non si fa nulla... io per

esempio, per quanto mi sia sforzato di dare uno schiaffo a Leo, non ci sono riuscito... mi manca la passione ".

" Che c'entra questo? " interruppe la madre facendosi rossa per la stizza; " che c'entra Leo?... si parla della cuoca... ah, Michele, tu sei sempre uguale a te stesso... anche in un giorno come questo, nel giorno in cui è nata tua sorella, quando si dovrebbe dimenticare tutto e rallegrarci sinceramente, tu invece parli di schiaffi, di litigi... non ti correggerai dunque mai? ".

" Lo lasci dire, cara signora ", profferí Leo senza alzare gli occhi dal piatto; " tanto per me fa lo stesso... non lo sento ".

" Mi tacerò, madre, mi tacerò " esclamò Michele che aveva capito a tempo di aver toccato un tasto falso; " non dubitare... sarò muto come un pesce, non turberò piú questa festa... ".

Tornò il silenzio; la cameriera entrò e tolse i piatti; poi la madre, che non aveva cessato di fissare con quei suoi occhi indagatori l'amante, si voltò: " S'è divertito ieri sera, Merumeci? ".

Leo diede un'occhiata alla fanciulla come per dirle: " Ecco, ci siamo "; ma Carla non gli rispose; udí l'uomo domandare: " Dove? Quando? " e sentí nello stesso istante un piede premere il suo, là sotto la tavola; si morse le labbra: questa meschina doppiezza le dava un senso di grande oscurità, avrebbe voluto alzarsi, gridare la verità.

" Dove? " rispondeva intanto la madre, " con Lisa... diamine! ".

" Mah... se lei trova che ci sia qualche cosa di divertente nell'accompagnare una persona a casa sua ".

" Io no " protestò la madre con un riso malizioso; " io in certe compagnie mi ci annoio francamente... ma lei sí, lei quelle compagnie le cerca, vuol dire che le piacciono ".

Leo stava già per rispondere quando, con la sua consueta inopportunità, Michele intervenne: " Ah madre " esclamò parodiando le parole che Mariagrazia aveva prof-

ferito prima; " tu sei sempre uguale a te stessa... anche
in un giorno come questo, nel giorno in cui è nata tua
sorella, no scusa, tua figlia, quando si dovrebbe dimenticar tutto e rallegrarci sinceramente, tu invece parli di
Lisa, di accompagnamenti... non ti correggerai dunque
mai? ".

Questa buffoneria fece sorridere contro voglia Carla
e ridere francamente Leo: " Bene, Michele " gridò quest'ultimo; ma la madre si offese: " Cosa c'entri tu? "
disse volgendosi al figlio; " io posso parlare quanto mi
pare di cose mie a Merumeci, senza che per questo tu
debba metter bocca ".

" Ma in un giorno come questo? "

" Cosa c'entra? ". La madre alzò con furore le spalle.
" Io non ho fatto che accennare... e del resto " ella soggiunse, " parliamo pure d'altro... solamente lei Merumeci
è avvertito d'ora in poi di scegliere qualche altro luogo
per incontrare le sue amanti... io non tengo una casa di
appuntamenti... ha capito? "

Era la prima volta che Mariagrazia si abbandonava
a tali violenze; allora avvenne un fatto impreveduto;
Carla che durante queste scene si era sempre taciuta protestò: " Io vorrei sapere una cosa " incominciò; le parole e il tono si sforzavano di parer calmi, ma le con-
trazioni del volto puerile, un certo rossore, e la durezza
inconsueta degli occhi rivelavano un'ira profonda; " vorrei sapere, mamma, se tu ti accorgi di quello che dici...
questo solo vorrei sapere ".

La madre la guardò come si guarda un fenomeno vivente: " Ah questa è nuova!... ora non sarò piú neppur
libera di parlare ".

" Vorrei sapere " insistette Carla, e la voce era già
piú alta, vibrava, un tremito era su quelle labbra; " se
tutto questo dovrebbe essere permesso... " chinò un poco
la grossa testa e fissò la madre negli occhi, stranamente,
di sotto in su.

Per un istante ci fu silenzio; quei tre si guardavano
in volto, stupiti e incomprensivi; forse soltanto Leo ebbe

in quel momento una vaga percezione dello stato d'animo di Carla; per guardar meglio la madre ella si era messa un po' di fianco alla tavola, stava come rannicchiata nella sedia dallo schienale troppo alto, le spalle magre parevano piú strette, la testa piú grossa... sembrava che si preparasse a saltare; " Una piccola furia ", egli pensò osservandola: " ora si slancia contro Mariagrazia e le lacera la faccia con le unghie ". Ma queste catastrofiche previsioni non dovevano avverarsi; Carla non fece che alzare la testa; " Questo vorrei sapere " ripeté, " e se sia possibile continuare cosí, tutti i giorni, con questa noia, e non cambiare mai e non lasciar mai queste miserie e compiacerci di tutte le stupidità che ci passano per la testa, e discutere e litigarci sempre per le stesse ragioni e non staccarci mai da terra, neppure di tanto " ella alzò la palma della mano sulla tavola, gli occhi adirati le si empivano di lagrime, tremava; " ora " ella soggiunse raddrizzandosi del tutto, " vorrei sapere da te se tutto questo è bello... tu non te ne accorgi... ma dovresti vederti in uno specchio mentre parli, mentre discuti, allora ti vergogneresti di te stessa e capiresti fino a che punto si possa arrivare con la noia e con la stanchezza e quanto si possa desiderare una nuova vita completamente differente da questa... " tacque e un po' rossa in volto e lacrimosa, senza neppure sapere quel che facesse si serví dal piatto che la cameriera le porgeva.

Alfine la madre si riebbe dal suo stupore: " Ah bene, è il colmo " esclamò, " sarà dunque a mia figlia che dovrò da oggi rivolgermi per avere il permesso di parlare?... io ti stavo a sentire ma mi pareva di sognare... è il colmo ".

" A me pare " disse tranquillamente Michele " che Carla abbia appena sfiorato la verità... tutto questo è piú che noioso, è schifoso... ma protestare non serve a nulla, meglio farci l'abitudine ".

" Non esageriamo " disse Leo conciliante, " Carla non ha voluto dire questo ".

" Vada là " gli rispose la madre, " conosco i miei

polli... sa cosa sono tanto Carla che Michele? degli egoisti... ecco la verità... degli egoisti che, se lo potessero fare, se ne andrebbero, mi lascerebbero sola ".

La sua voce tremava, le sue labbra tremavano: tutti se ne sarebbero andati, Leo e gli altri; ella sarebbe restata veramente sola. Carla la guardò, ora si pentiva di aver parlato; tanto a che cosa poteva servire? non si asciuga il mare con un bicchiere, la madre sarebbe restata cosí com'era, incomprensiva, ridicola, perduta nell'oscurità, non si sarebbe cambiata neppure per un miracolo; nulla da guadagnare a cozzare contro di lei; meglio agire. " Davvero andarsene " ella pensò guardando la faccia rossa e tranquilla di Leo, " oggi stesso, ora, e non tornare mai piú "; ma soffocando questo suo disgusto si accinse alla riconciliazione: " Vediamo, mamma, non ho voluto offenderti " disse con mansuetudine, " ma solamente domandarti, poiché oggi è il mio anniversario, tu stessa l'hai detto, di lasciar da parte qualsiasi discussione e... e... ".

" E di rallegrarci sinceramente " finí Michele con una smorfia.

" Appunto " approvò Carla con serietà; " rallegrarci " ma a vedere la faccia stupida, malcontenta, e incerta della madre avrebbe voluto gridare: " Rallegrarci di che? di essere cosí come siamo? ". Tacque per un istante: " Allora mamma " soggiunse, " non ti sei mica offesa, non è vero? ".

" Io non mi offendo mai " rispose la madre con dignità, " soltanto non mi pareva che fosse quella la maniera con la quale una figlia rispettosa deve parlare a sua madre ".

" Hai mille volte ragione, mamma " insistette Carla sempre piú mansueta, " mille volte ragione... ma ora bisogna dimenticar tutto, almeno per oggi, e pensare a cose piú allegre ".

" Sei furba tu " disse la madre con un mezzo sorriso; " e sia, dimentichiamo pure, giusto perché oggi è la tua festa... se no, sarebbe andata altrimenti ".

" Benissimo " approvò Carla senza lasciare quel suo tono di volonterosa serenità; " ti ringrazio, mamma... e ora voi due, Leo e Michele, raccontateci qualche cosa di allegro cosí che si possa ridere ".

" Cosí su due piedi " disse Leo posando la forchetta, " non saprei davvero cosa raccontare ".

" Io " incominciò Michele " avrei una storia veramente bella... volete che ve la dica? ".

" Sentiamo " incoraggiò la madre.

" Ecco qui ". Michele alzò la testa e incominciò a recitare: " Era la sera del venerdí santo, i briganti calabresi stavano riuniti intorno al fuoco; ed ecco uno di essi disse: ' Tu Beppe, che ne sai tante, dicci una bella storia ' e Beppe con voce cavernosa cominciò: ' Era la sera del venerdí santo, i briganti calabresi stavano riuniti intorno al fuoco; ed ecco uno di essi disse: ' Tu Beppe, che ne sai tante, dicci una bella storia ' e Beppe con voce cavernosa incominciò: ' Era la sera del venerdí santo... ' ".

" Basta, basta " interruppe la madre ridendo, " per carità... non finisce piú... abbiamo capito ".

" Il serpente che si morde la coda " sentenziò Leo.

Entrò la cameriera con una meravigliosa torta sulla quale a lettere di crema era scritto " auguri! "; prima si serví la madre, poi Leo, poi Carla, e alfine Michele.

" Dunque non vi è piaciuta? " domandò quest'ultimo.

" Proprio per niente " rispose la madre che mangiava con compunzione, " piú stupida di cosí... ".

" Son queste le cose che imparate all'Università? " domandò tranquillamente Leo senza alzare gli occhi dal piatto.

Michele lo guardò di traverso, ma non rispose: " Ci sarebbe ancora un'altra storia " insistette, " ma temo che anche questa non sia fatta per piacervi... Si tratterebbe di una signora matura che aveva un amante ".

" Ma questa non è una storia allegra " interruppe in fretta Carla, guardando attentamente il fratello; " e invece io le voglio tutte da ridere ".

" Dipende " osservò Leo, " può essere allegra e non lo può essere ".

" E poi Michele " disse la madre con dignità " non mi piace che tu parli cosí liberamente di queste cose davanti a Carla... ".

Le parole della madre fecero quasi sorridere Leo... " Eh, vai là ", pensò divertito, " ne sa piú di te Carla "; cercò sotto la tavola il piede della fanciulla e lo premette come per invitarla a ridere con lui; ma come prima ella non rispose a questo suo confidenziale e complice contatto; non aveva piú voglia di ridere; guardava la madre, quella maschera stupida e indecisa sospesa nel giorno bianco della stanza. " Finire presto con tutto questo " pensava, " fare in modo che domani ella non possa piú parlare cosí " e dalla impazienza che la pervadeva avrebbe voluto fare un gesto espressivo o dare in una risata ironica in modo che la madre non avrebbe avuto piú alcuna illusione sulla sua innocenza.

" Peccato " diceva intanto Michele; " era una storia molto istruttiva..., non da ridere forse... ma istruttiva ".

Dopo di che tornò il silenzio; la cameriera cambiò i piatti e portò la frutta: " E cosí Carla " disse Leo, mondando con molta attenzione una mela, " da oggi dovrebbe cominciare per te una nuova vita, non è vero? ".

" Speriamo " rispose Carla con un mezzo sospiro; una idea la tormentava: quando si sarebbe data a Leo, quella sera o un altro giorno?

" Nuova in che senso? " domandò la madre.

" In tutti i sensi, mamma ".

" Non ti capisco mia cara " disse Mariagrazia; " spiegati, dammi un esempio ".

" Nuova... cioè meno stupida, meno superficiale, meno inutile, piú profonda... di quella che faccio ora... "; la fanciulla la guardò; " nuova nel senso di cambiare completamente ".

" Carla ha ragione " affermò Leo. " Ogni tanto fa bene cambiare ".

" Lei stia zitto " soggiunse la madre inquieta; " non

capisco... come cambiar vita? Una bella mattina ti alzi e dici: ' Oggi voglio cambiar vita ': com'è possibile tutto questo? ".

" Si può fare qualche azione " disse Carla senza alzare gli occhi e stringendo i denti per la rabbia, " che trasformi in tutto e per tutto il modo di esistenza ".

" Ma, mia cara " rispose la madre con durezza, " non vedo come una signorina per bene possa cambiar vita se non sposandosi... Allora la vita cambia davvero... si hanno le responsabilità di una casa, bisogna badare al marito... poi educare i figli, se ce ne sono... tutto un complesso di cose che trasforma radicalmente le nostre abitudini... Ora io te lo auguro di tutto cuore, ma mi pare poco probabile che tra oggi e domani tu ti possa sposare... e cosí non vedo come la vita possa, improvvisamente soltanto perché lo si vuole, cambiare... ".

" Ma mamma " arrischiò Carla stringendo nervosamente il manico del coltello che teneva in mano; " ci sono altre cose oltre il matrimonio, che possono introdurre dei mutamenti nell'esistenza di una persona ".

" E cioè " interrogò Mariagrazia freddissima, tagliando uno spicchio della sua mela.

Carla la guardò quasi con odio: " E cioè diventare l'amante di Leo " avrebbe voluto rispondere; e immaginava con un triste, avido piacere lo stupore, l'indignazione, la paura che avrebbero destato queste parole, ma invece seppe essere rassegnatamente ironica: " Per esempio " spiegò in tono sfiduciato, " se oggi incontrassi il direttore di una casa cinematografica americana, e questi colpito dalla mia bellezza mi proponesse di far l'attrice... ecco, la mia vita cambierebbe subito... ".

La madre storse la bocca: " Ragioni come una bambina... con te non si può parlare... ".

" Tutto è possibile " disse Leo a cui premeva di ingraziarsi la fanciulla.

" Come? " disse la madre, " che mia figlia oggi stesso diventi un'attrice? Lei, Merumeci, non sa quello che dice ".

" Ma, lasciando da parte gli scherzi ", insistette Carla,
" a quanto pare, tra poco abbandoneremo la villa e andremo ad abitare altrove... e anche si tenterà di fare
meno spese... e allora non dovrà cambiare per forza la
vita? ".

" Chi ha detto che ce ne andremo? " asserí Mariagrazia con una specie di disperata impudenza, guardando
negli occhi l'amante; " finché tu non avrai trovato marito, noi resteremo qui ".

Leo la guardò, dalla collera diventò rosso, e represse
a stento una violenta alzata di spalle: " Un corno resterete " avrebbe voluto gridarle; " ve ne andrete, ve ne
andrete a passo di corsa ".

" Resteremo " ripeté la madre con un sorriso malsi-
curo; " non è vero Merumeci che resteremo? ".

Tutti guardarono l'uomo: " Che il diavolo se la porti "
egli pensò; ma rispose " sí, sí, resterete " desideroso soprattutto di non suscitare scene e di non guastare le cose
con Carla.

" Vedete " esclamò la madre trionfante; " ho la parola di Merumeci... Per ora nulla cambierà ".

" Per un'ora... sí " mormorò l'uomo, ma con voce cosí
bassa che nessuno lo udí. Fu in questo momento che
Carla ebbe il suo secondo irrefrenabile scatto; quei tre
la videro farsi tutta rossa in volto, e improvvisamente
battere un pugno sulla tavola: " Io... io non credo a
tutto questo " disse con voce cosí alta da parere stridula; " tu mamma vuoi vedermi soffocare... Io preferisco la rovina, sí, capisci? la rovina... a tutte queste cose,
preferisco andare fino in fondo, giú, lo dicevo proprio
l'altro giorno a Leo, non faccio che pensarci giorno e
notte, e anche stamane, appena mi sono alzata e mi sono
guardata nello specchio, mi sono detta: ' Comincia per
me un nuovo anno che deve essere assolutamente diverso
da quello passato; perché è impossibile andare avanti
cosí... è impossibile ' ". Bruscamente da rossa diventò
pallida, chinò la testa e incominciò a piangere; tutti si
guardarono in volto, imbarazzati, anzi la madre si alzò,

quel pianto evidentemente doveva parerle abbastanza sincero per togliere ogni importanza alle accuse che l'avevano preceduto, e si avvicinò alla fanciulla: " Che ragione c'è di mettersi a piangere, cosí, senza fondamento... su... oggi è la tua festa... non bisogna piangere... ".

Carla non alzò la testa, dei singhiozzi la scuotevano; ma c'era nelle parole blandamente consolatrici della madre un'eco cosí limpida dei tempi della sua infanzia, coi loro puerili dispiaceri e i loro materni conforti, che una riluttante commozione s'insinuò nel suo dolore arido; le parve di rivedersi com'era allora, bimba, la punse un rammarico improvviso di aver perduto quell'innocenza e quell'irresponsabilità, figure e avvenimenti di quegli anni le passarono davanti agli occhi attraverso il velo delle lacrime; fu un attimo; poi udí Leo incoraggiarla a sua volta: " Su... allegra... perché piangere? " E rialzò la testa.

" Avete ragione " disse con voce ferma, asciugandosi gli occhi; " oggi è la mia festa... " avrebbe voluto soggiungere qualcos'altro ancora, ma si trattenne. " Che diamine " esclamava intanto Leo, " piangere a tavola ". La madre sorrideva stupidamente; tutto era a un tempo dolce e amaro.

Soltanto Michele non si mosse né parlò: " Isterismi " aveva pensato nel vedere la sorella scoppiare in lacrime; " se un giovane della sua età la amasse ed ella lo amasse, sarebbe calma e felice ". Non metteva alcuna differenza tra la sorella e gli altri due, tutti e tre gli parevano intollerabilmente falsi e lontani; li guardava: " È mai possibile " si domandava angosciato, " che questo solamente sia il mio mondo, la mia gente? ". Piú li ascoltava, piú gli parevano ridicoli e incomprensivi nelle loro solitarie sincerità: " Ridere ", pensava, " bisogna che io rida "; ma non capiva perché, non sapeva se fosse disgusto o pietà, a vederli là, Leo, la madre, Carla, per la millesima volta, immutabili, eppur cosí difettosi, seduti intorno a quella tavola, il volto gli si rabbuiava, gli occhi gli si chiudevano per la stanchezza: " C'è un errore " si ripeteva; " ci dev'essere un errore "; e abbassava la testa per nascondere le palpebre bagnate.

Nessuno vide, nessuno capí; le frutta erano state mangiate, ciascuno aveva davanti al suo piatto un calice, e Leo, attentissimo, leggeva i cartellini di due bottiglie di vino francese che la cameriera aveva portato in quel momento: " Questo è buono " disse finalmente da conoscitore; " e questo è buonissimo ".

" L'una prima, e l'altra dopo " disse la madre saggiamente; " le stappi lei, Merumeci ".

Leo prese la bottiglia, la liberò dal fil di ferro: " Uno, due e tre " contò teatralmente; al " tre " il tappo esplose e in fretta, per non spargere la schiuma, Leo versò il vino nei calici; si alzarono tutti quattro in piedi sotto il lampadario polveroso.

" Alla tua salute, Carla " disse la madre con voce bassa e intima come se si fosse trattato di qualche segreto; i bicchieri si urtarono, dei richiami amabili, e in un certo modo patetici, s'incrociarono in tutti i sensi: " Mamma ", " Michele ", " Carla ", " signora ", " Merumeci ", sopra la tavola in disordine, tra quelle quattro teste curve; il cristallo dei calici tintinnava, tintinnava dolorosamente ad ogni urto; poi tutti bevvero guardandosi al disopra del vino con occhi dubitosi.

" È buono " disse alfine la madre; " si sente che è vecchio ".

" È buonissimo ", ribadí Leo, " e ora " soggiunse " farò un discorso... un discorso per ciascuno; ma prima di tutto pregherei Michele di non fare quella faccia di condannato a morte: non è cicuta, è champagne ".

" Tu hai ragione " pensò Michele, " bisogna ridere ", e fece una smorfia stupida, tanto che se ne accorse e ne sorrise.

" Cosí va bene " disse Leo molto contento di quella sua allusione a Socrate; alzò il calice: " Alla tua nuova vita, Carla ": sorrise e andò a battere il suo contro il bicchiere della fanciulla: " Io so benissimo " continuò guardandola maliziosamente, " quali sono i tuoi grandi

desideri, e a che cosa tu pensi giorno e notte... Per questo credo di cogliere nel segno augurandoti un matrimonio felice in tutti i sensi, e cioè con un uomo ricco, bello
e intelligente... ho indovinato o no? ". Da dietro il suo
calice la madre festosa accennò di sí; invece la festeg-
giata non rispose né sorrise; questa falsità allusiva e ironica dell'uomo le faceva intravedere la rovina a cui andava incontro; ma bisognava lasciarsi cadere fino al fondo della vita; gli fece cogli occhi un freddo cenno di assentimento e non senza disgusto, ché quel vino francese non le era mai piaciuto, vuotò il calice fino all'ultima goccia.

" Alla salute della signora " continuò Leo " e da quanto mi pare di aver capito, poiché tali sono i suoi desideri, auguriamole senz'altro, all'opposto di Carla, che
nulla venga mai a cambiare, che tutto resti com'è con
le vecchie abitudini e anche " soggiunse con illuminata
abilità, " con i vecchi amici ". La vide sorridere come se
l'avessero solleticata là sotto le ascelle: " Evviva i vecchi amici " ella gridò perdutamente; poi andò a battere
il suo calice contro quello dell'amante e bevve con entusiasmo.

" Alla nostra amicizia, Michele " disse finalmente Leo;
tracannò d'un sol fiato e avvicinatosi al ragazzo gli tese
la mano; Michele guardò in su Leo che sorrideva sicuro
e bonario, guardò quella mano squadernatagli là, sotto
il naso; lui seduto, Leo in piedi; di questo vedeva il
busto ampio, e di sotto in su quel sorriso rosso e paterno
che serpeggiava stupidamente tra le guance pesanti; " Rifiutare " pensò, " rifiutare e ridergli in faccia "; e accennò
di alzarsi posando il tovagliolo sulla tavola. Allora, guardandosi intorno, si accorse che un profondo silenzio era
seguito alle risa, alle parole ed ai brindisi; il lampadario,
il vasellame in disordine della tavola non erano piú immobili di Carla e della madre; quest'ultima poi lo guardava, con la testa appoggiata sulle mani, ansiosa e imperiosa; due rughe le sbarravano la fronte, non si capiva
se supplicava o comandava.

Gli tornò il malessere della compassione; " Non aver paura " avrebbe voluto dire; " nessuno te lo tocca il tuo uomo, mamma, nessuno... ". I suoi occhi, tra Leo e la madre, si fissavano, si distraevano in un barbaglio di luce bianca... era un sogno, un incubo di indifferenza.

" Su... su " udí parlar da Leo; " dammi la mano e tutto sia finito ". Tese la destra e Leo la strinse; poi, addirittura, con una spontaneità che gli parve invero-simile, egli si trovò tra le braccia dell'uomo; si abbrac-ciarono e si baciarono.

Subito tornò la piú grande allegria: " Cosí va bene " applaudí la madre; " bravo Michele ". " Non è ammis-sibile " gridò Leo contentissimo " che tra due persone per bene come Michele e me ci siano dei disaccordi ", e dentro di sé pensava: " E ora che ci siamo abbracciati mi lascerai in pace? ". Soltanto il ragazzo, là, in fondo alla tavola, chinava la testa sul piatto, pareva che si ver-gognasse, che fosse pentito di quell'abbraccio come di una cattiva azione; alfine alzò gli occhi: ora quei tre, superato l'ostacolo del suo odio, già non si occupavano piú di lui, stavano raggruppati intorno all'altro capo della tavola, parevano lontani e stranieri come veduti attra-verso un vetro, ridevano, bevevano... e lo ignoravano.

Leo aveva ripreso la bottiglia e versava vino alle due donne, soprattutto alla figlia: " Non sono piú io " pen-sava " se non faccio bere a Carla almeno una di queste due bottiglie "; sapeva che l'ubriachezza gli avrebbe fa-cilitato la conquista, già si immaginava le delizie di quel-l'incontro nel giardino, e fosse il pranzo abbondante o altra cosa, una turgida libidine serpeggiava nel suo corpo:

" Dunque ricordatevi bene " disse alzando il calice, se-veramente " non si ha da lasciare la tavola prima che queste due bottiglie siano finite ".

" Le beva lei " disse la madre che rideva molto e tra un riso e un altro lanciava all'amante degli sguardi pa-tetici e infiammati; " le beva lei o Carla... io no dav-vero ".

" Giustissimo " approvò l'uomo, " le berremo io e Carla... non è vero Carla? " e alzò il calice.
La fanciulla lo guardò; quel vino non le piaceva, anzi
la disgustava, ma c'era nel gesto dell'amante e nello
sguardo che l'accompagnava una imperiosità irresistibile
e minacciosa che la fece controvoglia ubbidire all'invito:
" Tutto " raccomandò l'uomo, " fino all'ultima goccia ".
La madre rideva; ella guardò Leo, poi Mariagrazia:
" ubriacarsi ", pensò d'un tratto febbrilmente, atterrita;
quelle facce, là, nella luce bianca del pomeriggio la spaventavano, erano i volti meschini e incomprensivi della
sua vita: " non veder piú tutto questo "; con disgusto
alzò il calice, bevve, giú, finché non lo vide vuoto; il
liquido spumante, dolciastro, dal sapore irritante le riempí la bocca, ella non lo inghiottí subito e per un istante
provò il desiderio di risputarlo fuori, sulla faccia dell'amante; ma si trattenne, socchiuse le palpebre e ascoltò
i gorgoglii soddisfatti nella sua gola nauseata; poi riaprí
gli occhi, la bottiglia era di nuovo sospesa sul suo calice,
la mano di Leo ve l'inchinava, un fiotto giallo di vino
riempiva la coppa.
Leo parlava alla madre: " Beva anche lei " l'esortava;
" lei sa l'adagio: ' Mesci il bicchier ch'è vuoto, vuota il
bicchier che è pieno, non lo lasciar mai vuoto, non lo
lasciar mai pieno ' ".
" Oh, oh " rideva la madre rallegrata da queste viete
spiritosaggini.
" In vino veritas " continuò Leo; " beva con me...
sono sicuro che lei al secondo bicchiere è già partita... ".
La madre si offese: " Lei si sbaglia " disse con dignità; " ci sono poche che sanno sopportare il vino come
me "; e per dare una prova della sua valentía vuotò il
calice.
" Vediamo " motteggiò Leo ormai completamente messo di buon umore, mostrando le due dita: " quante sono
queste? ".
" Sono venti " rispose l'amante con uno scoppio di
risa.

" Benissimo ". Per un istante l'uomo tacque; guardando le due donne, la madre e la figlia. " E ora " soggiunse volgendosi improvvisamente verso Carla, " beviamo... beviamo alla salute del tuo futuro marito ".

" Cosí " gridò la madre contentissima, " bevo anch'io ".

Carla esitò; un principio di ubriachezza già le deformava la visione; era come portare degli occhiali troppo forti o guardare in un acquario; gli oggetti tremavano, si univano, si confondevano; " ancora questo calice " pensò, " e non capirò piú nulla "; sorrise confusamente, sollevò la disgustosa coppa e bevve; subito le parve di aver dato un balzo immenso nel cielo dell'ebbrezza, l'invasero una grande allegria e un bisogno di parlare e di mostrare agli altri che era completamente cosciente.

" Non mi dispiace di bere alla salute del mio futuro marito " disse staccando bene le sillabe; " ma chi sarà questo marito? ".

" Dio solo lo sa " disse la madre.

" Se io non ti considerassi ormai come una figlia " incominciò Leo, " proporrei me stesso come marito... mi vorresti? ".

" Tu " ella gridò puntando un dito verso l'uomo; " tu mio marito... ma... "; ella lo guardò per un istante: non era quello l'amante di sua madre? " Ma sei troppo grosso, Leo ".

" Oh, per questo " protestò la madre offesa, " non è affatto grosso... ti augurerei un marito come lui ".

" Allora acconsentiresti, Carla? " insistette Leo sorridendo; " si farebbe il viaggio di nozze a Parigi... ".

" No... io preferisco l'India " interruppe la fanciulla in tono lamentoso.

" Parigi è molto piú interessante " disse la madre che non c'era stata.

" E vada per l'India " concesse Leo; " io ti regalerei un'automobile, una casa, dei vestiti... dunque mi sposeresti? ".

Carla lo guardò, l'ubriachezza le confondeva le idee; perché Leo parlava in quel modo? forse per burlarsi della madre? Ma in tal caso bisognava ridere: " Io, per me " rispose alfine malcerta, " non ho nulla in contrario... ma bisognerebbe chiedere il consenso a mamma ".

" E lei signora " domandò Leo, sempre con quel suo sorriso tranquillo e compiaciuto; " mi accetterebbe come genero? ".

" Vediamo " disse con facile parola la madre, a cui un po' per il vino, un po' per l'eccitamento tutto questo pareva molto comico: " vediamo... ha lei una buona posizione? ".

" Sono impiegato al Ministero di Grazia e Giustizia " rispose Leo con umiltà; " prendo ottocento lire mensili... ma i miei superiori mi vogliono bene... mi è stata promessa una promozione... ".

" E la sua famiglia? " disse la madre trattenendosi a stento dal ridere.

" Non ho più famiglia, sono solo al mondo ".

" Religioso? ".

" Religiosissimo ".

" Insomma lei crede " concluse la madre, " che potrà far felice questa mia figliola? ".

" Ne sono convinto " disse Leo guardando attentamente Carla.

" E allora sposatevi e che Dio vi benedica " gridò Mariagrazia con uno scoppio di risa.

" Sposiamoci Leo " applaudì Carla senza allegria.

Anche Leo rideva: " Mi pare che le prove generali siano andate bene " disse; " ora nulla più resta da fare se non aspettare il marito vero ".

Prese la seconda bottiglia, riempí il bicchiere di Carla: " Bisogna farla bere " si ripeteva, " bere come una spugna ". La guardò: " Un piccolo brindisi alla salute della signora " propose; Carla prese con mano tremante il calice e bevve; allora, cosí improvvisamente che ne ebbe paura, capí di essere ebbra; la testa le girava, aveva la gola secca, per quanto dilatasse gli occhi non le riusciva di veder chiaro; da questo momento è lecito affermare che ella perse l'esatta conoscenza di quel che faceva; non

sapeva piú vedere né udire: gli oggetti di vetro e di
argento della tavola le apparivano cosí brillanti e precisi
che gli occhi le dolevano, le facce dei commensali cosí
immobili e dure che sembravano maschere; ma ogni tanto un tremulo ondeggiamento pervadeva questa realtà, i
contorni divenivano nebbiosi, gli occhi e le bocche si allargavano come macchie sulla creta delle facce, dei bianchi lampeggiamenti percuotevano l'aria; e similmente per
l'udito, afferrava le parole intere, ma per quanto le rigi-
rasse per ogni verso non le riusciva di penetrarne il significato. " E ora che sono ubriaca " si ripeteva, " come
farò a parlare a Leo nel giardino? ". Questo timore l'os-
sessionava, si pentiva amaramente di aver bevuto, avrebbe voluto piangere.

A Leo invece premeva che bevesse; discorreva con la
madre, fingeva di non occuparsi, di non guardare neppure la fanciulla, ma nel mezzo di un aneddoto si voltava,
con viso ilare, con la bottiglia in mano, versava: " Su,
forza... Carla ", e alzava il proprio calice; Carla lo guardava: " Perché " avrebbe voluto domandare; la faccia
immobile di Leo attraversata da quella mano che stringeva la bottiglia, quei gesti, quelle parole, tutto le pareva pieno di una fatalità crudele, incomprensibile e au-
tomatica come se l'uomo fosse stato un fantoccio meccanico messo lí per mescerle ogni cinque minuti il vino
di quella sua bottiglia; ma non protestava, vinceva il
proprio disgusto e beveva, poi riposava la coppa vuota,
la guardava con occhi annegati e paurosi; presto, pensava, il collo tozzo della bottiglia sarebbe apparso e avrebbe rovesciato spietatamente un nuovo fiotto di vino.

Finalmente anche la seconda bottiglia di vino finí:
" L'abbiamo bevuta " disse Leo allegramente; " brava
Carla ". La fanciulla non rispose: teneva la testa china,
i capelli le pendevano davanti agli occhi: " Ehi " insistette l'uomo, " che cos'hai?... forse ti senti un po' stor-
dita?... prendi " soggiunse porgendo il suo astuccio;
" prendi una sigaretta ", e subito, vedendola accendere
e fumare con difficoltà: " Non le manca che una rosa

sul petto " pensò; " proprio nient'altro per crederla una frequentatrice di locali notturni ". Ed era vero: come le donne, al mattino, nelle sale da ballo, Carla appoggiava il gomito sulla tavola, e la testa un po' arruffata sulla mano, e con quella sigaretta penzolante dall'angolo della bocca, guardava davanti a sé; il vestito troppo largo e donnesco che aveva appartenuto alla madre le era scivolato da una spalla e scopriva il principio bianco gonfio del seno; il malessere la soverchiava; ella si abbandonava sulla tavola e pensava di morire.

Mariagrazia la guardò senza riprovazione: " Vai nel giardino " consigliò; " vai a prendere una boccata d'aria... ti farà bene ". Queste parole ispirarono a Carla, nonostante l'ebbrezza, un acuto sarcasmo: " Che cosa mi farà bene? " avrebbe voluto rispondere, " ritrovarmi con Leo?... Certo, mi farà bene, certo "; ma invece disse: " Ne sei proprio sicura? " e si alzò.

Subito si accorse quanto le sarebbe stato difficile non cadere; tutta la stanza ondeggiava e tremava, il pavimento si alzava e si abbassava sotto i suoi piedi come il ponte di una nave, le pareti oscillavano, quel quadro che era diritto, ecco, ora stava di traverso, quel mobile le cascava addosso, le pareva che la tavola con quelle tre persone sedute dovesse da un momento all'altro toccare il soffitto; qualcuno la guardava, laggiú da capotavola, con occhi sbarrati e imbambolati, aveva la testa appoggiata sulle mani: era Michele? non ebbe il tempo di capirlo, uscí con passo malcerto dalla stanza e disparve nell'ombra del corridoio.

" Non ha l'abitudine del vino " disse la madre che l'aveva seguita con gli occhi.

" Eh già " rispose l'uomo, " solamente chi come me ha fatto la guerra e ha bevuto la grappa che fanno lassú, può sapere cosa sia l'ubriachezza ". Prese la bottiglia, versò quelle poche gocce che restavano nel calice di Carla: " Alla nostra amicizia, Michele " gridò voltandosi verso il ragazzo.

Ma Michele non parlò, non bevve, non rispose al brin-

disi; teneva la testa bassa, un odioso disgusto mescolato di rammarico e di umiliazione l'opprimeva; si contemplava nella memoria, abbracciato da Leo, col naso
sulla spalla dell'uomo, le braccia pendenti, commosso,
quasi commosso nel suo sentimentalissimo cuore; riassaporava quel bacio ricevuto, e sí, anche dato... oh che
bel momento! E gli pareva che le orecchie gli rintro-
nassero per il fracasso di formidabili risate; contento e
canzonato; precisamente; Leo trionfava, prendeva i quattrini e la madre; lui invece restava a mani vuote, pago
di un brindisi, di un abbraccio: tutta roba inconsistente.

Due bottiglie erano state vuotate; le sigarette accese
si consumavano in fumo.

Una luce calma e bianca irradiava attraverso le tendine della finestra; e ossessionata dalla sua gelosia, con
voce caparbia la madre tornava all'antico litigio: " Perché non beve alla salute dell'amica lontana? " domandava, e soggiungeva con un cattivo accento: " loin de
toi, loin de ton coeur ".

Rovesciato sulla sua sedia, Leo non rispondeva e la
guardava con occhi inespressivi, tutto appesantito dalla
digestione; e nelle pause un silenzio sazio e grave apriva
il suo sbadiglio: si udiva allora venire dai tubi del termosifone un rumore sonoro: brooon... brooon...; qualcheduno giú nel sottosuolo attizzava nella macchina centrale.

Dal corridoio Carla passò nel vestibolo; quella era la tenda dietro la quale s'era nascosta con Leo la sera avanti; tutto le tremava intorno, ella vi si aggrappò per non cadere; poi uscí, discese i gradini di marmo della scala; una calma mortale incombeva sul giardino; dietro i tronchi e i rami nudi degli alberi, si vedeva, laggiú, il triste muro di cinta, gialliccio, sparso di grandi macchie di umidità; né ombra né luce, non c'era vento, l'aria era fredda e immobile, il cielo era grigio, uno stuolo di corvi vi trasvolava a grande altezza, ora sparpagliandosi ora raccogliendosi e sempre piú allontanandosi con molle caduta, in quell'immensità; nascosto chi sa dove, un uccello fischiava una sua nota sottile ed era come se la natura intera rabbrividisse.

Passo passo, appoggiandosi alla parete, ella fece il giro della villa; guardò in su verso la finestra chiusa della sala da pranzo: cosa facevano quei tre? stavano ancora seduti intorno alla tavola a bere? oppure discutevano? Raccolse un sassolino e lo lanciò davanti a sé, colse un fiore, compí molte piccole azioni per dimostrare a se stessa che non era ubriaca; ma ad una certa distanza tutto si confondeva, gli alberi si torcevano come serpenti, tutto si annebbiava; ed anche, era inutile nasconderselo,

le gambe mal la reggevano, aveva l'impressióne che ad
ogni passo il suolo ondeggiasse e le sfuggisse sotto i piedi.
    Dietro la villa il giardino era meno vasto che dall'altro
lato ma piú folto; dei grandi alberi vi sorgevano, degli
arbusti copiosi arrivavano fino al petto d'uomo, un solo
angusto viale girava intorno a questa massa di vegetazione incolta, lungo il muro di cinta, ma era anch'esso cosí
abbandonato e invaso dall'erba e dai rami che in certi
punti era difficile ritrovare l'antico tracciato; doveva esserci anche, laggiú in fondo al giardino, una piccola co-
struzione rettangolare, una specie di rimessa, ma dal luogo dov'era Carla non la si vedeva, gli alberi la nascondevano.
    Una panchina dipinta di verde stava appoggiata contro
il muro della villa; Carla si sedette e si prese la testa
fra le mani; si sentiva addosso un malessere quale non
aveva mai provato, l'ebbrezza anziché diminuire aumentava, alla prima sensazione di leggerezza e di facilità ora
subentravano lo stordimento e la nausea; ora quel vago
fluttuar delle cose le diveniva insopportabile: " Non c'è
nessun mezzo " ella pensava angosciata guardando in basso il bianco formicolío della ghiaia; " per far cessare
questa tortura? ". Nessuna risposta; soverchiata da questo contrasto del suo vaneggiamento con la muta calma
della natura, con un vago desiderio di abbandonarsi, di
annientarsi in questa immobilità delle cose, Carla chiuse
gli occhi. Non dormí, non pensò, restò cosí colle palpebre serrate una diecina di minuti; poi sentí una mano
toccarla sulla spalla; riaprí gli occhi e vide Leo.
    Portava sul braccio il pastrano e il cappello, aveva
una sigaretta in bocca: " Che cosa hai? perché stai
cosí? " le domandò; la fanciulla alzò la testa: " Sto male " rispose semplicemente.
    " Male, male " ripeté Leo con una sorridente impa-
zienza; " intanto alzati e cammina... e poi non stai male...
hai soltanto bevuto un po' troppo ".
    Mollemente ella si alzò, ma subito gli si aggrappò
con le mani: " Sorreggimi " supplicò, " tutto mi gira in-

torno ". Guardò in volto l'amante, poi riabbassò la testa
e cacciò un lungo sospiro.

Fecero qualche passo, entrarono sotto la vôlta dei
rami, nel viale chiuso e umido che accompagnava il muro
di cinta; ogni tanto Leo domandava alla fanciulla: " Stai
meglio? " ed ella rispondeva: " No ".

" Stai meglio? ". " No ". Gli alberi e le piante che
si intrecciavano sulle loro teste non erano piú immobili
del cielo grigio che si distingueva tra i rami, uno spesso
strato di foglie nere e fradice attutiva i loro passi, il
silenzio era profondo, non un sol rumore. " Stai meglio,
cara? " domandò ancora Leo; eccitato e pieno di desiderio studiava il momento opportuno per abbracciare la
sua compagna; quel corpo s'appoggiava languidamente
sul suo braccio, quel fianco rotondo premeva il suo, una
accesa libidine nasceva da questi contatti: " Calma " pensava; " ora me la porto nella rimessa e ne faccio quel
che voglio... un po' di pazienza... ".

Gli occhi di Carla divagavano nello spazio angusto
del viale, pieno d'ombre e di arborescenze: " Perché mi
hai fatto bere? " domandò alfine in tono lamentoso. " E
tu perché hai bevuto? " ribatté Leo. Delle domande,
sempre delle domande. Si fermarono: " Ho bevuto " parlò ella volubilmente, " per non vedere piú mamma e te...
neppure Michele... per non vedere piú nessuno ". Abbassò gli occhi e scosse la testa: " Ma se avessi saputo
di dover star cosí male, non l'avrei fatto ".

" Non diciamo sciocchezze " gridò l'uomo, con voce
cosí alta che ne stupí egli stesso: " tu hai bevuto perché
cosí ti piaceva di fare ". La vide sorridere misteriosamente: " E credi forse che ti amo? " ella domandò in
tono confidenziale.

Si guardarono; Carla, seriamente, con quella leggera
follía dell'ebbrezza negli occhi lucidi; Leo tra eccitato
e ironico, con sguardi turbati; poi ad un tratto l'uomo
abbassò le braccia e afferrò la fanciulla ai fianchi, grossolanamente; ella ruppe in un riso stridulo e si dibatté
con le gambe e con le spalle, con dei movimenti ebbri

e in certo modo sconci. " Leo... oh Leo! " gridò tra i
singulti di quel suo riso; " Leo... non guardarmi cosí...
no... lasciami ". La vôlta bassa dei rami soffocava la sua
voce acuta, vedeva a intervalli, tra i suoi contorcimenti,
tendersi verso la sua la faccia rossa dell'uomo, piena di
una maligna e come senile lussuria; non sapeva neppur
lei perché si dibatteva. Alfine l'amante ebbe ragione delle
sue contorsioni, e la strinse fra le sue braccia; per un
istante la guardò, occhi spauriti, faccia bianca, bocca semiaperta; poi si chinò e la baciò.

Si separarono, si inoltrarono un po' vacillanti in quel-
l'ombra, sotto il morto intrico delle piante e degli alberi;
ma, ecco, ad un tratto Carla si fermò dubitosa, e strinse
nervosamente il braccio del suo compagno: " Leo " mormorò sollevando un dito ammonitore e puerile; " Leo,
non bisogna... non bisogna ". Tacque subitamente, immobile, distratta dal pianto e dal discorso, guardando qualche cosa nell'ombra del viale con quei suoi occhi che
sotto il velo delle lacrime cambiavano stranamente espressione.

" Ebbene? " domandò l'uomo; ma Carla pareva affascinata da un sasso per metà sepolto tra il fogliame
nero del suolo, tondo e bianco come un uovo, né avrebbe
saputo parlare; quella frase " non bisogna " le era uscita
di bocca quasi inconsciamente; poi i sentimenti che l'avevano ispirata, erano svaniti; l'oscurità era tornata.

" Su... su " incoraggiò Leo: " che cosa non bisogna?
non bisogna bere?... Eh, lo so... ma ora " soggiunse spin-
gendola avanti, " cammina, cammina ancora un poco ".

Erano arrivati in fondo al giardino; qui il viale formava una specie d'insenatura intorno la rimessa che si
appoggiava al muro di cinta; la parete era tutta nascosta
dalle piante rampicanti, non si vedeva che l'uscio scon-
nesso dai cardini rugginosi.

" Ah... e questo cos'è? " domandò Leo, come se questa vista l'avesse stupito.

" La casa del giardiniere ".

" La casa del giardiniere?... oh bella... e il giardiniere c'è? ".

" No ".

" La casa del giardiniere... " ripeté Leo, come se queste parole gli fossero straordinariamente piaciute per
qualche loro nascosto significato; " andiamo, andiamo a
vederla ".

Carla rise, tutto questo le pareva assurdo, ma obbedí;
l'uscio era aperto, e sospinto rivelò un'unica stanza dal
soffitto basso, dal polveroso pavimento di legno; le pareti erano nude, un lettino di ferro, con un materasso
bigio che in piú punti era sfondato e mostrava la lana,
occupava tutto un angolo, in quello opposto, tripode di
un rito abbandonato, si vedeva un catino arrugginito sopra il suo sostegno; ed era tutto; trasognata Carla contemplava queste povere cose, ormai la nausea era diventata intollerabile, avrebbe voluto tornare alla villa, e distendersi sul divano, in camera sua; ma soverchiata dal-
l'ebbrezza, piegò le ginocchia e sedete sul letto:

" Perché? " domandò afflitta: " perché mi hai fatto
bere? ". Guardava le tavole dell'impiantito; delle ciocche
di capelli le pendevano davanti agli occhi, un vago malessere le empiva la bocca di saliva. Leo le sedete accanto: " Questo è il momento buono " pensava eccitato;
girò un braccio intorno alla vita della fanciulla: " Vediamo " disse con voce flautata: " sii ragionevole, sei tu
che hai bevuto, di tua spontanea volontà ". Carla scosse
la testa ma non rispose. " E poi " soggiunse l'uomo, " che
importa? " Tirò la veste sul braccio, baciò con rispetto
la spalla denudata: " tutto passerà ".

I suoi occhi non si staccavano da quel po' di petto
nudo che il vestito largo lasciava vedere; bruscamente
l'afferrò; la rovesciò, le mise le mani addosso; lotta;
scricchiolii del letto; inutili contorcimenti: " Lasciami "
ella mormorò alfine e cessò ogni movimento, estenuata
dallo sforzo compiuto e da un languore che non conosceva; dal soffitto che fissava con occhi spalancati e sofferenti, vide piombare come una meteora la faccia rossa

di Leo; il bacio si posò sul collo, strisciò sulla guancia, si fermò sulle labbra; Carla chiuse gli occhi, reclinò la testa sulla spalla; quel contatto molle e umido della bocca dell'uomo le era indifferente, avrebbe voluto dormire. Ma un rumore di bottoni spezzati, che rotolavano sul pavimento, certe scosse al dorso, la fecero trasalire; ella riaprí gli occhi, vide un volto acceso ed eccitato curvo su di lei, si accorse di avere le spalle nude, si dibatté, si aggrappò invano agli orli del suo vestito come a quelli di un precipizio; due strappi violenti quasi le ruppero le unghie; con un affaccendamento minuzioso che stranamente contrastava con il turbamento della sua faccia, Leo sollevò per un istante la fanciulla dal letto e non senza difficoltà abbassò la veste fino alla cintola; poi le si ributtò sul petto e si diede con dita alacri a sfilare le braccia nude dalle bretelline della sottoveste. Spaventata, Carla lo guardava, e ogni volta che tentava di dibattersi, lo vedeva fare dei gesti di chirurgo durante l'operazione, inarcando le sopracciglia, scuotendo la testa e torcendo la bocca come per dire: " No cara... non impressionarti... non è nulla... lascia fare a me... ". Questa mimica imperiosa e il languore che ora diveniva nausea, poterono piú che gli sforzi di Leo; Carla cedette, alzò le braccia quanto fu necessario alzarle, inarcò il dorso quanto fu necessario inarcarlo, non trattenne la camicia che Leo abbassò accuratamente sul ventre, e, nuda, s'abbandonò cogli occhi chiusi sopra il materasso; la nausea si faceva sempre piú forte; ella non pensava piú a nulla, le pareva di morire.

" Ah, che bella bambina " pensava intanto Leo; quella nudità l'accecava, non sapeva da dove incominciare, se dalle spalle delicate, magre e bianche o dal giovane petto di una tenerezza, di un candore di latte di cui i suoi occhi avidi e sorpresi non sapevano saziarsi.

" Ah, che bella bambina ", e già si chinava per abbracciarla quando la vide rizzar la testa, impaurita, pallidissima, con delle voci gutturali e dei gesti del mento che parlavano per la bocca chiusa; si liberò, si trasse da

parte; invasata, Carla sorse sul letto appuntando gli
sguardi sul trespolo, là, nell'angolo; Leo capí, prese il
catino, lo tese appena in tempo: dalla bocca aperta, nel
vaso arrugginito, la fanciulla emise un getto denso, multicolore e fumante, sostò, con un singulto delle viscere
sconvolte ricominciò; rabbiosamente l'uomo la contemplava sostenendole la fronte: " Mea culpa, dovrei dire "
pensava: " non dovevo farla bere a quel modo ". Ormai
era inutile dissimularselo, per quel pomeriggio tutto era
finito, non c'era nulla da fare; la guardava e dalla rabbia
gli pareva di scoppiare: eccola, la fanciulla dei suoi sogni, nuda, pronta a darsi, che invece della sua testa di
amante teneva sulle ginocchia quel suo catino e se lo
rimirava con occhi affascinati: " E pensare " si ripeteva,
" che se non l'avessi fatta bere a quest'ora era già mia ".

Intanto il vomito era finito e Carla respingeva da sé
il catino pieno che non senza disgusto l'uomo andò a
riposare sul suo sostegno; nel voltarsi Leo guardò la fanciulla, ella stava seduta sul bordo del letto, non si era
coperta, con la testa bassa e le braccia pendenti, e lo
colpí il contrasto tra la magrezza del corpo: il costato
appariva, le spalle erano strette ed aguzze, e la grossezza
anormale dei seni e della testa: " Mal fatta " pensò per
consolarsi: " Come ti senti? " domandò ad alta voce.

" Male " ella rispose; guardava in basso rimescolando
in bocca la saliva acida; ogni tanto gli occhi le andavano
a quelle vesti rovesciate sul ventre seminudo, cominciava a sentir freddo, un disgusto senza speranze l'opprimeva: " Tutto è finito " pensava; e in verità, lo intuiva, qualche cosa doveva pur esser finito, senza piacere
né dignità, in quel catino; cosa precisamente, non avrebbe saputo dire; alzò pian piano la testa e guardò con
occhi pieni di lacrime l'amante: " Ed ora? " le uscí di
bocca senza quasi che l'avesse voluto. " Ora vestiti e
andiamocene " rispose l'uomo con una specie di rabbia
contenuta; si alzò e incominciò a passeggiare in su e in
giú su quelle tavole scricchiolanti; ogni tanto guardava
Carla che si rivestiva; il desiderio gli ritornava, si do-

mandò piú volte se non fosse stato meglio aspettare un poco che il malessere fosse svanito e poi ridare l'assalto a quelle belle forme; ma ormai era troppo tardi, Carla era già pronta: " È inutile " egli pensò indispettito, " ormai l'incanto è finito... nulla piú da fare per oggi ".

Si avvicinò al letto. " E ora come ti senti? " domandò.

" Meglio " rispose la fanciulla; " meglio ". Aveva finito, si alzò; allora, senza toccarsi, uno dietro l'altro, uscirono ambedue dalla rimessa.

Fuori il fogliame crepitava: " Toh, piove " esclamò Leo stupito; messo a disagio dal silenzio di Carla, si sforzava di parere disinvolto; fecero qualche passo: l'aria sotto quel riparo degli alberi era immobile e soffocante, un'ombra nera avvolgeva l'intrico dei rami; intorno ad ogni pedata, sul suolo sdrucciolevole, fioriva l'acqua spremuta dalle foglie: " È strano " soggiunse l'uomo; " ogni giorno lo stesso tempo: all'alba è sereno, nel mattino si guasta, e poi piove dalle prime ore del pomeriggio fino alla notte ". Nessuna risposta: " Allora ci vedremo stasera " egli insistette; Carla si fermò e lo guardò: " Mai piú " avrebbe voluto rispondere, ma questo pensiero la trattenne: " Bisogna andare fino in fondo... fino in fondo alla distruzione "; ricominciò a camminare. " Forse... non so " rispose a testa bassa, senza guardarlo.

Erano arrivati alla fine del viale, si fermarono daccapo: " Vai là " disse Leo con un sorriso stupido stringendola per un braccio: " vai là che anche quando ti senti male sei una bella bambina ". Si guardarono: " Poterlo amare " pensava Carla osservando il volto rosso ed inespressivo dell'uomo; le restava ancora un residuo di ebbrezza, la testa le doleva, provava un gran desiderio di abbandono e di affetto; ma ora Leo le dava uno schiaffetto sulla guancia: " Sciocchina " ripeteva, " sciocchina che vuoi bere e poi ti senti male... piccola sciocca... sciocchissima ", e l'attirava: " dammi un bacio e non se ne parli piú ". Si baciarono, si separarono; poi Carla uscí dal riparo del viale e correndo sotto la pioggia disparve dietro l'angolo della villa.

" Che brutta giornata " pensò Leo avviandosi a sua
volta; " che stupida giornata ". Ora pioveva con tranquillità dal cielo alto, il giardino era già tutto bagnato,
il fruscío umido e ininterrotto dell'acqua aboliva ogni
altro rumore. Leo se ne andava malcontento; non sol-
tánto la festa di Carla gli era costata tra fiorí e regalo
un mezzo migliaio di lire, ma anche, in grazia di quel
vino traditore, l'avventura era finita in un modo non si
sapeva se piú ridicolo o piú disgustoso: " Carla non desidera altro " pensava rabbiosamente: " non c'era neppur bisogno di ubriacarla... ora invece tutto è da ricominciare ". Fu soltanto quando si trovò in strada e guardò da che parte dovesse dirigersi che si ricordò che Lisa,
la sera avanti, l'aveva invitato ad andare quel giorno in
casa sua.

Dapprima l'idea di tornare dall'antica amante gli parve
assurda; non gli piaceva di rifare le strade già percorse,
quella visita gli pareva una " minestra riscaldata "; ma
d'altra parte la libidine che Carla gli aveva messo in
corpo andava soddisfatta.

" Se oggi non mi sfogo " pensava andandosene sotto
la pioggia, per quelle strade larghe e vuote del sobborgo
ricco, " scoppio ". L'immagine di Carla nuda e piangente gli stava davanti agli occhi, e cosí insistente che
fece con la mano un gesto come per scacciarla: " Ma sí,
andiamoci " pensò alfine; " dopo tutto anche Lisa è una
donna ".

Questa decisione gli mise le ali ai piedi; chiamò un
taxi: " Via Boezio " ordinò buttandosi a sedere; l'automobile partí; Leo accese una sigaretta: " Sarà il piú
bel giorno della sua vita " pensò; e immaginava che appena l'avrebbe visto Lisa gli sarebbe saltata al collo;
" ieri sera ha fatto un po' di commedia, ha voluto mettermi una pulce nelle orecchie, si capisce, anche lei ha
il suo orgoglio di donna... ma oggi... oggi non si farà
tanto pregare "; l'automobile in corsa lo scuoteva di qua
e di là; gli pareva con questa sua visita a Lisa di essere
generoso, di fare nel tempo stesso il proprio vantaggio

ed una buona azione; " Sarà il piú bel giorno della sua
vita " si ripeteva; " io le concederò quel che non ha mai
osato sperare e nel contempo passerò alla meno peggio
questa stupida giornata ". Gettò la sigaretta fuori dal
finestrino; ora con un morbido slittamento delle ruote
sull'asfalto bagnato, l'automobile entrava in una strada
deserta fiancheggiata da platani; il denaro in mano; il
taxi si fermò; Leo discese, curvo sotto la pioggia pagò,
poi disparve in fretta nel portone.

Salí lentamente la scala ricordando con una compiacenza senza malinconia quante volte l'aveva percorsa dieci anni prima.

" Non c'è che dire " si ripeté senza neppure tentare
di spiegarsi il significato di questo suo pensiero; " dieci
anni sono dieci anni ". Suonò, gli venne aperto; ritrovò
tutto come un tempo, cosí che per un istante ebbe l'impressione di non esser piú quello di ora ma quello di
una volta; ogni cosa stava al suo posto, gli armadi nel
corridoio oscuro, in fondo al corridoio la sonante porta
a vetri del boudoir, e poi, ecco, la stessa tenda abbas-
sata, gli stessi tappeti... Allora sedette in una di quelle
scricchiolanti poltrone e accese una sigaretta.

Dopo un istante Lisa entrò: " Oh! sei tu " disse sba-
datamente; sedette e guardò l'uomo come per domandargli la ragione della sua visita.

" Non mi aspettavi? " disse Leo, stupito, ché era convinto invece di essere stato atteso con ansietà: " eppure
ieri sera mi hai fatto credere tutto l'opposto ".

" Si dicono tante cose " ella cominciò abbassando la
gonna sopra le ginocchia; " soprattutto di notte, quando
non ci si vede ".

" È furba " pensò Leo, " vuol farsi pregare "; avvicinò la propria poltrona a quella di Lisa, poi, curvandosi: " E io invece sono convinto che tu parlavi seriamente ".

" E se avessi cambiato idea? " ella domandò con vi-
vacità: ora quella sua debolezza della sera avanti le appariva come era veramente: non ritorno d'amore per

Leo ma momentaneo smarrimento e ignoranza del proprio sentimento verso Michele: " Tante cose " soggiunse con serietà " possono essere successe da ieri ad oggi ".

Leo la guardava fissamente, gli occhi gli andavano ora al volto, ora al corpo, a quel principio bianco e gonfio del petto, a quel po' di spalla nuda che nell'ombra sordida del salotto pareva ancor piú fresca, pulita e piena di quel che veramente non fosse. " Mi vuol tentare " pensò; " eh!... eh!... è furba come una volpe ". Si protese: " Sai che ti sei straordinariamente imbellita? " disse.

" Ah!... perché prima ero brutta? " ella esclamò con istintiva civetteria; ma subito si pentí di questa debolezza: " Bisogna mandarlo via " pensò; " bisogna fargli capire che si è sbagliato ". Poi, guardando Leo, lo vide cosí rosso, eccitato e sicuro della sua conquista; ecco, bastava vedere come si protendeva dalla sua bassa poltroncina, il petto gli scoppiava, gli occhi brillanti di concupiscenza volevano essere ad un tempo espressivi ed appassionati; le venne un tale risentimento mescolato di vittorioso orgoglio (" ora amo e sono amata " avrebbe voluto gridargli) che d'improvviso le parve di capire che sarebbe stato molto piú divertente e acuto fargli credere di essere desiderato e amato per poi ad un tratto disingannarlo: in una parola beffarsi di lui.

" Sei sempre stata bella " diceva intanto l'uomo, " ma ora sei ancor piú bella del solito ".

" Ma tu hai Mariagrazia " protestò Lisa mettendo in atto il suo disegno; " che ti può importare di me? ".

" Tutto è finito tra me e quella donna... tutto... invece tu torni a interessarmi come nei primi tempi ".

" Ti ringrazio tanto ".

" Un malinteso " egli continuò " ci ha divisi fino ad oggi... soltanto un malinteso... che vuoi? spesso ci si sbaglia... con te ho sbagliato, lo riconosco... ma oggi vengo e ti dico: dimentichiamo il passato e riconciliamoci ".

Tacque e tese la mano a Lisa.

Ella guardò quel volto, poi quella mano: " Ma perché riconciliarci?... non siamo mai stati in urto... ".

" No... cosí non va... " protestò Leo; " te lo dico subito... cosí non va... per carità non fingere di non aver capito, non farmi, scusa la parola, la stupida... tu hai capito benissimo di che cosa si tratta... ho parlato chiaro... si tratta di dimenticare tutto, e di riconciliarci, e anche, perché no? per me io ci sto... di ricominciare daccapo... come vedi non confondo le cose io... dico quel che penso e non uso le mezze parole... ora aspetta a te a rispondere ".

" Ma... non so " ella cominciò fingendo di essere molto dubitosa.

" Come non sai?... animo su, coraggio... ".

" Ebbene " concluse Lisa, " riconciliamoci pure se vuoi..., quanto a ricominciare daccapo si starà a vedere... ".

" Il piú è fatto " pensò Leo contentissimo; " non è mica stupida... ha capito tutto... "; si chinò e baciò con fervore la mano della donna; poi alzò la testa:

" Quello che soprattutto mi piace in te è la semplicità... con te non si va per le lunghe.. non si vien fraintesi... ".

" Questo avviene... " ella rispose sottolineando le parole con un tono pieno di riposti significati, " perché io so sempre indovinare a tempo le intenzioni degli altri ".

" Ah! benissimo " esclamò Leo avvicinando ancora una volta la propria poltrona a quella di Lisa; " e per esempio... che intenzioni avrei io, ora? ".

" Tu ora ": ella lo guardò: questi tranelli, questa specie di rito fatto di domande e di risposte, che mirava sempre allo stesso scopo, ora, dopo averne abusato, le ispiravano un orgoglioso disgusto: " è finito... tutto questo è finito " pensava; " ora amo e sono amata "; ma volle condurre fino alla fine la sua finzione. " Tu ora?... non sarebbe certo difficile dirlo... ".

" E allora se lo sai " insistette l'uomo, congestionato, " dillo... ".

" Ebbene " ella cominciò con un pudore e delle esitazioni tra maliziose e reticenti efficacissime; " se proprio vuoi saperlo... mi sembra che tu abbia delle intenzioni, come dire? bellicose... ".

" E cioè " domandò Leo curvandosi tanto in avanti che col mento quasi sfiorò la spalla nuda di Lisa.

Ella lo guardò: " E cioè " avrebbe voluto rispondergli irritata da quella rossa faccia protesa verso la sua, " inutile che ti affanni... amo Michele... Michele è il mio amante "; ma si trattenne: " Stai attento " avvertí in tono agrodolce; " a curvarsi cosí c'è da cadere ".

Leo era troppo eccitato per ascoltarla: " Come?... " domandò stupidamente.

" C'è da cadere " ripeté Lisa, " oppure da prendersi un colpo... ".

" Ad ogni modo " rispose l'uomo, senza alzar la testa, con lentezza, cocciutamente: " le mie intenzioni sono semplicissime: ora tu ti vesti e prendiamo il tè insieme... magari da me... poi ceniamo, andiamo a qualche spettacolo... e finalmente ti riaccompagnerò a casa... ".

Un istante di silenzio; Lisa pareva molto esitante: " Ci verrei " disse alfine, " ma chi mi assicura che tu mi ami veramente e questo non sia che un capriccio passeggero dopo il quale tornerai a Mariagrazia? ".

" Ma no... " corresse l'uomo senza muovere la testa bassa, con quella sua testardaggine fatta di desiderio represso e d'impazienza; " ti sbagli... te l'ho già detto, te lo ridico... non tornerò con Mariagrazia perché tra me e lei tutto è finito da molto tempo... ci sono stato insieme finché ho potuto... era una di quelle relazioni che si trascinano e non finiscono piú, un po' per abitudine, un po' per altre ragioni... ".

" Ragioni pratiche? " suggerí Lisa.

" Macché pratiche... insomma per farla breve " Leo alzò alfine gli occhi e la guardò: " non tirare in ballo Mariagrazia che non c'entra... invece rispondimi... ".

" Che cosa? ".

" Oh bella " disse Leo con una specie di leggerezza e,

come se avesse voluto riaggiustare il bordo del vestito, posando una mano sulla spalla di Lisa; " te l'ho detto...; accetti o no di venire oggi con me? ".

Ella esitò: aveva da dirgli la verità? Ma fu salvata da quella mano, che come per caso ora le palpava la nuca:

" No " protestò, " lasciami... nulla mi dà piú fastidio che esser toccata sul collo... ".

" Ma una volta ti faceva tanto piacere " rispose Leo con lentezza, guardandola fissamente avvicinando il proprio volto a quello di Lisa.

" Sí... ma ora non sono piú quella di una volta " ella disse in fretta tentando di resistere all'attrazione di quella mano: " lasciami... ".

" E cosí? ". Bruscamente Leo si alzò, si chinò su di lei, le rovesciò indietro la testa per i capelli e tentò di baciarla; Lisa fece appena in tempo a mettersi una mano davanti alla bocca. " Su, non esser cattiva " comandò Leo, e vi erano nei suoi occhi, nel modo col quale tentava di rimuover l'ostacolo della mano una tale sicurezza di trionfare alla fine, un tale scetticismo sulla serietà delle sue ripulse, che Lisa si sentí ad un tratto invadere da una collera cieca; tolse la mano davanti la bocca: " Lasciami, ti dico " intimò con voce caparbia ed occhi adirati; ma l'uomo se ne avvantaggiò per impossessarsi delle sue labbra ripugnanti; per un istante ella subí il bacio torcendosi e sforzandosi invano di liberarsi, poi alfine, con uno strappone, riuscí ad alzarsi in piedi; l'urto fu tale che Leo perse l'equilibrio e cadde a rovescio dentro la sua poltrona.

Si alzò e ravviando nervosamente la giacca scomposta: " Lisa, non facciamo scherzi... non abbiamo deciso di tornare amici?... che modi sono questi? ".

Ella indicò teatralmente la porta con la mano:

" Vattene " ordinò.

" Ma come? " cominciò Leo imbestialito.

" Non ti amo, non ti ho mai amato... " gridò Lisa chinandosi e sibilandogli in volto le parole; " te l'ho la-

sciato credere oggi, per un istante, per prendermi il gusto
di sentire tutte le frottole che mi avresti detto... e ora
vattene ".

L'uomo restò per un istante immobile, meravigliato;
poi, improvvisamente, passò da questo stupore di pietra
ad una collera vendicativa e caparbia:

" Ah sí " gridò, " è cosí... debbo andarmene eh!...
dopo averti fatto il burattino... ebbene non me ne andrò... ": egli esitò cercando invano nel suo furore una
espiazione degna della colpa di Lisa: sfasciarle qualche
mobile o qualche porcellana? schiaffeggiarla?

" Non me ne andrò se non dopo averti baciata ".
Buttò da parte la sedia, fece per afferrare Lisa fra le
sue braccia, nella sua rabbia quel bacio diveniva addirittura la possessione, pensava confusamente di gettar la
donna in terra e di prenderla là, sul tappeto; ma Lisa gli
sfuggí e si rifugiò dietro una poltrona; per un istante
stettero faccia a faccia, curvi, attaccati alla poltrona,
spiandosi a vicenda e sforzandosi ciascuno di indovinare
i movimenti dell'altro. " Vattene " ella disse finalmente,
ansante, scapigliata, spaventata dalla brutalità che gonfiava la faccia dell'uomo, là davanti a lei... Allora, con
una grossolana astuzia, bruscamente, la mano di Leo
l'afferrò per i capelli, egli scansò con una spinta la poltrona e strinse la donna tra le sue braccia.

Lottarono per qualche secondo: Leo tentava di spezzare i gesti di Lisa, la donna si sforzava di sfuggire a
quell'abbraccio; vi riuscí alfine e si rifugiò contro la
porta:

" Vattene " ordinò ancora con voce interrotta; " vattene o chiamo ". Era rossa, scarmigliata, ansante, il vestito le si era sbottonato sopra una spalla, teneva le mani
aderenti alla porta, il petto sussultante in fuori; " vattene " ripeté; ma qualcheduno dal corridoio spingeva ora
l'uscio e tentava di entrare:

" Non importa, Maria " ella gridò senza voltarsi; " non
ho bisogno di voi... ".

" Apri " comandò allora chi spingeva, con voce ma-

schile; " non sono Maria... apri ". Macchinalmente Lisa
si fece da parte; l'uscio si aprí e Michele entrò.

Teneva il cappello in mano e indossava un impermeabile verde tutto bagnato; guardò Lisa ansante e discinta,
Leo rosso; subito la verità della scena che gli stava sotto
gli occhi gli si ricostruí nella mente: " Leo è venuto "
pensò, " per riallacciare gli antichi legami... e Lisa l'ha
respinto... "; ma non agí secondo questi pensieri; gli parve confusamente che doveva approfittare di questa occasione per rompere definitivamente con Lisa; e poi non
era questo l'atteggiamento obbligato in simili circostanze?

" Scusate ", disse con una voce atona che si sforzava
di parere ironica; " la colpa è tutta mia... avevo deciso
di non venire mai piú e sono venuto... vi ho disturbati...
scusate "; fece un inchino ridicolo e rigido, girò su se
stesso e sparí; la porta si chiuse.

Quel diavolo senza molla scaturito dall'ombra del corridoio e poi subito rientratovi aveva calmato Leo; egli
sorrise: " È quello il tuo amore, Lisa? " domandò.

Assorta nel suo stupore ella accennò di sí con la testa,
cupamente; poi, improvvisamente, come se il pensiero di
Michele partito senza salutarla, forse per sempre, le fosse
riuscito intollerabile, corse alla finestra e la spalancò.

L'appartamento era al piano nobile, le finestre erano
molto basse; ella si affacciò, guardò: l'aria era fredda,
la strada vuota e bagnata, pioveva, un grande platano
senza foglie piantato là davanti ostruiva la vista del cielo; ma qualche metro piú a sinistra qualcheduno che
indossava un impermeabile verde stretto alla cintura, se
ne andava tranquillamente, contro i muri: " Michele ",
ella chiamò sporgendosi; " Michele! ". Lo vide voltarsi
un poco, guardarla curiosamente e continuare il suo cammino. " Michele! " gridò con piú forza; questa volta, il
ragazzo fece con la mano, senza voltarsi, senza fermarsi,
un gesto di saluto; ora stava già a qualche distanza, laggiú, sul marciapiede lustro, camminava di buon passo,
presto avrebbe girato; Lisa capí che era inutile insistere,
e si voltò verso il salotto.

" Tornerà, non temere " disse con falsa bonarietà Leo, dritto nel mezzo della stanza; " lo conosco... non è di quelli che fanno le cose sul serio... tornerà, puoi star sicura ".

Quella voce provocava, oltraggiava, insultava sanguinosamente; dignitosissima Lisa si mosse e andò a premere un bottone sulla parete opposta, passò un istante, apparve la cameriera:

" Maria, accompagnate il signore alla porta ". Era la fine, banalissima e ridicola fine; dal salotto alla porta c'erano due passi. Il signore se ne andava ignobilmente borbottando " Me ne vado Lisa... me ne vado... salutami Michele ". La cameriera non capiva e guardava stupidamente ora l'uomo, ora Lisa; ma Leo non aspettò che gli s'indicasse la strada, e presi il cappello e il pastrano uscí da solo.

La pioggia gli rinfrescò l'anima, aprí l'ombrello e camminò quasi senza alcun pensiero: " Poteva andare e non andare " si consolò ad un certo momento; " e non è andata "; e poi ancora, serenamente: " oggi l'ho bell'e capito, quel tasto là è meglio che non lo tocchi "; dopo di che non pensò piú a nulla, accese una sigaretta, e badando a non bagnarsi i piedi nelle pozze, camminò col suo passo abituale, né piano né in fretta.

Arrivò in fondo alla strada, sbucò in una vasta piazza piovosa, senza monumenti e senza giardini, all'angolo, sotto l'antenna del segnale di fermata, un gruppetto di persone aspettava il tram; si avvicinò, riconobbe, appoggiato all'antenna, Michele: " Toh! sei ancora qui " gli disse senz'ombra di rancore.

" Già " rispose il ragazzo alzando verso di lui i suoi occhi annoiati; " aspetto ". Un istante di silenzio.

" Ma allora " disse Leo, " poiché vado a casa mia ti offro il passaggio sul taxi... taxi! ".

Michele accettò: " Ma perché tutto questo? " pensò buttandosi a sedere sull'automobile a fianco dell'uomo.

Per un minuto non parlarono: " Si può sapere " domandò finalmente l'uomo, " perché te ne sei andato?...

Non avevi dunque capito che quella non desiderava altro che tu restassi? ".

Michele non rispose subito; guardava attraverso il finestrino le facciate bagnate delle case. " Lo so " rispose alfine.

" O allora... perché non sei restato? ".

" Ma... perché non la amo ".

Questa risposta fece sorridere Leo: " Ma, vediamo " incominciò, " credi tu forse che si debba andare con una donna soltanto quando la si ama? ".

" Io credo questo " rispose Michele senza voltarsi, in tono serio.

" O allora... " mormorò Leo un po' sconcertato; " ma io per esempio " soggiunse tranquillamente, " troppe donne ho avuto che non ho mai amato... la stessa Lisa l'ho presa senza amarla... e ciò nonostante non ho mai avuto a pentirmene...: mi son divertito quanto chicchessia ".

" Non ne dubito " disse Michele a denti stretti; " Che Dio ti maledica " avrebbe voluto rispondergli: " Credi tu che tutti al mondo siano come te? ".

" E poi, lasciamo andare " continuò Leo; " quando vedo un ragazzo come te, senza grandi conoscenze, senza grandi risorse, fare lo sdegnoso con una donna come Lisa, che sarà quel che sarà, ma certo non è da disprezzarsi... ecco mi sembra che il mondo sia capovolto ".

" Lascia che si capovolga " mormorò Michele, ma l'uomo non lo udí.

" Bah! per me fate quel che volete " concluse Leo; accese una sigaretta e si ravvolse nel suo pastrano.

Michele lo guardava: " Dunque secondo te " domandò " non dovrei rinunziare a Lisa... ".

" Ma già..., sicuro " approvò Leo togliendosi di bocca la sigaretta; " prima di tutto perché Lisa non è davvero da buttarsi via; oggi appunto la guardavo... è grassa ma soda...: ha un petto " egli soggiunse con una strizzatina dell'occhio all'indirizzo di Michele disgustato " e dei fianchi... e poi caro mio, quella è una donna che può dare molte maggiori soddisfazioni che non una delle solite

signorine all'acqua di rose... è piena di temperamento...
una vera femmina... e in secondo luogo dove la trovi
oggi una amante che ti riceva in casa? Questo, per te
che non puoi pagarti la camera o l'appartamentino, è una
grande comodità; vai, vieni, entri, esci, nessuno ti dice
nulla, sei come in casa tua; te ne infischi; invece, soprattutto alla tua età, si finisce sempre per portar l'innamo-
rata in certi brutti posti, ristoranti, alberghi, ecc. che
tolgono l'appetito soltanto a pensarci... se a tutto questo
aggiungi che Lisa non ti costerà un soldo, dico un soldo...
ecco io non so cosa si possa desiderare di piú... ".

" E già " si ripeté il ragazzo un po' tristemente; " che
cosa si può desiderare di piú? ". Non parlava, stava un
po' curvo, guardando ora l'uomo ora la strada; era già
il crepuscolo, i fanali non erano ancora accesi... un'ombra
umida invadeva la via affollata cosí che non se ne
vedeva il fondo, e uomini, ombrelli, veicoli, ogni cosa a
qualche distanza si confondeva in una sola lontananza
piovosa in cui, isolati e rapidi, si vedevano scendere e
salire i lumi gialli dei tram e quelli delle automobili: " E
ora cosa farò? " si domandava il ragazzo; ogni volta che
osservava la mobilità e la continua agitazione della vita,
la propria inerzia gli incuteva spavento.

" Vai là, mio caro ", sentí dire da Leo; " non starci a
pensar tanto... la cosa è molto piú semplice di quello che
credi... Lisa non aspetta che te...: tornaci stasera e ti
accoglierà a braccia aperte... ".

Si voltò: " Dunque dovrei fingere di amarla " incominciò.

" Macché fingere " interruppe Leo; " chi te lo fa fare?... non stare ad approfondire tanto... l'essenziale è che
quella è pronta ad andare a letto con te... accetta e
contentati ".

Pensoso Michele era tornato a guardare la strada:
" Fa fermare in piazza " avvertí, " ché scendo ". Un
istante di silenzio: " E da' il caso " soggiunse, " che
qualcheduno ti abbia offeso in qualche modo...; a te il
tipo in questione non ti è antipatico, anzi, nonostante

l'offesa, non sai odiarlo...; fingi allora di sdegnarti e lo prendi a schiaffi o no? ".

" Dipende dall'offesa " rispose Leo.

" La piú grande che ci sia ".

" Ma allora " ribatté l'uomo, " è impossibile che mi resti simpatico e che non me ne importi nulla ".

" Ma da' questo caso... ".

" Ebbene, lo prenderei a schiaffi " rispose Leo senza esitare. In piazza l'automobile si fermò; ma prima che Michele fosse disceso Leo lo tirò per la manica: " E mi raccomando " disse con un ammiccamento e un gesto espressivo della mano; " Lisa...: fatti sotto ": dopo di che rovesciatosi daccapo sul cuscino gridò il suo indirizzo e l'automobile ripartí.

Dopo cinque minuti era a casa sua; passò nel suo studio, una stanza pressoché nuda, con un alto zoccolo di legno marrone, scaffali e scrivania americana, e sedette; l'ombra del crepuscolo piovoso dava a quei mobili banali, a quegli oggetti utili, un intollerabile aspetto di noia e di precarietà; era l'ora peggiore, non era piú il pomeriggio bianco, e non era ancora la notte nera, la luce del giorno era troppo fioca per permettere di vedere e quella di una lampada troppo forte per quella bigia penombra; ma Leo vinse facilmente questo disagio, accese un lume, lesse una lettera d'affari, e si accinse a scrivere la risposta; fu in questo momento che il campanello del telefono suonò.

Senza lasciar la penna egli staccò il ricevitore e lo appoggiò all'orecchio: " Con chi parlo? " domandò una voce femminile. " La voce di Mariagrazia " pensò Leo: " Trentuno, quattro, nove, sei " rispose. " Parlo col signor Merumeci? " insistette la voce. " Sí ". " Allora parli con Mariagrazia... Carla propone di andare a ballare al Ritz... vuoi venire con noi...? ". " Va bene... fra un'oretta " disse l'uomo. " A proposito " continuò la madre; " quando vogliamo vederci? ". Ma Leo aveva riconosciuto il principio di uno dei soliti interminabili discorsi. " Vedremo " rispose, e riattaccò bruscamente il ricevitore.

Dopo questa conversazione finí la lettera e lentamente
ne scrisse un'altra: affari nel vero senso della parola non
ne aveva, non lavorava, tutta la sua attività si limitava
all'amministrazione dei suoi beni, consistenti in alcune
case, e in qualche cauta speculazione di Borsa; però le
sue ricchezze aumentavano regolarmente ogni anno, egli
non spendeva che tre quarti della rendita e dedicava il
resto alla compra di nuovi appartamenti. Chiuse la lettera, accese una sigaretta e passò nella camera da letto;
in un'ora doveva radersi la barba, vestirsi e arrivare fino
dagli Ardengo. Passò nel bagno, si lavò, si rase accuratamente, pelo e contropelo, tornò nella camera da letto
e incominciò a vestirsi; i bei panni, e i bei vestiti gli
piacevano immensamente; questa d'indossarli era una delle sue predilette occupazioni; infilò una camicia di seta
bianca sulla quale annodò una cravatta nera e argentea,
calzò calzini di lana bigia e rossa, indossò alfine non senza
numerosi contorcimenti un vestito turchino spinato dal
taglio veramente straordinario; allora si ammirò nello
specchio dell'armadio e sia che la penombra della stanza
lo trasformasse e lo ringiovanisse, sia che i bei panni lo
avessero completamente inebriato, convenne dentro di sé
di avere un aspetto bello, nobile, e anche in un certo
modo dignitosamente melanconico; poi guardò l'orologio; tre quarti d'ora erano già passati, uscí in fretta, si
precipitò al garage, ne trasse l'automobile: dieci minuti
dopo suonava alla porta degli Ardengo.

Nel salotto una sola lampada era accesa, presso la
quale Leo vide Carla seduta e immobile; era pronta per
uscire, indossava un leggero vestito color pesca, era incipriata, arricciata, tinta: " Mamma viene subito " disse.

" Benissimo " incominciò Leo sedendosi a sua volta e
stropicciandosi con forza le mani: " e... come stai? ".

" Bene ". Silenzio: Leo prese la mano della fanciulla
e la baciò: " Allora cosa si fa? ".

" Si va a ballare " rispose ella trasognata; " e stasera
cenerai con noi, non è vero? ".

" Cenare forse no " rispose Leo, " ma verrò certo dopo cena ".

Si udí un rumore di porte aperte e chiuse; la fanciulla ritrasse vivamente la mano; entrò Michele: " Oh che splendore " gridò con un'allegria forzata; " buona sera Leo... Ebbene, cosa fate qui, gente ricca, felice e ben vestita? ".

" Si va a ballare " rispose Carla con lo stesso tono e la stessa voce di prima.

" A ballare? " Michele sedette. " In tal caso vengo anch'io... mi vuoi Carla? ".

" È Leo che invita " ella disse guardando l'amante.

Leo alzò la testa: " Veramente non ho invitato un corno " avrebbe voluto rispondere.

" Macché Leo " protestava intanto Michele; " il tè posso ancora pagarmelo io ". Carla guardò daccapo l'uomo:

" Che c'entra ", si affrettò a rispondere quest'ultimo; " sono io che invito e s'intende che pago tutto io ".

Per un istante tacquero tutti e tre; " Però, Michele " soggiunse la sorella, " puoi venire a patto che ti vada a cambiare ".

" Infatti... infatti... ". Il ragazzo si chinò: era sudicio in modo incredibile, aveva le scarpe piene di fango, e i pantaloni schizzati fino al ginocchio e tutti gualciti dalla pioggia: " infatti mi pare che tu abbia ragione... ". Si alzò: " Ti ringrazio mille volte, generosissimo amico... e vado a ripulirmi ": fece un inchino e uscí.

" Mi sento triste " disse Carla ancor prima che la porta si fosse chiusa.

" Perché? ".

" Chissà? ". Ella guardò verso i vetri neri della finestra sui quali dei labili luccicori rivelavano la caduta della pioggia: " Forse il tempo "; la grossa testa s'inchinava flebilmente verso l'uomo, egli la prese per i capelli e la baciò: " Ballerai con me " ella disse dopo il bacio, con tranquilla impudicizia: " sempre con me... mamma la lascerai seduta... ballerà con gli altri... magari con Mi-

chele... ". Ebbe un riso secco, le pareva veramente di
essere invecchiata di un anno. " È la fine " pensò.

Si baciarono ancora, poi deliberatamente Leo disse:
" Allora stasera vieni da me, non è vero Carla? ".

Ella impallidí: " Come da te? ".

" In casa mia " spiegò Leo guardandola negli occhi;
la vide esitare, curvar la testa come se avesse voluto
cercare qualche oggetto caduto sul tappeto:

" No... questo è impossibile " ella disse alfine.

" Come impossibile? " insistette Leo; " me l'avevi promesso... devi venire ".

" No... no ": ella scosse la testa; " questo è impossibile ". Per un istante non parlarono; Leo guardava la
fanciulla, la vista di quel petto avviluppato nel vestito
l'eccitava, un calore insolito saliva alle sue guance: " Che
amante sarà " pensava, " che roba! che amante! ". Dal
desiderio che ne aveva stringeva i denti; l'afferrò per
la vita: " Carla, tu devi venire, è assolutamente necessario, se tu non vieni, allora... ": egli esitò, cercò un
pretesto a cui attaccarsi; si ricordò ad un tratto del disgusto che ella provava di questa sua esistenza, del suo
desiderio di una vita nuova: " ... allora " finí con modestia, " come potrai farti una nuova vita? ".

Ella lo guardò: " Non vuole che divertirsi con me "
pensò con vivo senso di realtà; " ma ha ragione: e la
vita nuova? ". Capiva che per cambiare bisognava prima
distruggere senza pietà, ma questa dedizione notturna,
in una casa lontana, le ripugnava, ne aveva paura: " Verrò di giorno " propose con una falsa semplicità; " uno
di questi giorni... vuoi?... prenderemo il tè insieme... parleremo... va bene cosí? ".

" Io non voglio il tè... voglio te... " disse Leo; ma
subito tornò ad una piú efficace serietà; " no amor mio...
o stanotte o nulla ".

" Ma vediamo, Leo... " ella supplicò.

" Ti aspetterò in strada con l'automobile " continuò
l'amante, " e prima del mattino ti riaccompagnerò a

casa "; stette un istante a guardarla: " e vedrai, ti sarà
cosí poco dispiaciuto che ci tornerai tutte le notti ".

" No " ella disse con una specie di spavento; " no,
dopo tutto dovrà essere chiaro... bisognerà dir tutto... ".
Guardava l'uomo, improvvisamente, ora, avrebbe voluto,
dall'angoscia che provava, gridare. " Tutte le notti " si
ripeteva, " cos'è questo? come ci sono arrivata? ".

" Sono sicuro che verrai " disse Leo, e bruscamente
afferrandola tra le braccia: " di'... non è vero che
verrai? ".

Ella si attaccò all'ultimo pretesto: " Sono solamente
due giorni che... che ci amiamo... perché non aspettare?
non credi che ogni donna abbia il suo orgoglio? ".

" Mia cara " disse l'uomo in fretta; " ho capito... vuol
dire che ti aspetto senz'altro questa sera, siamo intesi? ".

Ella esitò ancora, storcendo gli occhi sotto quel suo
cappellino " te lo dirò al ballo " rispose alfine; " sí ",
soggiunse come per convincer se stessa; " sicuramente al
ballo te lo dirò ".

" Sia ringraziato Iddio " pensò Leo; l'abbracciò; " ed
ora non ci resta che andare a questo ballo " disse allegramente; prese per i fianchi la fanciulla e tendendo
verso quella faccia spaventata e dipinta un volto appassionato: " Sai cosa sei tu?... un amore... sí, un amore
di bambina ".

Il rumore della porta: " Allora vogliamo andare, Merumeci? " domandò la madre entrando.

Leo si alzò. " Bene... benissimo ", rispose in fretta;
" andiamo pure ". Anche Carla si alzò e andò incontro
alla madre. " Perché non hai preso la borsa che ti ha
regalato Merumeci? " domandò Mariagrazia esaminando
la figliuola dalla testa ai piedi; " deve andare proprio
a meraviglia con questo vestito ".

" Vado a prenderla e torno " disse Carla; e uscí.

Salí in fretta la scala, corse in camera sua; la borsa
era là sopra il cassettone, elegantissima, d'un gusto veramente squisito; allora, prendendola, le venne ad un tratto
in mente che questo poteva essere il primo di una lunga

serie di regali; questa immaginazione la colpí a tal punto
che restò ferma davanti allo specchio, guardandosi; ecco
le pareva di vedersi, seduta sulle ginocchia di Leo, in atto
di dargli un colpetto sulla guancia, o di appoggiargli affettuosamente la testa contro il petto, domandandogli
sottovoce il denaro per qualche suo vestitino; oppure sarebbe andata insieme con l'amante da quella celebre modista, avrebbe ordinato tre o quattro di quei cappelli di
Parigi, novità della stagione, che tanto le piacevano;
tutto questo in verità era molto attraente, come anche
possedere un'automobile, una casa, dei gioielli, viaggiare,
vedere gente e paesi, insomma non conoscere limiti della
propria attività e dei propri desideri; attraentissimo; e
già contro voglia ne sorrideva, quando improvvisamente,
avvicinandosi allo specchio si accorse di una macchia rossa, se la fregò con le dita, l'esaminò... poi alfine si ricordò che poco avanti Leo, nel salotto, l'aveva baciata
sul collo; le venne un timore assurdo che la madre se
ne accorgesse, prese la scatola della cipria, se ne impol-
verò abbondantemente ed ecco, ad un tratto, mentre si
torceva tutta contro lo specchio, per vedere se quel rossore colpevole era scomparso, l'invito imperioso di Leo
a recarsi quella notte in casa sua e quei regali, quei vestiti sognati, le apparvero legati da un'associazione inevitabile: " Dio mio, è questa la nuova vita? " si domandò
con superficiale e convenzionale paura, non ancora abbastanza conscia di questo suo sentimento per spaventar-
sene veramente: " sarebbe questa? "; ma non ebbe del
resto il tempo di approfondire; già, dalla notte, dal giardino, il suono stridente del klakson l'avvertiva che era
tempo di andarsene.

Spense la luce, discese a precipizio la scala, tra questi
atti pratici, benché nessun pensiero preciso si affacciasse
alla sua mente, una tristezza acuta, una nostalgia di
pianto la tormentavano, contraevano il suo volto in una
smorfia ridicola. Il corridoio era buio; ella raggiunse a
tentoni il vestibolo, aprí la porta; l'accolse il clamore
festoso della madre, di Leo e di Michele che aspetta-

116

vano nell'automobile. Il piazzale era avvolto in una fitta
oscurità, pioveva senza rumore, nulla si vedeva se non
qualche riflesso lustro della macchina e quei gialli fine-
strini illuminati, dietro i quali, dall'interno della scatola ovattata, le facce rosee, liete, soddisfatte di quei
tre la guardavano venire con curiosità. Fu un attimo;
poi Carla salí e cadde a sedere accanto all'amante; l'automobile partí.

Per tutta la durata del tragitto nessuno dei quattro
parlò; Leo guidava con abilità la grossa macchina tra
la confusione delle strade congestionate; Carla immobile
guardava trasognata il movimento della via, laggiú, oltre
il cofano lucido, dove, tra due nere processioni di ombrelli, sotto la pioggia, i veicoli coi loro rossi lumi guiz-
zavano da ogni parte come impazziti. Anche la madre
guardava attraverso il finestrino, ma piuttosto che per
vedere, per farsi vedere: quella grande e lussuosa macchina le dava un senso di felicità e di ricchezza, e ogni
volta che qualche testa povera o comune emergeva dal
tenebroso tramestío della strada e trasportata dalla cor-
rente della folla passava sotto i suoi occhi, ella avrebbe
voluto gettare in faccia allo sconosciuto una smorfia di
disprezzo come per dirgli: " Tu brutto cretino vai a
piedi, ti sta bene, non meriti altro... io, invece, è giusto
che fenda la moltitudine adagiata su questi cuscini ".

Soltanto Michele non guardava la strada, quello che
l'automobile portava nella sua scatola sontuosa l'interessava di piú, gli pareva che non ci fosse altro; l'ombra
nascondeva le facce dei suoi tre compagni, ma ogni volta
che la macchina passava sotto un fanale, una luce vivida
illuminava per un istante quelle persone sedute e immobili: apparivano allora il volto della madre dai tratti fiac-
chi e profondi, dagli occhi vanitosi; quello di Carla, il
viso incantato e puerile della fanciulla che va alla festa;
e quello di Leo, di profilo, rosso, regolare, un po' duro,
come quegli oggetti inspiegabili e paurosi che i lampi
delle tempeste rivelano per un istante. Ogni volta che
Michele li vedeva, stupiva di stare insieme con loro:

" Perché sono questi " pensava, " e non altri? ". Quelle
figure gli erano piú che mai straniere, quasi non le ri-
conosceva, gli sembrava che una bionda dagli occhi azzurri al posto di Carla, una signora magra ed alta al
posto della madre, un piccolo uomo nervoso al posto di
Leo non avrebbero trasformato la sua vita; essi erano là,
nell'ombra, immobili, ogni scossa dell'automobile li faceva urtare tra di loro come fantocci inerti: nulla gli
pareva piú angoscioso che vederli cosí lontani, staccati,
soli senza rimedio.

Arrivarono: quattro neri ranghi di automobili riem-
pivano la piazzetta oscura davanti all'albergo. Ce n'erano
d'ogni sorta e grandezza, i conduttori vestiti dalla testa
ai piedi di lustra tela incerata parlavano e fumavano
riuniti in piccoli gruppi. Invece, luminoso contrasto col
buio della sera d'inverno, la porta del Ritz risplendeva
di una luce lussuosa e ospitale. Il tamburo girante di
legno e di cristallo, dal rumore familiare, li introdusse
uno dopo l'altro nell'androne pieno di servitori e di
staffieri; passarono per il guardaroba rigurgitante di pastrani numerati, attraversarono una sfilata di saloni vuoti
e dorati, arrivarono alla sala da ballo; seduto presso la
porta, al suo tavolino, un uomo vendeva i biglietti d'ingresso; Leo pagò; entrarono.

Era già tardi, una folla numerosa riempiva la sala bassa e lunga; le tavole erano state disposte contro le pareti, nel mezzo la gente ballava e dal fondo, sopra una
specie di soppalco ombreggiato da due palme, dei negri
americani ritmavano la danza.

" Che folla " disse la madre ammirativa e pessimista,
girando intorno uno sguardo pieno di dignità; " vedrai
Carla che non troveremo posto ".

Invece, contro queste previsioni, trovarono una piccola tavola in un angolo; sedettero; la madre si disfece
del suo mantello: " Sapete " disse guardando per la sala
e rivolgendosi indistintamente ai suoi tre compagni;
" c'è una quantità di persone che conosciamo... guarda,
Carla... i Valentini... ".

" E i Santandrea, mamma ".

" E i Contri " soggiunse la madre; si chinò un poco, e a voce piú bassa: " a proposito dei Santandrea, lo sai il viaggio di nozze che hanno fatto due mesi fa a Parigi? Nello stesso vagone-letto v'erano lo sposo, la sposa e l'amico della sposa... quello... come si chiama? ".

" Giorgetti... " disse Carla.

" Giorgetti... ecco... precisamente...: pensa che roba!... a ripeterla sembra impossibile ".

La musica era finita e dopo dei vani applausi i ballerini tornarono ai loro posti; subito il brusío della conversazione diventò di colpo piú forte; la madre si voltò verso l'amante: " Cosa ne direbbe " propose, " di andare stasera a teatro, a sentire quella compagnia francese... Io ho il palco per una seconda rappresentazione, o stasera o dopodomanisera ".

" Stasera non posso " disse l'uomo guardando attentamente la fanciulla; " alle undici ho un appuntamento al quale non posso mancare ".

" Un appuntamento alle undici di sera " ripeté la madre tra sarcastica e confidenziale: " e dica, Merumeci. maschile o femminile? ".

Leo esitò; aveva da destare la gelosia della madre o no? " Femminile, si capisce " rispose alfine; " ma mi son spiegato male... non è un appuntamento ma una visita... una cena fredda... in casa di una signora che riceve i suoi amici... ".

" E chi è questa signora, se è lecito? " domandò la madre completamente irritata, con voce dura. Leo restò sconcertato; non aveva preveduto questa indiscrezione; cercò... cercò il nome di qualcheduno che la madre non conoscesse: " La Smithson... " trovò alfine, " sa... la pittrice ".

" Ah!, benissimo " approvò la madre con amaro trionfo; " la Smithson... peccato, veramente peccato che proprio avantieri io sia stata dalla mia modista, e questa mia modista mi abbia mostrato un cappello che la Smith-

son ha ordinato di mandarle a Milano... già... perché è
ormai da cinque giorni a Milano la sua pittrice ".

" Come a Milano? " ripeté Leo stupito.

" Ma sí " intervenne Michele, " non lo sai?... hanno
anticipato il *vernissage* della sua mostra personale ".

" Dunque vada dalla Smithson ": ora la madre sorrideva velenosamente; " ci vada, ma ho paura che anche
a prender subito il treno, magari pure l'aeroplano, non
arriva in tempo... ". Tacque per un istante, l'uomo non
rispondeva, e quasi spaventata Carla osservava attentamente sua madre: " Caro lei, le bugie hanno le gambe
corte " ella continuò; " invece vuole che glielo dica io
chi è questa famosa signora a cui ella deve far visita?
Certo non una signora onesta, lei non può conoscerne...
qualche donnaccia piuttosto, questo sí, qualche cocotte
d'infimo ordine ".

Questa volte il pallore di Carla fu cosí forte che Leo
temette per un istante di vederla svenire o dare in una
crisi di pianto; ma nulla di questo avvenne: " Mamma,
non gridare a questo modo " disse con voce tranquilla
la fanciulla; " qualcheduno potrebbe sentire ".

Tre colpi di bacchetta risuonarono, la danza ricominciava: " Allora Leo " ella soggiunse, " vogliamo ballare? ".

Andarono verso il ballo l'uno dietro l'altra, tra la
gente seduta; quel pallore che l'uomo aveva osservato
non lasciava le guance di Carla, mentre ella avanzava
tra i tavolini loquaci, e una specie di rigida dignità era
sul suo volto; ma tra la folla, prima di appoggiarsi al
suo compagno, alzò la testa: " S'intende Leo " disse con
fermezza e quasi, gli parve, a denti stretti; " che questa
sera vengo da te... aspettami senz'altro ".

" Sul serio? ".

" Serissimo ". La voce era già cambiata, non era piú
ferma ma tremante, si sarebbe detto che respiro e fiducia le mancassero insieme. " Ma ora " ella soggiunse
" non parlarmi piú...: voglio soltanto ballare ".

Ballarono; Leo sosteneva la vita della fanciulla con

tutta la forza del suo braccio, una leggerezza, un ardore insolito gli mettevano le ali ai piedi e sebbene lo spazio fosse angusto e molta la folla, si sforzava di eseguire i piú difficili passi. " Questa volta ti ho " pensava, " ti ho ". Una triste confusione era invece nell'anima della fanciulla: ballava a malincuore, avrebbe voluto uscire da quella folla, sedersi sola in un angolo, chiudere gli occhi; in continuo movimento, il carosello dei ballerini girava davanti ai suoi occhi: facce di uomini, di donne, immobili, serie, sorridenti; la musica era trionfale, vittoriosa ma non senza un piccolo tremante accordo di tristezza, del resto molto comune, che ogni tanto tornava con insistenza: facce e musica, a forza di vederle e di sentirla la testa le girava.

Ora la danza era finita; le coppie tornavano ai loro posti; tornarono anche la madre e Michele agramente litigandosi: " Mai piú ballerò con te " ripeteva Mariagrazia indignata.

" Di che cosa si tratta? " domandò Leo con autorità.

" Mai piú " continuò la madre: " s'immagini che tutti ci guardavano... chissà cosa avranno pensato... era terribile... ha ballato come... come... "; ella cercò un epiteto e nel disordine del suo sdegno non lo trovò; " come un ladro ".

" Ah! veramente? " esclamò Leo stupefatto.

" Come uno scostumato " rettificò la madre con dignità.

" E di grazia " domandò il ragazzo sorridendo con sforzo; " di grazia come ballano i ladri?... e in questa compagnia il ladro chi è... io o qualchedun altro?... ".

" Ma taci " supplicò la madre guardandosi intorno.

" Ma no " insistette Michele; " in ogni caso io ballo come un derubato... alleggerito da ogni peso terreno, tutto passione e trasporto... Invece per sapere come ballano i ladri, bisogna che tu vada con qualchedun altro... sicuro " egli ribadí guardando fissamente Leo, " con qualchedun altro ".

Per un istante Leo immobile tra le due donne ansiose

non parlò; poi sorrise: " Io credo " disse alzandosi, " che a te Michele sia veramente successo qualche cosa...; per questo sarà meglio che tu te ne vada... a meno che tu non voglia che me ne vada io ".

" Sí Michele, vattene " supplicò la madre; egli la guardò. " Dunque " gli scappò di bocca, " tu preferisci mandar via tuo figlio piuttosto che un estraneo come Leo? ".

" Ma se è Leo che ci ha invitati?! ".

Niente da rispondere: " ha ragione " pensò Michele, " è Leo che ha pagato "; guardò davanti a sé: la grande sala bassa assordava col brusio delle conversazioni, tutti quei gruppi di gente, le donne dipinte e con le gambe accavalciate e scoperte, gli uomini seduti in atteggiamenti disinvolti, con la sigaretta in bocca, tutti quei gruppi, mangiavano, bevevano, parlavano, noncuranti: i negri accordavano i loro strumenti laggiú sotto le palme; niente da rispondere. " Hai ragione " disse alfine, " me ne vado... divertiti... il ladro se ne va "; e se ne andò.

Fuori continuava a piovere: " ladro, ladro ", si ripeteva Michele quasi senza sdegno, con una specie di falsa esaltazione; " ha tentato anche di rubarmi Lisa... e poi chi è il ladro? "; ma pochi minuti dopo con proprio stupore dovette accorgersi di non essere affatto adirato; tranquillissimo invece; nessuna azione di Leo, per quanto malvagia, riusciva a scuotere la sua indifferenza; dopo un falso scoppio di odio, egli finiva sempre per ritrovarsi come ora, con la testa vuota, un poco inebetito, leggerissimo.

I marciapiedi erano affollati, la strada rigurgitava di veicoli, era il momento del massimo traffico; senza ombrello sotto la pioggia, Michele camminava con lentezza come se fosse stata una giornata di sole, guardando oziosamente le vetrine dei negozi, le donne, le réclames luminose sospese nell'oscurità; ma per quanti sforzi facesse non gli riusciva d'interessarsi a questo vecchio spettacolo della strada; l'angoscia che l'aveva invaso senza ragione, mentre se ne andava attraverso i saloni vuoti dell'albergo, non lo lasciava; la propria immagine, quel

122

che veramente era e non poteva dimenticar di essere, lo
perseguitava; ecco, gli pareva di vedersi: solo, miserabile, indifferente.

Gli venne il desiderio di entrare in un cinematografo;
ce n'era uno su quella strada, assai lussuoso, il quale
sulla sua porta di marmo ostentava una girandola lumi-
nosa in continuo movimento. Michele si avvicinò, guardò
le fotografie: roba cinese fatta in America; troppo stupido; accese una sigaretta, riprese il suo cammino senza
fiducia, sotto la pioggia, tra la folla; poi buttò via la
sigaretta: niente da fare.

Ma intanto l'angoscia aumentava, su questo non c'era
dubbio; già ne conosceva la formazione: prima una vaga
incertezza, un senso di sfiducia, di vanità, un bisogno di
affaccendarsi, di appassionarsi; poi, pian piano, la gola
secca, la bocca amara, gli occhi sbarrati, il ritorno insistente nella sua testa vuota di certe frasi assurde, insomma una disperazione furiosa e senza illusioni. Di
questa angoscia, Michele aveva un timore doloroso:
avrebbe voluto non pensarci, e come ogni altra persona,
vivere minuto per minuto, senza preoccupazioni, in pace
con se stesso e con gli altri; " essere un imbecille " sospirava qualche volta; ma quando meno se l'aspettava
una parola, un'immagine, un pensiero lo richiamavano
all'eterna questione; allora la sua distrazione crollava,
ogni sforzo era vano, bisognava pensare.

Quel giorno, mentre se ne andava passo passo lungo
i marciapiedi affollati, lo colpí, guardando in terra alle
centinaia di piedi scalpiccianti nella mota, la vanità del
suo movimento: " Tutta questa gente " pensò, " sa dove
va e cosa vuole, ha uno scopo, e per questo s'affretta, si
tormenta, è triste, allegra, vive, io... io invece nulla...
nessuno scopo... se non cammino sto seduto: fa lo stesso ". Non staccava gli occhi da terra: c'era veramente
in tutti quei piedi che calpestavano il fango davanti a
lui una sicurezza, una fiducia che egli non aveva; guardava, e il disgusto che provava di se stesso aumentava;
ecco, egli era dovunque cosí, sfaccendato, indifferente;

questa strada piovosa era la sua vita stessa, percorsa
senza fede e senza entusiasmo, con gli occhi affascinati
dagli splendori fallaci delle pubblicità luminose. " Fino
a quando? ". Alzò gli occhi verso il cielo; le stupide
girandole erano là, in quella nera oscurità superiore; una
raccomandava una pasta dentifricia, un'altra una vernice
per le scarpe. Riabbassò la testa; i piedi non cessavano
il loro movimento, il fango schizzava da sotto i tacchi,
la folla camminava. " E io dove vado? " si domandò
ancora; si passò un dito nel colletto: " cosa sono? perché non correre, non affrettarmi come tutta questa gente? perché non essere un uomo istintivo, sincero? perché non aver fede? ". L'angoscia l'opprimeva: avrebbe
voluto fermare uno di quei passanti, prenderlo per il
bavero, domandargli dove andasse, perché corresse a quel
modo; avrebbe voluto avere uno scopo qualsiasi, anche
ingannevole, e non scalpicciare cosí, di strada in strada,
fra la gente che ne aveva uno. " Dove vado? "; un tempo, a quel che pareva, gli uomini conoscevano il loro
cammino dai primi fino agli ultimi passi; ora no; la testa
nel sacco; oscurità; cecità; ma bisognava pure andare in
qualche luogo; dove? Michele pensò di andare a casa sua.
   Gli venne una subita fretta; ma la strada rigurgitava
di veicoli, i quali, troppo numerosi, avanzavano lentamente lungo i marciapiedi; impossibile attraversare; sotto
la pioggia diagonale, tra le facciate nere e illuminate delle
case, le automobili, in due file opposte, l'una ascendente
e l'altra discendente, aspettavano di sciogliersi e di balzare avanti; anch'egli aspettò. Allora tra le altre osservò
una macchina piú grande e piú lussuosa; nell'interno di
essa sedeva un uomo che si appoggiava rigidamente contro il fondo e aveva la testa nell'ombra; un braccio gli
attraversava il petto, un braccio di donna, e si capiva
che ella, sedutagli al lato, gli si era accasciata sulle ginocchia, aggrappandosi con la mano a quelle spalle, come
chi vuole supplicare e non osa guardare in faccia; l'uomo
immobile e la donna avvinghiata stettero per un istante
davanti agli occhi di Michele nella luce bianca dei fanali;

poi il veicolo si mosse e avanzò scivolando come un cetaceo tra le altre automobili; egli non vide piú che un
lumettino rosso fissato sopra la targa dei numeri; pareva un richiamo; e anche questo segno sparí.

Gli restò da questa visione una tristezza nervosa e
intollerabile; egli non conosceva quell'uomo e quella donna, doveva essere gente di tutt'altro ambiente che il suo,
forse stranieri; eppure gli pareva che quella scena gli
fosse uscita dall'animo e fosse una delle sue ansiose immaginazioni, incorporata e offerta ai suoi occhi da qualche superiore volontà; quello era il suo mondo dove si
soffriva sinceramente, e si abbracciava delle spalle senza
pietà, e si supplicava invano, non questo limbo pieno di
fracassi assurdi, di sentimenti falsi, nel quale, figure storte
e senza verità, si agitavano sua madre, Lisa, Carla, Leo,
tutta la sua gente; egli avrebbe potuto odiar veramente
quell'uomo, veramente amare quella donna; ma lo sapeva, era inutile sperare, quella terra promessa gli era
proibita, né l'avrebbe mai raggiunta.

Intanto una guardia aveva interrotto l'interminabile
passaggio; Michele attraversò; in mezzo alla strada provò
una specie di capogiro, un intollerabile senso di disagio;
allora si tolse il cappello e lasciò che la pioggia cadesse
sulla sua testa nuda.

Quel che sentiva non avrebbe saputo dirlo, un gran
numero di desideri indefiniti ribolliva nella sua anima,
il tormento del pensiero gli dava una sofferenza anche
fisica. Un taxi libero gli passò a portata di mano; salí,
diede l'indirizzo di casa sua; ma gli restava il ricordo
di quei due, l'uomo e la donna avvinghiati nella loro
lussuosa macchina: " Sapere dove sono andati " pensò
quasi seriamente; " dare al conduttore il loro indirizzo,
andar da loro, pregarli di prendermi con loro... ". Queste assurdità e le immaginazioni che le accompagnavano
lo calmarono un poco; però, ad ogni scossa della corsa,
gli pareva di destarsi da qualche sogno irraggiungibile e
capiva con amarezza che queste fantasticherie non avreb-

bero trasformato neppure in minima parte la realtà in
cui viveva.

Arrivò dopo cinque minuti, attraversò in fretta, sotto
la pioggia piú forte, il parco, entrò nel vestibolo buio.
Anche il corridoio era immerso nell'oscurità; egli depose
cappotto e cappello sopra una sedia e senza accender
lumi, a tentoni, si avviò verso la scala. Ma nel momento
in cui passava davanti la porta del salotto si accorse che
un po' di luce traspariva dal buio della serratura e udí
una musica, anzi un ritmo di ballo, lo stesso, gli parve,
che aveva udito pochi momenti prima nella sala dell'albergo. " È una persecuzione " pensò; aprí la porta, entrò; la parte del salotto che di solito veniva consacrata
alla conversazione era oscura, l'altra parte al di là del-
l'arco e delle due colonne era illuminata e qualcheduno
suonava. Si avanzò; allora la persona che si curvava sulla tastiera si voltò e lo guardò: era Lisa.

" È venuta qui per darmi delle spiegazioni " pensò
Michele annoiato; " come se non avessi già capito tutto ".
Sedette su di una poltrona, nell'ombra:

" Siamo stati al Ritz " disse con calma, " ma era veramente troppo noioso e me ne sono andato... E poi, figurati, mi sono litigato con Leo ".

Ella lo guardò con curiosità: " Ah! veramente? " domandò alzandosi e avvicinandosi. Gli sedette davanti piú
vicina che poté: " E per quale ragione? " soggiunse esitante e confidenziale: " forse per me? ".

Michele guardò quella faccia mal sicura e gli venne
una gran voglia di ridere: " Mia povera Lisa " avrebbe
voluto rispondere; " cosa debbo fare per convincerti che
non ti amo? "; ma per compassione si trattenne:

" No " rispose brevemente: " non per te..., per affari
nostri, affari di mia madre ".

" Ah! capisco " disse Lisa un po' delusa; guardava
con insistenza, appassionatamente, il ragazzo; un desiderio di giustificarsi, di spiegare come fossero veramente
andate le cose la tormentava: " Dopo, tutto sarà chiaro "
pensava, " e poserà la sua testa, come stamani, sulle mie

ginocchia ". Tra questi pensieri il tempo passava ed ella
non trovava un pretesto per parlare di quel che le stava
a cuore; si guardarono:

" Ho detto questo " incominciò Lisa, " perché penso
che tu abbia tutte le ragioni per essere in collera con
me e con Leo ".

" Perché?... né con l'uno né con l'altro " rispose Michele osservandola attentamente; e avrebbe voluto soggiungere: " purtroppo ".

" Io ti capisco " continuò Lisa, " oh! se ti capisco!...
e per questo sento che ti debbo una spiegazione ".

Michele non parlò né si mosse: " Bisogna darle l'impressione di essere assente, lontano da questi suoi ragionamenti... d'ignorarli ".

" E prima di tutto ": Lisa si chinò e guardò il ragazzo negli occhi: " se pensi che ci sia qualche cosa tra
me e quell'uomo, ti assicuro che ti sbagli... C'è stata,
debbo dirtelo, è inutile ormai nascondertelo, una... una
relazione... lui mi amava ": Lisa ebbe un gesto superficiale come per mostrare che rivangava il passato; " io
ero giovane, in quel momento avevo bisogno di aiuto;
un po' per le sue insistenze, un po' per le mie condizioni
di allora, finii per cedergli... ".

" Mi hanno detto che sei tuttora maritata " interruppe
Michele quasi senza volerlo.

" Mio marito è fuggito " rispose Lisa con estrema semplicità, " un anno dopo il matrimonio... e con tutti i miei
gioielli... ". Stette per un istante sopra pensiero, ma senza tristezza o impaccio, come una persona che si sforza
di riprendere il filo del discorso dopo qualche insignifi-
cantissima interruzione.

" Gli cedetti " ricominciò dopo qualche pausa, " e la
cosa si trascinò per qualche anno, tre anni, finché un
bel giorno mi accorsi che non l'amavo, che non l'avevo
mai amato e ci separammo... ".

" O non piuttosto ti abbandonò per mia madre? "
avrebbe voluto domandare Michele; ma si trattenne; tanto a cosa poteva servire?

" E non ci vedemmo piú se non qualche volta in casa vostra... fino... fino ad oggi, quando è venuto chissà con quali intenzioni... forse credeva di poter ricominciare daccapo ". Ella rise per indicare tutta l'assurdità delle speranze di Leo: " Come se io potessi dimenticare la sua condotta nei miei riguardi, e a prescindere da questo, come se non avessi altri che lui... e lui non dovesse far altro che venire per ottenere ogni cosa... Stavo appunto mandandolo via quando sei venuto...: questa è la verità, credimi, posso giurartelo su quel che ho di piú sacro... ".

Lisa tacque e guardò tra supplichevole e malsicura il ragazzo; questi aveva abbassato la testa e si guardava le mani.

" Sí, infatti " disse alfine mostrando degli occhi incomprensivi e un volto vagamente preoccupato.

Infatti che cosa? cosa significava infatti? voleva forse dire: " Infatti tu non mi hai tradito "? oppure: " infatti tu mi hai tradito "? Questa parola aumentò la confusione della donna; curva, ancor piena della emozione di quel suo discorso, ella guardò Michele come se avesse voluto cercargli in faccia la spiegazione della sua risposta; ma il ragazzo ostentava la piú immobile indifferenza, una specie di durezza era nei suoi occhi; pareva che non avesse mai parlato.

Delusa Lisa si drizzò a sedere; diversi timori s'incrociavano nella sua mente: " Non mi crede " pensava, e dalla sofferenza avrebbe voluto torcersi le mani; " eppure è la verità ". Passarono cosí in un silenzio imbarazzante alcuni istanti; poi la donna rise.

" Quel povero Leo " esclamò; " oggi non è una buona giornata per lui...: si è litigato con me e con te..., senza contare tua madre, il che è normale... Oh! quanti insuccessi! ".

E rise nervosamente, falsamente; tra un gorgheggio e l'altro della risata osservava Michele e lo vedeva raddoppiare d'incomprensione. Ella rideva; il salotto era pieno d'ombra, le due lampadine del pianoforte, avvi-

tate in due false candele tutte smoccolate, illuminavano
il coperchio lucido e oblungo e parevano due ceri sopra
una bara; rideva, e quel suo riso le moriva in gola davanti al volto immobile e anche, sí, anche vagamente compassionevole di Michele: l'espressione che ella vi leggeva significava chiaramente: " Mi trovo per forza con
una pazza: bisogna ascoltarla, approvarla sempre, e sfor-
zarsi soprattutto di non irritarla ", e nulla era piú atroce
per il suo desiderio di accordo, e la sua fame di passione che questa volontaria freddezza. Poi Michele parlò:
   " Certo " disse, " poteva andargli meglio ".
   Questa risposta tolse le ultime illusioni a Lisa; uno
scoraggiamento appassionato e amaro la invase: " Si
vendica " pensò; " crede che io l'abbia tradito e non
vuole piú neppure ascoltarmi, e mi risponde cosí, come
un idiota ".
   Michele era là, davanti a lei, non c'era dubbio; quella
purezza, quella sincerità che ella avrebbe voluto ritrovare non avevano lasciato quegli occhi e quella fronte;
la sua passione era proprio vera, esisteva veramente;
le parve che se avesse trovato le parole adatte l'avrebbe
sicuramente convinto:
   " Vediamo Michele " supplicò chinandosi daccapo in
avanti; " non è colpa mia se mi hai trovato con Leo...
egli era venuto, e poi come puoi credere, dopo quello
che era avvenuto tra me e te nel mattino, che io potessi, nel pomeriggio, accettare senz'altro quell'uomo?...
E anche, guarda, è assolutamente impossibile che io ami
Leo: è grossolano, è materiale...; tu mi giudichi male;
bisogna che tu ti ricreda; tu pensi che io sia frivola,
come dire? facile, ma ti assicuro che non è vero...: io
sono molto differente... ho bisogno di qualche cosa di
piú, se tu sapessi quanto ci ho pensato... di qualche cosa
che non sia soltanto apparenza, corpo, ma anche... ":
ella si fermò improvvisamente, guardando Michele: " e
in te, ecco " soggiunse con voce piú bassa e piú lenta
avvicinando il volto a quello del ragazzo; " questa cosa
c'è ed è per questo che ti stimo e ti amo... ".

" Questo si chiama parlare chiaro " pensò Michele.
Non rispose, ritrasse un poco indietro la testa, con piú
imbarazzo che ripugnanza e osservò Lisa; ella si spor-
geva con tutto il busto fuori della bassa poltrona, il
corpo cosí piegato scoppiava nel vestito angusto, tirata
dalla schiena la gonna corta scopriva una grossa coscia
muliebre stretta da un legaccio rosa. Quest'ultimo particolare lo colpí: " Non è davvero da buttarsi via "
pensò; " Leo ha ragione ". Ma subito, un po' per quel
senso di falsità che gli avevano ispirato i discorsi di prima, un po' per la bassezza di questo suo pensiero, l'invase un disgusto cosí forte che le labbra gli tremarono:
" Non è questo " pensò, " non può esser questo ". Abbassò gli occhi e si ritrasse ancor piú indietro.

" No, non guardarmi cosí " ella esclamò prima ancora ch'egli avesse parlato, spaventata, vedendolo dopo
quel breve, favorevole turbamento dovuto alla vista della
sua nudità, irrigidirsi come prima: " non essere cosí...
cosí chiuso, te ne prego, rispondimi...: dimmi seriamente
quel che pensi ".

Seguí il silenzio e per la prima volta da quando era
entrato Michele riudí il fruscío della pioggia, là contro
le imposte chiuse; si ricordò di Leo, delle due donne,
lasciati nell'albergo:

" Quel che penso? " ripeté alfine senz'ombra di ironia; " penso che non tornano ancora, penso che fa cattivo tempo, ecco cosa penso... ".

Silenzio; ella restò com'era, piegata su se stessa; non
c'era nulla da dire, ogni tentativo era fallito, senza rimedio... Guardava le scarpe di Michele e le pareva che
la mente le si oscurasse: " Sarebbe stato meglio " si sorprese a pensare, " che non avessi respinto Leo...: a quest'ora avrei almeno lui ".

Intanto l'ombra del salotto aumentava, ingoiava pareti e mobili, si addensava, si abbassava su quei due,
torno torno incupiva; una caverna si formava, rudemente scalpellata nell'oscurità, dalla volta bassa e fuliggi-
nosa, una caverna di luce fioca; e curve in quest'alone

moribondo, le due figure nere vegliavano la bara sulla quale i ceri palpitavano, si arrossavano, si oscuravano... e finalmente si spensero.

" E ora cosa c'è? " domandò Lisa dalla notte in tono scoraggiato.

" Nulla c'è " arrivò la risposta; " per il mal tempo la luce s'è interrotta...: aspettiamo ".

Silenzio; oscurità, il fruscío della pioggia: poi Michele sentí una mano posarsi sulla sua e ne sorrise senza pietà. " Ecco il buon momento " pensò " il buon momento per perdonare, dimenticare e nella propizia oscurità abbandonarsi al sentimento ".

Ma la sua fantasia oppressa rifiutava il sarcasmo e dalla carezza di quelle dita traeva un pretesto per quelle appassionate immaginazioni: cercare Lisa in quella notte, stringerla finalmente al suo petto in un bacio sincero, definitivo... Per un istante egli lottò contro questa sua debolezza; delle immagini gli passavano davanti agli occhi pieni di oscurità; quella di Lisa e piú precisamente il ricordo di quella gamba nuda sulla quale tutti i suoi desideri si appuntavano, l'altra di quell'uomo e di quella donna intraveduti dentro l'automobile. " Perché Lisa non è quella donna? " pensava; " perché io non sono quell'uomo? ". Si udiva cader la pioggia sui muri della villa, l'oscurità era completa, la mano stupida e zelante non desisteva dalla sua calda carezza, Michele non osava respingerla e perderla; contava i secondi e pensava di aspettare un minuto la luce che li avrebbe separati: " O mano " invocava sforzandosi di sorridere; " aspetta ancora un poco... quel che basta almeno per salvare le apparenze ". Ma la luce non venne; il minuto passò; allora non senza accorgersi della ridicola debolezza del suo atto il ragazzo si chinò e baciò la mano.

" Ormai tutto è finito " pensò subito dopo, tra contento e disgustato: " ora l'attiro sulle mie ginocchia e la bacio sulla bocca "; e già stava per eseguire questo suo disegno quando dal corridoio giunse un rumore di voci e di risa. La porta del salotto si aprí; un bagliore

tremolante di candela ruppe le tenebre, e fece oscillare
tutta la stanza; ombre gigantesche balzarono contro il
soffitto alternate a sprazzi di luce vivida; e seguita da
Leo e da Carla, la madre entrò.

Avanzarono a piccoli passi, evidentemente sforzandosi
di riconoscere gli altri due seduti; Leo teneva in mano
la candela, si vedeva benissimo la sua faccia rossa tutta
irrorata di luce; la madre e la figlia gli stavano al lato,
una per fianco, e non erano che a metà illuminate; si
avvicinarono esitanti, seguiti sulle pareti e sul soffitto
dalle loro ombre enormi.

" Ah! sei tu? " esclamò alfine la madre riconoscendo
Lisa.

" Ancora qui? " domandò Carla a sua volta; " è molto tempo che la luce è spenta? noi abbiamo ballato e
ci siamo divertiti... e poi figurati, Leo ha fatto ballare
a mamma il charleston! ".

" E come bene anche " disse Leo avanzandosi.

" Ah Merumeci, non mi parli di quel charleston " sospirò la madre; si era seduta e pareva molto stanca:
" Immaginati " soggiunse volgendosi a Lisa: " a un certo punto mi scosta, comincia a sgambettare e mi dice:
' Faccia come me '. Io dapprima non volevo, poi lo imi-
tai e in cinque minuti sapevo ballare meglio di tutte le
altre che erano nella sala... Non è mica difficile il vostro
charleston ".

" Via... non si può dire che tu lo sappia veramente
ballare... " osservò Carla.

" Come no? " protestò la madre offesa; " guarda, potrei rifartelo anche adesso... è facilissimo ".

" Ma mamma " insistette Carla; " non si può impa-
rare in cosí poco tempo ".

" Ah sí? " rispose la madre completamente irritata,
alzandosi; " ebbene... te lo voglio proprio far vedere...
tanto per mostrarti che non ho come te l'abitudine di
dir bugie ".

Si tolse il mantello, lo posò sopra una sedia:

" Lisa per piacere, vuoi suonare un charleston? " soggiunse volgendosi verso l'amica: " ne troverai in quel mucchio di ballabili là sul pianoforte... ".

Lisa si alzò e Leo con la candela in mano la seguí. " Cosa vuoi? " domandò l'amica, sfogliando al lume vacillante del moccolo: ' Sul transatlantico '? ' Una notte a New York '? ".

" Ecco... ' Una notte a New York ' ", approvò la madre.

Lisa sedette al pianoforte e si accinse a suonare, mentre Leo in piedi al suo fianco le faceva luce; avvolti nell'ombra della parete opposta, Michele e Carla immobili e silenziosi guardavano.

La musica facile e discorde risuonò nel silenzio: " Forza " incoraggiò Leo. Guardandosi attentamente i piedi la madre incominciò a ballare; la luce della candela illuminava malamente la sua faccia dipinta e congestionata, solcata da rughe molli; il vestito che indossava era stretto, e a ognuno di quei movimenti bruschi il petto e i fianchi ne tendevano la stoffa lucida; gettava ora di qua, ora di là le gambe, sforzandosi di accompagnare il ritmo e di tenere ben strette le ginocchia; ma evidentemente doveva aver dimenticato la lezione di Leo, perché ad un certo punto si fermò e guardò l'amante con volto deluso.

" Non so... non era questo il ballo dell'albergo " disse; " con questo qui non lo so ballare ".

" Come vedi mamma " disse Carla uscendo dall'ombra, " avevo ragione io ".

" Neppure per sogno ": un vivo malcontento si dipingeva sulla faccia illuminata della madre: " il ballo non era lo stesso... ".

" L'hai scelto tu stessa... " osservò Lisa voltandosi dal pianoforte.

Leo si avanzò con la sua candela nel cerchio irritato e sconcertato che facevano gli altri tre:

" Non importa... non importa " ripeté conciliante: " sarà per un'altra volta ".

Tacquero tutti e cinque per un istante, guardandosi; la pioggia doveva essere aumentata, se ne sentiva il fruscío prolungato, misto a raffiche di vento contro le imposte mobili; poi Carla parlò:

" Bisogna andare a svestirsi " disse, " ché tra poco sarà l'ora di cena ".

" Lei resta a mangiare con noi non è vero Merumeci? " disse la madre, che voleva ad ogni costo strappare all'amante un appuntamento per il giorno dopo.

" No... cioè sí... " rispose Leo.

Si avviarono con passo incerto uno dopo l'altro, verso la porta; la madre teneva ora il moccolo e raccomandava: " chi mi ama mi segua... "; Carla rideva. Ma prima di uscire Leo si avvicinò a Michele che era restato seduto: " Ebbene " gli domandò, " hai fatto come ti ho detto? Ricordatelo, Lisa non è da prendersi sotto gamba...: grassa ma esperta ". Dopo di che, non senza aver rivolto una strizzatina d'occhio al ragazzo silenzioso e indifferente, raggiunse gli altri; la candela diede un ultimo bagliore sotto l'architrave della porta · e s'ingolfò nella notte del corridoio; si udirono ancora le loro voci, tra le altre quella della madre che ordinava: " Carla, apri la porta ". Michele che non si era mosso dalla sua poltrona restò nell'oscurità.

Salirono tutti insieme, urtandosi e parlando, la scala. Al piano superiore, nell'anticamera, Carla trovò in un cassetto altre due candele; le prese la madre e trascinò Lisa con sé per mostrarle un suo nuovo vestito: " Bavero d'oro " andava ripetendo; " vedrai... è la gran moda "; nell'anticamera restarono Leo e Carla.

Si guardarono: una grave e pesante eccitazione galleggiava negli occhi inespressivi dell'uomo; aveva posato la candela sulla tavola e con le dita setolose tormentava la mano di Carla, una mano che gli piaceva molto perché era bianca, fredda e magra; guardava Carla di sotto in su, tra sornione e penetrante, e la sua fantasia opaca indugiava a immaginare le indecenti carezze che quella mano frigida con una naturalezza non priva di stupore avrebbe saputo fare. " Una di quelle mani " pensava, " che sembran fiori tanto sono delicate, e poi in-

134

vece, pur di farvi godere, son capaci di tutto ". Piú ci
pensava, piú si eccitava; alfine il suo volto s'indurí, lasciò la mano e afferrò Carla per la cintola. Evidentemente la fanciulla doveva pensare a tutt'altro: " No
Leo... no, sta attento " gli mormorò a bassa voce scher-
mendosi; i suoi occhi spaventati guardavano intorno;
finalmente gli cedette. Fu in quel momento che Lisa
entrò.

Vide nel mezzo dell'anticamera quei due abbracciati
e intorno cinque porte con tende di velluto; fece un
passo indietro e si nascose; quando riguardò, disserrando
appena le cortine, da quell'ombra in cui l'immergeva la
candela posata sulla tavola, vide le due teste ancora unite
piegare or qua or là durante il bacio, e le loro ombre
nel gran silenzio, balzare fino al soffitto. Non pensava a
nulla, il cuore le batteva; lasciò per un istante di spiare
e stette indecisa e spaventata nell'oscurità, tra l'uscio e
la portiera; poi cautamente riguardò: quei due si erano
separati e ora parlavano:

" Mi è sembrato " disse Leo, " che quella tenda si
sia mossa... ".

" Spirito ", soggiunse ridendo, " se ci sei batti un colpo... se non ci sei battine due ". E parodiava quelli che
interrogavano le tavole; Carla, a malincuore, se ne vedeva l'increspatura sulla sua faccia per metà illuminata,
rideva; e Lisa, là dietro la tenda, avrebbe voluto batter
veramente per vederli saltar su, esterrefatti, con volti
rossi e occhi spaventati.

" Siediti qui " diceva intanto l'uomo; " qui sulle mie
ginocchia ".

" Ma Leo ", supplicava la fanciulla; " Leo...: se qualcheduno venisse! ".

" Niente paura... ". Un fruscío; Lisa allargò gli occhi:
no... non aveva sognato, Carla era là, seduta sulle ginocchia dell'uomo con la testa contro la testa di lui, rigidamente seduta e poi... ecco...: egli la baciava sul collo.

" E ora, Carla " disse Leo allegramente, " se ci sei
dammi un bacio... se non ci sei dammene due ". Ci fu

silenzio; la grossa testa nera di Carla s'inchinava flebilmente; d'improvviso guizzò: " No Leo " ripeté; " no...
questo no... ". E si dibatté tra un oscillare di ombre gigantesche; poi si fermò; la candela gettava bagliori ora
lunghi ora brevi; quei due assorti, con le teste chine, non
si muovevano né parlavano; si udiva appena, a intervalli,
il divano scricchiolare. Allora senza far rumore Lisa rientrò nella stanza della madre.

Alla prima meraviglia ora seguiva una gioia vendicativa: " Ora prendo Mariagrazia per un braccio " pensava, " e le faccio vedere cosa sta combinando il suo
caro Leo ". Ma la vista della madre appena fu rientrata
nella stanza, chissà perché, la disarmò.

La trovò che passeggiava in su e in giú, con la candela in mano, vanitosamente sbirciando nello specchio
l'effetto del nuovo vestito:

" Come ti sembra? " domandò; era molto preoccupata
da un difetto che aveva osservato sopra la cintura, una
piega fuori posto: " Ci metterò un nastro " diceva; " oppure... oppure Lisa, aiutami un po' tu... "; e si girava,
si rigirava insoddisfatta; Lisa si era seduta in un angolo
buio: ora, non sapeva perché, il ricordo di quel che aveva veduto le stringeva il cuore, ed ella chiudeva gli occhi.

" Ma non so " disse vagamente.

" Come non sai? " ripeté la madre perplessa, miran-
dosi nello specchio; " son qui che mi tormento e tu mi
rispondi: non so...: cosa sai allora? "

" Tante cose so " avrebbe voluto rispondere Lisa; ma,
ormai, non aveva piú nessun desiderio di svelare l'impreveduto segreto: ne era trattenuta da un ritegno speciale, come dire? un ritegno di dignità: infatti non voleva si pensasse che col rivelare la nuova tresca di Leo
ella agisse per una meschina vendetta di amante tradita,
e non per il disgusto che ne provava e per l'affetto che
portava a Carla, per questo tacque.

" Una rosa d'oro ce la metteresti tu? " domandava
intanto la madre; e la candela che teneva in mano gettava bagliori di ansietà sulla sua faccia molle.

" Sí, certo " approvò Lisa vagamente; ma rivedeva quelle due teste unite e ne soffriva, era la prima volta che le succedeva; ne soffriva come di una cosa triste e ossessionante.

" E di una cintura " insisteva la madre; " di una cinturina d'oro che cosa ne diresti? ". Continuava a guardarsi e pareva piú soddisfatta. " È un gran bel vestito " soggiunse, " ma quella piega... quella maledetta piega... "; un dubbio passò sulla sua faccia illuminata: " Che io mi sia malvestita di sotto? " interrogò, e posato il moccolo sul pavimento sollevò con ambo le mani le vesti e frugò fra i panni leggeri che aveva sulla pelle. La candela palpitava, vacillava e neri serpentelli di fumo si torcevano per l'aria; seduta sulla sua sedia in un angolo buio Lisa non si muoveva né parlava: gli occhi le andavano dalle grosse gambe nude della madre alla porta dietro la quale, nell'anticamera, Leo e Carla si abbracciavano. Un senso di disgusto la opprimeva, altro sentimento nuovo per lei; un disgusto chiaroveggente che considerava la giovinezza della fanciulla e freddamente prevedeva la rovina che avrebbe portato questa tresca; indignazione non ne provava e neppure stupore, oh no!, dopo tutta la sua vita; bensí, ecco, una pietà imprecisa che accomunava la madre, Leo, Carla, tutti quanti e anche lei stessa. La novità di questi suoi sentimenti quasi la spaventava; era stanchissima; le venne finalmente un desiderio isterico di andarsene, di ripensare in solitudine tutti gli avvenimenti occorsi nella giornata.

Si alzò: " Me ne vado " disse.

La madre che si era tolta di dosso il vestito, le venne incontro in camiciola e mutande:

" Diggià? " esclamò; ma non la trattenne e dopo averla abbracciata la seguí con la candela fino alla porta.

" E stasera cosa fai? " le domandò sulla soglia.

" Vado a letto " rispose Lisa con grande semplicità; vide la madre guardarla attentamente, come chi dubita: " Allora addio " ripeté, e non senza sbatter l'uscio per avvertire i due amanti dell'anticamera, uscí dalla stanza.

Subito Carla si alzò dal divano e le venne incontro:
" Ti accompagno " disse, " e tu Leo rimarrai per cinque
minuti al buio ". La luce della candela illuminava in
pieno la sua faccia rotonda; Lisa osservò che gli occhi
erano stanchi e torbidi e le guance piú pallide del solito.
Le venne improvvisamente il desiderio di parlare, di dire
quel che aveva veduto; ma già la fanciulla le volgeva
le spalle e si avviava giú per la scala.

Per tutta la discesa, ad ogni gradino, questo pensiero
tormentò Lisa: " debbo parlare o no? ". Guardava le
guance puerili di Carla, quella grossa testa, e la compassione aumentava: " È tutta colpa di Mariagrazia "
pensava, " se ora questa poverina si trova in tali condizioni ". Arrivarono nell'atrio: doveva parlare o no?
Lisa non aveva mai provato una tanto sconcertante incertezza, né cosí fortemente questo sentimento nuovo
per lei: la pietà. " Non è colpa sua ", si ripeteva, avrebbe voluto fare un gesto, dare un certo sguardo, e cosí
senza parole andar dritta a quel vergognoso segreto della
fanciulla; ma non ne fu capace.

S'infilò il cappello davanti lo specchio del corridoio,
alla luce della candela che Carla sorreggeva; intanto non
cessava di sbirciare la fanciulla:

" Cos'hai? " le domandò ad un tratto; " non mi sembri come tutti gli altri giorni ".

" Io? ". Carla parve meravigliarsi: " nulla ".

" Sai che sei pallida? " continuò Lisa; " a mio parere
ti stanchi troppo ".

Nessuna risposta, doveva parlare o no? Indossò il
mantello e pronta per uscire prese la mano di Carla; si
guardarono; la fanciulla non sostenne gli sguardi indagatori dell'amica e abbassò gli occhi:

" Carla ", disse improvvisamente la donna con voce
commossa; " sei cambiata... cosa ti è successo? ".

" Ma... nulla ".

Sconcertata Lisa non si decideva a partire:

" Allora abbracciami " disse bruscamente. Si abbrac-
ciarono; però, pur baciando quelle guance fredde e in

certo modo insensibili, Lisa si sentiva terribilmente insoddisfatta: " Non era cosí ", si ripeteva con rammarico; " non era cosí che dovevo parlare ". Passarono nel vestibolo:

" Ricordati ", soggiunse impacciata, " quando c'è qualche cosa che non va, quando hai... dei dispiaceri, di venir da me... Non nascondermi nulla ".

" Certo... certo " disse Carla, quasi con vergogna; Lisa uscí e la porta si chiuse.

Pensosa la fanciulla risalí il piano superiore; i discorsi di Lisa l'avevano vagamente spaventata: " Che abbia capito qualche cosa? ", si domandava, ma piú ci pensava, piú quest'ipotesi le pareva impossibile: la sua tresca con Leo non durava che da un giorno, Lisa non era stata in casa che di sfuggita, impossibile... a meno... a meno che non avesse sospettato qualche cosa dall'inspiegabile assenza di lei e dell'uomo, la sera avanti, dal vestibolo: " Ma tanto, ormai, che abbia indovinato o no, è troppo tardi " concluse non sapeva se con gioia o con rammarico: " stasera andrò da Leo ".

Saliva lentamente, la candela che teneva in mano la seguiva con la sua luce tremante e rifletteva sulla parete una sua ombra grottesca dalla testa enorme: " Cosí vado incontro alla nuova vita " pensò; avrebbe voluto sentirsi completamente calma, ma non le riusciva; il cuore le tremava, era inutile nasconderlo, un sentimento di angoscia e d'incertezza l'opprimeva: " che passino presto queste ore " pensò traendo un sospiro profondo e puerile: " che passi presto questa notte: soltanto questo desidero ".

E nell'anticamera buia il chiarore della candela le rivelò Leo in fondo alla sua poltrona; posò il moccolo sopra la tavola e gli sedette accanto:

" Che noia, non è vero? questa luce che non viene " incominciò tanto per dir qualche cosa; l'uomo non rispose e le prese le mani:

" Ebbene, verrai stasera? " domandò; ma Carla non

ebbe il tempo di parlare; le cortine di una delle cinque porte si aprirono e Mariagrazia entrò.

Portava con sé la sua candela, s'era avvolta il corpo in un grande scialle nero, un'espressione maligna era sul suo volto illuminato:

" Lisa se ne è andata " disse all'amante, senza sedersi; " forse lei Merumeci preferiva che io l'invitassi a cena, non è vero?... ma cosa vuole?... non si può sempre avere tutto quel che si desidera... e del resto cosí darà il tempo alla sua cara amica di prepararsi per la sua visita... notturna ".

Sottolineò la parola " notturna " con una repressa risata, e senza aspettare risposta si avviò giú per la scala.

" Dove vai mamma? " le gridò Carla alzandosi.

" Credo che sia ora di cena " rispose la madre senza voltarsi, discendendo adagio, scalino per scalino, con una mano facendosi luce e con l'altra appoggiandosi alla balaustra di legno; " ma se lei Merumeci vuol correre dietro a Lisa non faccia complimenti... tanto per me fa lo stesso ".

Quel chiarore scomparve, tornò l'oscurità, le ultime parole si spensero dall'altra parte del pianerottolo, dietro l'angolo della scala stretta.

Carla, che aveva seguito con gli occhi questa discesa, si voltò:

" È inutile " disse Leo dalla sua poltrona; " tua madre sarà quel che sarà... ma quando s'è messa in testa un'idea nessuno gliela toglie ". Tacque facendo un gesto definitivo; per un istante non parlarono; preoccupata e come spaventata Carla guardava l'amante:

" Sai cosa credo? " incominciò finalmente: " che Lisa abbia indovinato qualche cosa ".

" In che modo? "

" Non lo so... ma dal tono col quale mi ha parlato ".

Leo ebbe un gesto sprezzante: " Per me... indovini pur quel che vuole ", e con un rapido movimento tentò di attirare la fanciulla; ma, senza ragione, ella resistette.

" No... ora basta " protestò puntandogli le mani contro
le spalle.

" Via ", supplicò l'uomo tendendo dall'ombra la faccia eccitata e sforzandosi di trattenere la fanciulla per
i fianchi: " cosa ti fa?... Un poco soltanto, come prima ".

" No... ": ella si dibatté con inconsueta violenza; aveva gli occhi pieni di ira; ad un certo punto urtò la tavola, la candela posata sull'orlo cadde in terra e si spense; seguí una profonda oscurità, e dopo una discesa pre-
cipitosa e disordinata giú per la scala, il silenzio.

" Che ragazza strana " pensò Leo, restato solo e al
buio; " prima si farebbe spogliare... cinque minuti dopo
non permette neppure che la si baci in fronte... ". Non
era irritato ma soltanto un po' sorpreso; ormai la libidine sbolliva. Girando per le tenebre che lo circonda-
vano degli sguardi indagatori, egli cercò per le tasche la
scatola dei fiammiferi, e ne accese uno; allora si piegò,
raccolse la candela e vi appiccò la fiamma: " E ora "
pensò, " andiamo a mangiare ". Si alzò, fece qualche
passo, ma ad un tratto si ricordò che aveva dimenticato
di dire a Carla l'ora e il modo col quale si sarebbero
incontrati quella notte per andare a casa sua.

Tornò alla tavola, vi posò la candela, e con una lentezza metodica, a quella luce incerta, sopra un biglietto
da visita che trasse dal portafogli, con la sua grossa penna stilografica d'oro, scrisse il biglietto: " Ti aspetto
tra un'ora, con la macchina, al cancello del giardino ":
" Da consegnarsi all'uscita ", pensò; dopo di che, soddisfatto, riprese il moccolo e discese la scala.

Una sola candela brillava sopra la tavola apparecchia-
ta; la stanza era quasi completamente buia; di Michele,
di Carla e della madre già seduti al loro posto non si
vedevano che le facce male illuminate; il nuovo arrivato sedette a sua volta e in silenzio incominciò a mangiare. Il primo piatto venne cosí consumato senza che
nessuno parlasse; guardavano tutti e quattro quella luce
mobile delle candele, non si udiva alcun rumore, ciascuno di essi aveva un pensiero fisso che gli si agitava

inquietamente nell'animo; ma di tutti, la piú assorta e preoccupata era senza dubbio la madre; appoggiava il mento sulle mani riunite, aveva due rughe amare agli angoli della bocca e considerava con occhi imbambolati i movimenti silenziosi delle due fiamme.

Poi si decise finalmente a guardar l'amante; allora una sofferenza amara, un sarcasmo violento le contrasse il volto:

" Io vorrei proprio sapere " incominciò con voce caparbia rivolgendosi indistintamente a tutti e quattro; " perché ci dev'essere al mondo della gente tanto bugiarda... ecco... questo vorrei sapere... Va bene fare le cose, concedo che si possa farle, ma poi nasconderle, mentire, travisare la verità... questo mi mette fuori di me stessa ".

Silenzio; nessuno voleva assumersi la responsabilità d'incoraggiare la madre su questa strada con qualche incauta risposta. Ella li guardò uno dopo l'altro, come per spronarli a parlare, ma Leo e Carla abbassarono gli occhi, e Michele li volse altrove. Allora dopo l'attacco indiretto, ella si decise per quello diretto: " Per esempio, lei ", soggiunse volgendosi verso l'amante, " è padronissimo di avere un impegno dopo cena, nessuno glielo proibisce, anche se andarsene subito dopo aver mangiato dalla casa in cui si è stati invitati sia una maleducazione madornale... Ma perché, invece di dir la verità, inventare un monte di frottole, che ha un ricevimento al quale non può mancare, che va dalla Smithson la quale invece è a Milano ecc. ecc.?... Mi dica un po': chi glielo fa fare? chi le ha domandato di dire tante stupide bugie?... Questa non soltanto è una menzogna, ma è anche un insulto per me, come se io fossi tanto sciocca da non capire certe cose...; invece sarebbe stato tanto piú semplice dire la verità: sa, cara signora, alla tale ora debbo congedarmi perché vado da... da quella tale persona... Io le avrei risposto...: vada pure dove vuole... anche al diavolo se le fa piacere... e tutto sarebbe finito lí... ".

Tacque, rifiutò con un gesto il piatto che la cameriera le tendeva dall'oscurità; la sua eccitazione era estrema, le mani le tremavano, con mosse macchinali rimuoveva e rimetteva al posto le posate e i bicchieri:

" Ma dica qualche cosa " gridò vedendo che Leo non si decideva a parlare; " parli... la butti fuori una buona volta questa famosa verità ".

L'uomo guardò di traverso l'amante; una tale insistenza cominciava ad irritarlo: " Meriterebbe d'esser presa a schiaffi per due ore di seguito " pensava osservando con odio quel volto maturo e stupido; " almeno due ore "; ma si serví e rispose tra i denti: " Io non ho nulla da dire ".

Niente poteva piú esasperare la madre che queste parole indifferenti:

" Ma come? " ella esclamò: " io l'accuso giustamente di mentire e lei non soltanto non dice le ragioni del suo contegno, ma anche risponde male come... come se fossi io che avessi torto... Vuol sapere cos'è lei... un insolente ".

Abitualmente Leo non rispondeva ai rimproveri dell'amante; ma questa volta, sia che l'eccitazione che gli aveva messo in corpo la fanciulla gli avesse ispirato una insolita impazienza nervosa, sia che veramente l'ingiuria l'avesse ferito, si offese:

" Senta ", disse rudemente, volgendosi di scatto dal vassoio che la cameriera gli porgeva: " la faccia finita una buona volta... o se no sarò costretto a risponderle male sul serio...: un poco va bene, ma troppo no ".

Disse, e per un istante fissò l'amante con una grinta cosí dura e oltraggiosa che alla disgraziata ne mancò il respiro; la luce e l'oscurità che le due candele ad ogni guizzo agitavano intorno aumentavano la rabbia contenuta dalle mascelle dell'uomo sulle quali, sotto la pelle rossa e rasata, si vedevano contrarsi dei nervi impazienti; gli angoli degli occhi da cui le pupille irritate fissavano la madre ne acquistavano due freghi brutali di fatica sensuale; lo sberleffo tra sprezzante e violento della boc-

ca, come di chi si trattiene dall'inveire, ne veniva sottolineato da un cono d'ombra che copriva mezzo il mento.
Mariagrazia, imbambolata, spaventata, fermata a metà
del suo sdegno loquace, guardava quel volto senza pietà,
quella specie di catapulta che la colpiva in piena faccia;
il corpo le tremava, un senso acuto d'infelicità, di un'as-
soluta mancanza di bontà e di amore, le stringeva il
cuore, la soffocava: " Lulú, non guardarmi cosí " avrebbe voluto gridare, e poi coprirsi la faccia con le mani;
invece restò immobile, spaurita: " Io lo amo... e lui mi
risponde cosí ", ripeteva con voce smarrita nella sua
testa vuota.

Poi vide Leo voltarsi e, tranquillamente, deporre dal
piatto grande due fette di carne, della verdura; niente
piú da dire; irreparabile; gli occhi le si empirono di
lacrime, posò il tovagliolo sopra la tavola, con una spinta
molle si alzò:

" Non ho voglia di mangiare " disse; " restate pure
qui voialtri... ". E, quasi di corsa, non senza inciampare
nel tappeto, uscí.

Il silenzio seguí questa inaspettata partenza; Leo che
aveva già afferrato il coltello e la forchetta restò con
questi due oggetti in mano e la faccia stupefatta rivolta
verso l'ombra della porta nella quale la madre era scom-
parsa; anche Carla spalancò gli occhi in quella direzione;
poi Michele, che era stato il meno meravigliato dei tre,
si rivolse all'uomo:

" Non dovevi rispondere cosí " disse senza irritazione, col tono di chi è soltanto molto annoiato; " sai
com'è impulsiva... Ora avremo delle storie da non finire piú... ".

" E chi le ha detto nulla? " rispose l'uomo con forza; " se ha i nervi scossi se li curi... ora non si potrà
piú nemmeno parlare ".

" Parlate anche troppo voi due ", e Michele guardò
l'uomo negli occhi: " troppissimo ".

" Sciocchezze " brontolò l'altro alzando le spalle; " tua
madre sí che parla troppo, ma io... ". Tacque per un

istante, guardando ora il piatto dove il cibo appetitoso si freddava, ora la porta per la quale la madre era uscita: " E adesso... " soggiunse: " cosa si fa? non vorrà mica fare a meno di mangiare ". Un istante di silenzio; poi Carla posò il tovagliolo sopra la tavola.

" Michele ha ragione ", disse l'amante: " lei Merumeci non doveva trattar mamma a quel modo... Avrà i suoi difetti ma è pur sempre una donna... Lei ha agito male... ". Si alzò, stette per un istante sopra pensiero: quel che stava per fare le ripugnava, le dava una sofferenza impaziente:

" Vado a vedere se viene " disse alfine, e scostando la sedia uscí a sua volta.

Nel corridoio l'oscurità era completa; ella avanzò a tastoni, contro la parete: " Avrei dovuto prender la candela " pensò; si ricordò ad un tratto che dopo una scena simile a questa, la madre era andata a rifugiarsi nel salotto; fece ancora qualche passo e poi inciampò cosí bruscamente nel tappeto che quasi cadde in terra; le venne un'acuta irritazione contro Mariagrazia matura e puerile: " Tutto questo deve finire " pensò a denti stretti, posando la mano sulla maniglia della porta del salotto: " stasera stessa andrò da Leo... tutto questo finirà ". Le pareva che l'oscurità che le riempiva gli occhi, le fosse entrata, chissà come, nell'anima: " Andiamo a cercare quella stupida di mia madre " pensò ancora; si sentiva molto spietata, e ciò nonostante profondamente addolorata di questa sua spietatezza; si morse le labbra ed entrò.

Come aveva preveduto, la madre si era rincantucciata nel salotto; si udiva infatti, in quella notte, qualcheduno non lontano, che piangeva e sospirava, " uuuh... uuuh ", non senza ogni tanto soffiarsi il naso: l'irritazione di Carla cedette il posto ad un sentimento piú mite:

" Mamma, dove sei? " domandò con voce chiara, avanzandosi nel buio con le braccia aperte.

Nessuno le rispose. Alfine dopo essersi urtata piú volte nei mobili, ella toccò una spalla della madre, che, a quel che poteva giudicare, doveva essersi seduta nel divano d'angolo:

" Cosa fai qui? " le domandò scrollandola un poco e guardando verso l'alto, verso il soffitto invisibile, come se non ci fosse stata quell'oscurità, ed ella non avesse voluto vedere sua madre piangente; " vieni di là... andiamo ". Una scrollata del dorso:

" Mangiate soli... io non vengo " rispose la voce di Mariagrazia.

Carla trasse un sospiro tra impaziente e rattristato, girò intorno al divano, sedette a fianco alla madre:

" Andiamo, su, andiamo " ripeté posando le due mani sulle spalle della piangente; " ti assicuro mamma che Leo non aveva nessuna intenzione di... che è il primo a dispiacersi di quel che è avvenuto... ".

" Ah Dio mio come sono infelice ", si lamentò per tutta risposta con una puerile amarezza la voce della madre; " come sono infelice ".

Carla rabbrividí: " Su mamma ", ripeté con voce piú incerta.

Il divano cigolò, due braccia circondarono il collo della fanciulla, ella sentí contro la propria la guancia bagnata della madre:

" Credi veramente " domandò la voce piangevole: " dimmi, credi che egli sia veramente tornato ad amare quella lí? ".

" Ma chi? " chiese Carla turbata; sentiva contro il braccio quel petto molle e ansante, non sapeva cosa fare, le ripugnava, come un atto contro natura, di dover consolare sua madre: " almeno cessasse di piangere " si ripeteva.

" Ma Lisa... " insisteva la voce singhiozzante: " non hai visto che ieri sera sono partiti insieme?... Sono sicura, sono sicura che sono tornati ad amarsi... Ah! come sono infelice... ".

" È me che egli ama " avrebbe voluto risponderle Carla; ma era poi vero? Le venne un disgusto improvviso di quel che le succedeva intorno. " Che cosa gli ho mai fatto io? " udiva intanto lamentarsi la voce di Mariagrazia, " per meritarmi tutto questo?... Ho sacrificato tutta la mia vita per lui... ed ora, ecco, tu vedi come mi tratta ". Avrebbe voluto essere mille miglia lontano: " Non so nulla " disse alfine, e già stava per svincolarsi dalle braccia della madre, quando laggiú, in fondo al salotto, tranquillamente, come se qualcheduno avesse girato l'interruttore, le due lampadine del pianoforte si accesero.

Le tenebre si dileguarono; subito, con un gesto istintivo, la madre si separò dalla figlia, si chinò, si soffiò il naso; Carla si alzò.

" Sono spettinata? " domandò Mariagrazia levandosi a sua volta; " sono molto rossa? "

La fanciulla la guardò; le guance della donna erano striate di segni pallidi, ella era scapigliata, aveva il naso rosso e gli occhi piccoli, come se avesse sofferto d'una forte infreddatura:

" Ma no... stai benissimo ".

Uscirono dal salotto; anche il corridoio era illuminato; Mariagrazia andò ad uno degli specchi rotondi e si rassettò alla meglio; poi Carla avanti e la madre dopo, rientrarono ambedue nella stanza da pranzo.

Anche qui la luce era tornata, e seduti l'uno in faccia all'altro Leo e Michele parlavano tranquillamente:

" Negli affari " diceva il primo, " è difficile riuscire...: chi non se ne intende mette il proprio denaro nelle mani di chi se ne intende ". Ma appena vide le due donne cessò d'occuparsi del ragazzo:

" Allora siamo amici, non è vero signora? " disse alzandosi e andando incontro a Mariagrazia.

" Fino ad un certo punto " rispose la madre con ostentata freddezza; e andò a sedersi al proprio posto.

La fine della cena fu silenziosa: tutti avevano qualche pensiero dominante, nessuno parlava. " Che vada al diavolo " si ripeteva Leo sconcertato, guardando Mariagrazia; benché il contegno della donna gli fosse indifferente, quest'insolito rancore non gli presagiva nulla di buono. La madre cercava invece un mezzo per vendicarsi di Leo, il dolore scomparso le aveva lasciato un arido risentimento: " Gli preme che gli ceda direttamente la villa ", pensò alfine trionfante, " e io invece la farò vendere all'asta ": non sapeva il vero vantaggio di questa sua speculazione né il valore della villa, ma immaginava vagamente che oltre al dispetto che avrebbe fatto all'amante, avrebbe ritratto da una tal forma di vendita qualche migliaio di lire in piú. Carla pensava alla notte vicina, un turbamento straordinario la possedeva: " Gliel'ho veramente promesso? " si domandava; " è proprio stanotte che devo andarci? ". In quanto a Michele, un disagio acuto lo tormentava, gli pareva che il suo contegno durante la discussione tra sua madre e Leo fosse stato d'una indifferenza senza pari: " Ancora una buona occasione perduta " si diceva " per litigare con lui, per romperla con lui ".

Uscirono alfine dalla sala da pranzo, a passi misurati, accendendo delle sigarette e guardandosi di sfuggita negli specchi del corridoio, e andarono nel salotto.

" Stasera ", disse subito Leo sedendosi a fianco di Mariagrazia sul divano, " sono in disposizione di sentire un po' di buona musica classica... su, Carla ", disse volgendosi verso la fanciulla: " suonaci quel che vuoi tu, Beethoven o Chopin, purché sia roba del buon tempo antico, quando non usavano i jazz che fanno venire il mal di capo... ". Rise con cordialità e accavalciò le gambe.

" Sí, Carla ", insistette la madre cui non pareva vero di avvantaggiarsi della musica per poter parlare con maggior libertà all'amante; " sí, suonaci qualche cosa, per esempio... quella fuga... di chi era? Ah! sí di Bach... che ti riusciva cosí bene ".

Anche a Michele l'idea della musica piacque infinitamente; si sentiva stanco e irritato, l'immagine convenzionale della melodia intesa come un dolce fiume nel quale ci si può immergere e dimenticare non gli era mai sembrata cosí vera come ora: " Della musica " pensò socchiudendo gli occhi; " e al diavolo tutte le meschinità...: della vera musica ".

" È molto tempo che non suono piú " avvertí Carla:
" vuol dire che non sarete troppo severi ". Andò al pianoforte, l'aprí, esaminò qualche spartito: " Una fuga di
Bach ", annunziò finalmente.

I primi accordi risuonarono; Michele socchiuse gli
occhi e si preparò ad ascoltare la melodia; la sua solitudine, le conversazioni con Lisa gli avevano messo in
corpo un gran bisogno di compagnia e di amore, una
speranza estrema di trovare tra tutta la gente del mondo una donna da poter amare sinceramente, senza ironie
e senza rassegnazione: " Una donna vera " pensò; " una
donna pura, né falsa, né stupida, né corrotta... trovar-
la... questo sí che rimetterebbe a posto ogni cosa ". Per
ora non la trovava, non sapeva neppure dove cercarla,
ma ne aveva in mente l'immagine, tra l'ideale e materiale che si confondeva con le altre figure di quel fantastico mondo istintivo e sincero dove egli avrebbe voluto
vivere; la musica lo avrebbe aiutato a ricostruire quest'immagine amata... ed ecco difatti, piú per la sua esaltazione e per il suo desiderio che in grazia della musica stessa, fin dalle prime note, formarsi tra lui e Carla
quella immagine... era una fanciulla, lo indovinava dalla
snellezza del corpo, dagli occhi, da tutto il portamento,
assai graziosa in verità, quasi gli voltava le spalle e l'osservava attentamente, senza lusinga, senza ombra di la-
scivia, oh no, avrebbe potuto giurarlo, ma con quella
curiosità franca e attonita con la quale i bambini guardano i loro coetanei: " la mia compagna ", egli pensò:
e già dei gesti, una specie di abbraccio, un sorriso, una
mossa della mano, degli avvenimenti, passeggiate, conversazioni, si formavano e passavano nel cielo desideroso della sua fantasia, quando un chiacchiericcio fitto e
sommesso ruppe l'illusione e lo ricondusse alla realtà.

Era la madre che portava a compimento il suo proposito di avvalersi della musica per parlare all'amante:

" Se vuole, Merumeci ", insisteva guardando velenosamente l'amante distratto, " lei può andare anche subito a quel suo ricevimento...; non c'è nessuna necessità

che lei si annoi qui a sentire la musica... nessuno la trattiene... vada... vada pure dove l'aspettano ".

Leo la fissò; non aveva nessuna voglia di litigare; fece un cenno nella direzione di Carla come per significare: " Ora no... ora stiamo ad ascoltare Bach ".

" Ma sí " insistette la madre; " lei qui si annoia... non dica di no...: l'ho visto sbadigliare con questi miei occhi... Noi l'annoiamo, e d'altra parte non possiamo mica metterci a ballare per divertirla... Vada dunque in quel luogo, dove sarà accolto a braccia aperte e nessuno suonerà, e nessuno la disturberà... ci vada... ". Parlava e non cessava di sorridere stupidamente, ripresa, al solo pensiero di Lisa, da una vertigine di gelosia:

" E poi ", soggiunse, " sarebbe una vera maleducazione mancare al ricevimento della Smithson... chissà quanta gente ci sarà... avrà fatto un treno speciale per far andare i suoi invitati fino a Milano... ".

Pur di togliersi di torno questo fastidio Leo avrebbe dato qualsiasi cosa; scosse la cenere del sigaro, si voltò con calma verso la madre:

" Se ho mentito ", disse, " è stato soltanto per riguardo a lei, per non farle credere che in casa sua ci si annoia... La verità è che stasera non vado ad alcun ricevimento bensí a dormire... Son molte notti che faccio le ore piccole, mi sento stanco... stasera voglio andare a dormire presto ".

" Ah sí ", esclamò la madre col viso di chi la sa lunga; " cosí lei vuole andare a dormire... ha sonno, ha fatto tardi tutte le notti, si vede, sicuro, che non regge in piedi, che non ne può piú dal sonno... poveretto!... se sapesse che compassione mi fa ".

" Non ho bisogno di far compassione a nessuno " rispose Leo irritandosi suo malgrado.

" Ma non si accorge lei che infila le bugie una dopo l'altra? " domandò bruscamente Mariagrazia; " prima era la Smithson, ora è il sonno...: si vergogni ".

" Io non mi vergogno, perché dovrei vergognarmi? ".

" Ma taccia, mi faccia il piacere... ".

Leo alzò le spalle e non disse nulla; dalla sua poltrona Michele disgustato li osservava: " Che il diavolo se li porti " pensava; " non si può neppure più ascoltare la musica... hanno sempre qualcuna delle loro meschine discussioni "; la fanciulla amata si era dileguata; un'accozzaglia di note senza significato: ecco la musica; la madre e Leo trionfavano.

" Dormire eh! " continuava la madre parlando nell'orecchio dell'uomo; " dormire non è vero? Ma sa cosa le dico io? Che so tutto, mi capisce? tu-t-to! so di ieri sera e di stasera, tutto ".

" E invece lei non sa niente ", si sfogò Leo senza voltarsi; gettò davanti a sé un nuvolo di fumo; Carla era là, gli voltava quelle sue spalle carnose, piene: " che notte ", pensava egli: " che notte!... non mancano che poche ore e mi pare un'eternità ". I suoi occhi fissi, immobili, ignoravano la madre, Michele, tutto il salotto... il desiderio gli dava delle visioni...: ecco Carla completamente nuda, seduta su quello stretto sgabello, davanti al pianoforte; gli pareva di vedere in quell'angolo pieno d'ombra quel dorso bianco spartito da un solco curvo, i fianchi larghi e rotondi, e ora che ella si voltava anche i due seni. Ma la musica era finita e la realtà tornava; applaudita da Michele, insolitamente affettuoso, la fanciulla parlò:

" Vi è piaciuta? " domandò.

" Molto, sí molto " disse Leo, " ancora una volta Carla ".

" Ma no Carla " intervenne la madre; " no, non suonare; Merumeci non solamente si annoia ma anche freme di andarsene... non ne può piú dal sonno, vuol dormire... allora perché trattenerlo? " E all'amante: " Su ", insistette con voce caparbia tirandolo per una manica; " su, vada a dormire ".

Leo liberò il braccio, sorrise di mala voglia; un forte desiderio gli veniva di dare due solenni schiaffi all'amante incorreggibile; per un istante Carla li guardò ambedue. " È proprio stanotte che devo andare in casa sua? "

si ripeteva; le pareva strano, adesso sedeva davanti al pianoforte, tra due ore sarebbe stata nella camera da letto dell'amante; ma poiché indovinava l'impazienza bramosa dell'uomo, un po' per rimandare finché era possibile il momento estremo della dedizione, un po' per un resto di civetteria volle continuare a suonare:

" Va bene " disse con fermezza: " Leo non se ne andrà e si annoierà ancora per dieci minuti...: non è vero Leo? ". Aprí un grosso libro e con volto attento e preoccupato ricominciò a suonare.

" Ah, la piccola strega " pensò Leo; " vuol vedermi morire dall'impazienza... vuol vedermi agonizzare ". Ormai musica, conversazione, silenzio, tutto gli riusciva di intollerabile fastidio, la libidine lo divorava, non aveva che un desiderio: portarsi a casa Carla e prenderla: " Chissà quanto durerà " pensò ascoltando con rabbia i primi accordi della melodia; " dieci minuti?... un quarto d'ora?... Che il diavolo mi porti quando ho avuto l'idea peregrina di farla suonare... ".

Ma la madre non si era data per vinta; toccò la spalla dell'uomo:

" E domani mattina " disse con un sorriso lezioso come se avesse continuato una conversazione incominciata; " andrò dal mio legale e gli darò le disposizioni per la messa all'asta della villa ".

Se un mattone si fosse staccato dal soffitto e fosse caduto sulla testa di Leo, egli non sarebbe stato cosí sgradevolmente sorpreso come all'udire queste parole; la faccia gli diventò rossa, poi paonazza; strinse i denti, delle frasi brevi gli lampeggiarono nella mente: " ci voleva anche questo e proprio questa sera... che Dio la maledica... soltanto a me succedono di queste cose "; poi si voltò in blocco verso la madre: " Tu non farai questo ", le ingiunse dandole del tu per il furore e stringendo con gesto istintivo i pugni contro il petto.

" Ora si prendono per i capelli " pensò Michele disgustato che li osservava.

" Sicuro che lo farò " rispose l'altra con ostentata tranquillità; " e anche domani stesso... ".

" È roba da matti " incominciò Leo; prese una delle mani della donna e la strinse contro il divano:

" Tu vuoi... lei vuole vendere all'asta la villa per perderci il cinquanta per cento... e me lo viene a dire stasera ", " proprio stasera ", ripeté dentro di sé con una furibonda occhiata nella direzione di Carla. " Ora che il contratto è stato già steso e non resta che firmarlo..., questa... questa si chiama pazzia bella e buona... ".

" La chiami come vuole " rispose la madre cui non pareva vero di atteggiarsi ad una calma imperterrita di santa; " ma domani mattina, la prima cosa che faccio è andare dal mio legale ".

Leo la guardò: all'irritazione che gli dava la sua insoddisfatta lussuria ora si aggiungeva questo nuovo impiccio. Il suo piú naturale istinto sarebbe stato quello di saltare addosso alla donna, riempirla di schiaffi, magari anche strozzarla; ma seppe trattenersi:

" Ma lei non parla sul serio ", insistette; " ci pensi un poco su ".

" Ci ho già pensato ".

" Vediamo Mariagrazia " incominciò Leo ridandole del tu, ma questa volta con piena coscienza; " non farmi colpi di testa... in affari non bisogna mai agire con impulsività... piuttosto, vuoi... che ci vediamo domani nel pomeriggio? ".

" È inutile " rispose la madre con meno fermezza " credo che sia meglio ch'io vada dal mio legale ".

" Brutta stupida " avrebbe voluto gridarle Leo; invece giunse le mani.

" Mariagrazia, l'asta è un rischio " supplicò; " il tuo legale potrebbe essere un imbroglione, il mondo ne è pieno; sei donna, è facile ingannarti nelle cose di cui non ti intendi... ".

" Credi? " domandò la madre con un sorriso incerto.

" Ne sono sicuro... Allora è inteso... ti aspetto domani alle quattro... ".

Ella guardò di qua e di là con civetteria; il suo cuore maturo tremava: " mi ami? " avrebbe voluto domandargli; " domani... " ripeté invece; " no non posso "

" Allora dopodomani ".

" Aspetta " bisbigliò la madre guardando in aria come se avesse voluto ricordarsi di qualche cosa; " sí, ho un appuntamento, ma lo rimanderò... verrò, va bene... ma non credere " soggiunse con un sorriso brillante e lusingatore, " che potrai convincermi ". Tacque, esitò, alfine prese una mano dell'amante; e già stava per domandargli a bassa voce: " e mi vuoi un po' di bene? " quando la musica bruscamente si interruppe e Carla si voltò:

" È inutile ch'io suoni " disse con calma: " tutti parlano... tutti discorrono... meglio davvero andare a dormire... ".

Quei due del divano si videro accoppiati; la madre si staccò dall'amante e guardò la figlia con volto sconcertato.

" Se volete parlare " soggiunse la fanciulla " non fatemi suonare ". Silenzio.

" Facevamo dei commenti alla tua musica " rispose alfine Leo. " Suoni bene Carla; continua, continua pure ".

Questa nuova menzogna fu il segnale di una specie di ribellione, come se tutti si fossero ad un tratto destati dal loro lungo torpore; e primo fra tutti Michele che aveva fino allora sopportato in silenzio i conversari di sua madre e di Leo; un po' per rabbia, un po' per un istintivo bisogno di azione, prese il giornale che teneva spiegato sulle ginocchia e lo scagliò con forza per terra:

" Non è vero niente " gridò guardando Leo; " è una spudorata menzogna... alla musica voi ci pensavate come io... come io a farmi prete... parlavate di affari, del legale " egli rise con sforzo: " e di altre cose ancora ".

Ci fu silenzio: " Ecco " gridò improvvisamente Carla battendo le mani: " ecco la verità... alfine si respira... ".

Fu come se qualcheduno avesse spalancato la finestra e l'aria fredda della notte fosse penetrata nel salotto;

per un istante tutti si guardarono in volto stupefatti; ma il primo a riaversi fu Leo:

" Ti sbagli " disse severamente a Michele: " è segno che hai ascoltato male ".

Siffatta falsità ispirò al ragazzo un riso alto e sgradevole: " Ah! ah! " rideva rovesciandosi nella poltrona " questa è bella ". Poi s'interruppe: " Mentitore! " disse bruscamente e con volto serio.

Si guardarono; Carla trattenne il respiro; la madre impallidí.

" Io dico " gridò all'improvviso Leo battendo il pugno sulla tavola, " che questo è troppo ". Ma non si alzò; restò seduto fissando sul ragazzo due occhi indagatori: " Non ti sapevo cosí rissoso " soggiunse; e poi dopo un istante: " e se tu continui sarò costretto a tirarti le orecchie ". Quest'ultima frase la profferí nel modo piú stupido e solenne: sembrò a Michele che la minaccia di Leo, fieramente incominciata, fosse andata man mano affievolendosi, fino a raggiungere la piatta volgarità di una tirata d'orecchie; di rimbalzo anche il proprio sentimento diminuiva; non c'era nulla da fare; né scagliare il guanto di sfida, né ostentare il proprio onore offeso; bastava nascondere la parte minacciata, le orecchie, troppo poco.

" Tirare le orecchie, tirar le orecchie a me? a me? a me? " Ogni " a me " gli dava una spinta di piú verso l'azione, ma si sentiva freddo e indifferente; false erano le parole che gli uscivano di bocca, falsa la voce; dov'era il fervore? dove lo sdegno? altrove, forse non esistevano.

Sulla tavola, tra i fiori, le tazzine, e il bricco del caffè, c'era un portacenere di marmo, di alabastro bianco venato in grigio: stese una mano di sonnambulo, lo prese, mollemente lo scagliò. Vide sua madre giunger le mani, la udí cacciare un grido; Leo urlava: " È roba da pazzi!! "; Carla si agitava; capí che il marmo aveva sbagliato strada; invece di Leo era stata colpita la madre; sulla testa? no, sopra la spalla.

Si alzò, goffamente si avvicinò al divano dove la sua

vittima giaceva; incerta in volto e senza saper perché, la madre teneva gli occhi chiusi e a intervalli sospirava, ma era evidente che non provava alcun dolore e che questo suo svenimento era del tutto immaginario.

Insieme con gli altri due Michele si chinò; nonostante questa vista che avrebbe dovuto essere dolorosa, non provava alcun rimorso, anzi non gli riusciva di soffocare la sensazione che quella scena fosse ridicola. Invano pensava: " È mia madre... l'ho colpita... l'ho ferita... avrebbe potuto morire "; invano cercava un po' di pietà affettuosa per quella figura immobile, perduta nell'errore: la sua anima restava inerte. Si chinò e la guardò: ora la madre sollevava, senza cambiar di posizione o aprire gli occhi, un languido braccio, e con le dita allargava le vesti sull'omero colpito; apparve la spalla nuda, grassa, ma senza traccia di contusioni, né livida, né rossa: nulla. Però le dita come insoddisfatte continuavano a tirare, ad abbassare la veste, denudando un braccio, svelando l'ascella. Era straordinario: sparse sul petto, che sempre piú si allargava, sbiancava, e rivelava il principio dei seni, le dita impudiche parevano perseguire uno scopo completamente diverso da quello di mostrare le ferite; per esempio, quello di spogliarsi.

In verità questo molle abbandono si rivolgeva all'amante; una romantica pietà doveva scaturirne e impietosirgli il cuore: " Mi vedrà ferita, svenuta, col petto nudo ", era pressappoco il pensiero di Mariagrazia; " si ricorderà che mi sono fatta avanti per lui, che ho ricevuto il portacenere in vece sua, e non potrà fare a meno di provare per me una profonda riconoscente tenerezza ". La sua fantasia illusa immaginava che Leo l'avrebbe presa tra le sue braccia, l'avrebbe scossa, chiamata per nome, si sarebbe alfine inquietato non vedendola rinvenire... e alfine ella sarebbe lentamente tornata in sé, avrebbe riaperto gli occhi, i primi sguardi sarebbero stati per l'amante, per lui il primo sorriso. Ma non fu cosí, Leo non la prese fra le sue braccia né la chiamò per nome.

" Sarà forse bene che io vada fuori della porta " disse

158

invece a Carla, con voce piena d'ironica intenzione. Fu
come se la madre avesse ricevuto un getto d'acqua fredda, proprio là, su quella spalla che aveva denudato per
l'amante; ella riaprí gli occhi, si alzò a sedere, guardò:
c'era Michele che la osservava con gli occhi scanzonati,
come se al suo rimorso si fosse mescolato qualche altro
sentimento; Carla che si sforzava di ricondurle le vesti
sopra il petto scoperto; ma Leo? dov'era Leo? Altrove
che al suo fianco: aveva raccolto il portacenere e lo sop-
pesava; poi bruscamente si volse verso Michele:
    " Va bene " gli disse con ironico incoraggiamento; " va
bene... va molto bene ".
    Michele alzò le spalle e lo guardò: " Certo... anzi be-
nissimo " articolò con calma. Allora da dietro le spalle
dell'uomo la voce della madre si alzò, acuta e familiare.
    " Per carità, Merumeci ", supplicava " per carità non
ricominci... non lo tocchi... non gli parli... non lo guardi
neppure... ". E pareva che ella si trovasse al limite estremo della pazienza e della ragione, al di là del quale non
c'è che pazzia.
    Il ragazzo si rifugiò presso la finestra: la pioggia ca-
deva ancora, se ne udiva il fruscío sulle imposte e sugli
alberi del giardino; pioveva tranquillamente, sulle ville,
per le strade vuote. Molta gente doveva ascoltare come
lui, dietro i vetri chiusi, col cuore pieno dell'istessa angoscia, volgendo le spalle alla calda intimità delle stanze: " È inutile " si ripeteva toccando con le dita incer-
te i bordi della finestra, " è inutile... questa non è la
mia vita... ". Gli tornò in mente la scena del portacenere, il ridicolo svenimento, quell'indifferenza: " Tutto
qui diviene comico, falso; non c'è sincerità... io non ero
fatto per questa vita ". L'uomo che egli doveva odiare,
Leo, non si faceva abbastanza odiare; la donna che doveva amare, Lisa, era falsa, mascherava con dei senti-
mentalismi intollerabili delle voglie troppo semplici ed
era impossibile amarla: ebbe l'impressione di volgere le
spalle non al salotto, ma ad un abisso vuoto e oscuro:

" Non è questa la mia vita " pensò ancora con convinzione; " ma allora? ".

Dietro di lui l'uscio si chiuse ed egli si voltò; il salotto era vuoto; madre e figlia erano uscite per accompagnare l'ospite alla porta; la lampada brillava nel cerchio immobile delle poltrone deserte.

" È un ragazzo " disse la madre a Leo nel vestibolo: " non bisogna prenderlo sul serio... non sa quello che fa ".

Con viso contrito staccò il tubino dall'attaccapanni e lo porse all'amante. " A me " disse Leo giocondamente avvolgendo intorno al collo una sciarpa di lana, " a me non ha fatto nulla... Soltanto mi dispiace per lei che si è presa sulla spalla il proiettile in questione ". Ebbe un riso freddo, falso e amabile: guardò un istante Carla come per domandarle un'approvazione; alfine si voltò e indossò il pastrano.

" È un ragazzo " ripeté la madre meccanicamente aiutandolo; il pensiero che Leo approfittando di quella imprudenza del figlio potesse rompere i loro legami, l'atterriva:

" Può star sicuro " soggiunse in tono umile e autoritario, " che tutto questo non succederà mai piú... penserò io a parlare a Michele... e se ci sarà bisogno " soggiunse con voce irresoluta " agirò ".

Vi fu silenzio: " Ma via " disse Carla che appoggiata alla porta guardava attentamente sua madre, " via... non agitarti... sono certa " soggiunse abbassando gli occhi e sorridendo, " che Leo stesso non se ne ricorda piú ".

" Proprio cosí " disse Leo: " ci sono tante cose piú importanti ". Baciò la mano alla madre non ancora rassicurata. " Arrivederci presto " disse a Carla, guardandola fissamente negli occhi; ella impallidí e con un gesto lento e rassegnato girò la maniglia della porta.

Questa si spalancò violentemente battendo contro il muro come se qualcheduno ansioso d'entrare avesse spinto con tutte le sue forze dall'esterno. " Uh, che freddo, che umidità...! " gridò la madre. Come per risponderle una ventata impetuosa si rovesciò nella stanza; piovve rabbiosamente sulle mattonelle lucide; il lume oscillò; un leggero soprabito di Michele appeso all'attaccapanni percosse piú volte con le sue lunghe maniche la faccia di Leo; e le vesti delle due donne si sollevarono gonfiandosi, si alzarono, alfine s'incollarono alle loro gambe.

" Chiudi... chiudi " gridava la madre attaccandosi con ambo le mani alla porta e ridicolmente chinandosi in avanti sui due piedi giunti per non bagnarsi; come un uccello acquatico Carla saltava con precauzione sul pavimento allagato: " chiudi " ripeteva la madre... ma nessuno si muoveva; tutti guardavano stupiti quella violenza fatta di nulla che ruggiva, gemeva, scricchiolava, e lacrimava sulla soglia vuota; e finalmente anche l'altro uscio del vestibolo si spalancò. Si formò allora una specie di vortice che dopo aver percorso il corridoio, s'ingolfò nella casa; si udirono tutte le porte sbattere ora vicine ora lontane, con uno strano fracasso che non era quello degli usci sbatacchiati da una mano irata o distratta; un fracasso nel quale si mescolavano le voci del vento e quegli urti e quelle esitazioni che sembravano preparare l'ultimo e piú forte colpo; le stanze vuote e alte echeggiarono; la villa tutta tremò come se avesse dovuto ad un certo momento staccarsi dal suolo e girando su se stessa come una pazza trottola, trasvolare con rapidità sulla cresta fosforescente delle nubi.

" Ed ora? " domandò Leo alla madre, vedendola dopo molti sforzi chiudere la porta; " cosa facciamo? ".

" Aspettiamo " fu la risposta. Tacquero tutti e tre: Mariagrazia guardava l'amante con occhi disincantati e amari; tanta fretta la travolgeva. Tra poco Leo sarebbe partito, sarebbe scomparso nella notte piovosa lasciandola alla sua casa fredda, al suo letto vuoto; sarebbe andato altrove; in casa di Lisa per esempio, già, sicuro, in casa di Lisa dove da tanto tempo era aspettato. Chissà come si sarebbero divertiti quella notte quei due, chissà come avrebbero riso di lei!

Fece un ultimo tentativo; tese l'orecchio, contrasse tutto il volto come chi ascolta:

" Mi pare " disse " che qualche cosa sbatta nel salotto... va', Carla ", soggiunse con voce impaziente, " va'
a vedere ". Ascoltarono tutti e tre: pareva che la madre
con una mimica imperiosa volesse creare quel fracasso di
porte urtate che il silenzio della villa le negava.

" Non mi pare " disse Carla dopo un istante. " Non
sento proprio nulla... proprio nulla ".

" Ti dico di sí " insistette la madre ansiosa e caparbia: " senti " soggiunse nel piú perfetto silenzio, " senti
quanto sbatte? ".

Allora Leo rise: " Ma no " disse tranquillamente rallegrato dalla stupidità dell'amante, " ma no... nulla sbatte ". Vide con piacere rinnovata quell'espressione di dolore degli occhi della donna: " Illusione " concluse ri-
prendendo il tubino, " illusione, cara signora ".

" Se ne va? " domandò la madre.

" Sicuro... è tempo ".

" Ma... non piove troppo? " insistette ella, perdutamente, mettendosi tra la porta e l'amante. " Non sarebbe
meglio che lei aspettasse ancora un poco? ".

" Piove " rispose Leo abbottonando il pastrano, " come
le porte sbattono... ". Baciò la mano alla donna anni-
chilita, frugò in una tasca per cercare i guanti che erano
nell'altra, si avvicinò alla porta, la aprí trattenendola con
la mano contro il vento: " Arrivederci Carla " disse alla
fanciulla, strinse la mano ch'ella gli tendeva, sorrise, uscí.

Tornarono nell'atrio; la madre rabbrividiva: " Che freddo... uh! che freddo " ripeteva: i muscoli stanchi del
volto si erano distesi, era come disfatta, i suoi sguardi
smarriti si posavano a caso sugli oggetti, vacillavano,
fluttuavano; una nudità disadorna si diffondeva sulla sua
faccia usata dal belletto; la bocca impercettibilmente tremava: " Vado a dormire... " ripeté salendo lentamente
dietro la balaustra di legno della scala; " vado a dormire... buona notte ". La sua ombra montò fino al soffitto, sostò sul pianerottolo, passò sulla parete con dei
movimenti obliqui, e scomparve.

Ora Carla restava sola nell'atrio. Si avvicinò alla lampada: nel suo pugno chiuso qualche cosa scricchiolava, era un biglietto di Leo, il biglietto che le sue dita esitanti avevano raccolto da quella lunga stretta di mano dell'amante.

Il biglietto era breve: " Ti aspetto tra un'ora, con la macchina, al cancello del giardino ", e portava anche la firma: " Leo ".

Sconcertata si avviò su per la scala: " tra un'ora ", si ripeteva, " tra un'ora andarmene via ". Gradino per gradino arrivò al pianerottolo angusto, guardò in su: l'anticamera, di cui si vedevano una poltrona e un angolo del divano, era vuota, un silenzio casalingo e tranquillo era per quell'ombra, per quell'aria chiusa; tra un'ora senza dubbio tanto Michele che la madre sarebbero stati immersi nel sonno. Finí di salire, andò dritta alla porta della sua camera, in fondo al corridoio oscuro, entrò; subito la colpí l'aspetto intimo e caldo della stanza: ogni cosa era al suo posto, la lampada dal paralume rosa era accesa, la camicia di velo cilestrino stava distesa sul letto, le lenzuola erano piegate e aperte, tutto invitava al sonno: non c'era che da spogliarsi, cacciarsi sotto le coltri e dormire.

Fosse la vista di quel letto, che insieme con il rumore torrenziale del diluvio contro le imposte le ispirava una gran voglia di riposo e di sicurezza, oppure veramente la stanchezza della giornata, certo è che ad un tratto l'assalirono una viltà cosí persuasiva, un ripugnanza cosí forte per l'avventura cui andava incontro, che ebbe paura di se stessa: " Vediamo " pensò: " dormire, riposarsi, va bene... ma poi? Domani mattina sarei daccapo al punto di prima... e allora come potrò mai avere una nuova vita? ".

Si staccò dalla soglia, si avvicinò allo specchio dell'armadio, si guardò ora avvicinandosi, ora allontanandosi: il proprio volto le appariva infiammato fin sotto le pupille scintillanti, ma se lo avvicinava scopriva, tra quel rossore acceso e gli occhi, un cerchio nero e profondo che la turbava come un'idea colpevole; se invece lo al-

lontanava, non c'era piú che una fanciulla vestita per la
festa, con le mani riunite in grembo, la grossa testa un
po' reclinata sulla spalla, gli occhi tristi, il sorriso impacciato. Niente di piú; avrebbe voluto penetrare il mi-
stero di questa sua immagine ma non le riusciva.

Lasciò l'armadio, fece qualche passo per la stanza, sedette sul letto; una leggera ansietà le impediva di pensare; si sentiva preparata, curiosa, e impaziente come
quando faceva qualche visita e aspettava, passeggiando
e guardandosi intorno, la sorridente entrata della padrona di casa; non c'era altro. Teneva le gambe accavalciate, la fronte curva, aveva lei stessa l'impressione
di meditare profondamente ma da certe fisse distrazioni
dei suoi occhi, si accorgeva, quando si alzava e si guardava nello specchio dell'armadio, di non poter pensare.

Stette cosí per qualche minuto: di dormire ormai non
era piú questione; ammetteva dentro di sé, vagamente,
che quella notte si sarebbe data a Leo, ma non sapeva
quando e le pareva che quel momento fosse ancora, per
fortuna, molto lontano. " Come piove! " pensava a intervalli quando il fruscío dell'acqua si faceva piú forte;
ma non le passava neppure per la mente che avrebbe dovuto uscire in quella notte, affrontare quella pioggia per
andare incontro all'amante; un languido stupore la possedeva; alfine, senza tristezza, lentamente, si prese la testa fra le mani e si lasciò cadere riversa sul letto.

In tale posizione non vedeva che il soffitto illuminato;
i soli rumori che arrivavano alle sue orecchie erano quelli
della notte tempestosa: ben presto, non senza ripetersi
che ad un certo momento avrebbe dovuto alzarsi e andarsene, chiuse gli occhi e si abbandonò ad una specie
di torpore pieno di paura e di diffidenza; ma il torpore
si tramutò in sonno, e pian piano, quasi senz'accorgersene, Carla si addormentò.

Fu un sonno vuoto, nero come la pece, il quale senza
alcun dubbio contribuí non poco alle amnesie e alle distrazioni di quella notte. Questa mancanza di sogni dovette ingannar la dormiente sulla durata del suo letargo;

improvvisamente e senza alcuna ragione ella si destò, una paura terribile l'agghiacciò, le fece mancare il respiro, poiché si accorse di essersi addormentata: " Ho dormito " ella pensò atterrita sorgendo sul letto e guardando intorno per la stanza illuminata e tranquilla; "· chissà che ore saranno... le ore due o le tre... e Leo sarà partito, avrà aspettato e se ne sarà andato ". Per un istante, dal rammarico, dalla disperazione, avrebbe voluto scoppiare in lacrime: " Ho dormito " ripeté ad alta voce prendendosi la testa fra le mani e guardando nello specchio la sua immagine dai capelli in disordine, dagli occhi spaventati: " ho dormito! ".

Si alzò, corse all'orologio che stava sul cassettone: non erano passati che tre quarti d'ora, l'orologio segnava le dodici meno un quarto.

Le parve impossibile, pensò che l'orologio si fosse fermato, se lo accostò all'orecchio; camminava; era vero, poteva ancora andar da Leo. Senza sapersene spiegar la ragione si sentí quasi delusa; riposò l'orologio sul cassettone.

Ma ora le veniva un altro dubbio: in che modo e quando doveva incontrarsi con l'amante? Si ricordava di quella frase: " tra un'ora "; non aveva neppure dimenticato quel particolare della macchina che l'avrebbe aspettata al cancello del giardino; ma, ecco, non era completamente sicura: " Il biglietto " pensò ad un tratto, " dov'è il biglietto? ".

Si guardò intorno cercando: non vide nulla. Guardò sul cassettone tra i ninnoli, nulla; andò al letto, lo scrollò, rovesciò il guanciale, nulla... L'invasero un'ansietà, una fretta irragionevoli; dov'era quel biglietto?... Corse per la stanza, buttando all'aria la roba, i vestiti, i cassetti... finalmente si fermò nel mezzo: " Vediamo " pensò, " l'ho letto giú nell'atrio, ma l'avevo in mano quando sono entrata, dunque dev'essere qui, calma, dev'essere qui ". Come quando si vuol afferrare una bestia agile e piccola, un topo, una farfalla, pian piano, meticolosamente, cercò, si chinò sotto i mobili torcendosi per non insudiciare il vestito, schiacciando la fronte e le guance sulla polvere del pavimento, aguzzando gli occhi nell'oscurità dei ripostigli. Ogni volta che si risollevava sentiva per tutte le membra una stanchezza nervosa; socchiudeva gli occhi, e immobile, con un gesto desolato delle mani aperte, pensava oscuramente di espiare attraverso quella triste ricerca una colpa dimenticata; ogni volta che si piegava, avrebbe voluto rompersi e restare a terra come un oggetto caduto e spezzato.

Cercò con uno scrupolo puerile anche nei posti assurdi: nel paniere dei ricami, nella scatola della cipria... Non trovò nulla; sedette stupita e fiacca: che specie di scrittura era quella che scompariva appena letta? La stessa favolosa irrealtà dei sogni metteva tra i suoi ricordi quell'impalpabile atmosfera che di certe parole e di certi atti rapidi e straordinari fa poi pensare: " Sono avvenuti oppure me li sono immaginati, sognati, fabbricati io? ". Quella stretta di mano, quel pezzo di carta avevano interrotto per un solo istante difficilmente riconoscibile la continuità dell'abitudine; poi, tutto era tornato come prima; ora, nella sua confusione, Carla avrebbe voluto rivedere quella scrittura di Leo! quel che le mancava non era il ricordo seppure vago di aver ricevuto il biglietto, ma la conoscenza certa e nitida di quel che conteneva; ella l'aveva toccato, l'aveva visto e letto ma non aveva avuto il tempo di convincersene; ora ne dubitava.

E che cosa c'era scritto? proprio un'ora o piú o meno? questa o la prossima notte? e non era ormai troppo tardi? e non pioveva troppo? e non sarebbe stato meglio coricarsi, dormire per ricominciare il giorno dopo la solita vita? Seduta, immobile, curva, il tempo la sorpassava; le pareva, a forza di dubbi, di spegnersi con le proprie mani, di suicidarsi.

Trasalí ai colpi acuti dell'orologio che suonava la mezzanotte; ebbe il primo pensiero pratico: " Andrò: se non ci sarà vuol dire che avrò sognato ". Guardò il quadrante, calcolò che Leo doveva aspettarla già da un quarto d'ora; allora l'invase una fretta assurda: corse alla finestra, incollò il volto contro i vetri neri; per vedere se piovesse ancora: ascoltò, guardò: nulla; la notte non voleva rivelarsi e alle sue spalle la stanza con una fatalità ironica le opponeva le sue bianche illusioni e l'indifferente luce della lampada. " Pioggia o non pioggia " pensò in furia, " mettiamoci l'impermeabile ". Corse all'armadio, ne trasse l'incerato, lo indossò davanti allo specchio; poi si curvò, strinse le giarrettiere allentate; volle anche incipriarsi, passarsi un po' di rossetto sulle labbra, pettinarsi; si mise un cappello qualsiasi, male, sulla nuca: " come le ragazze americane " pensò vedendo la fronte rotonda e dei riccioli scappar fuori dalla falda stretta. Cercò, cercò: " Quei maledetti guanti! ". Non pensava piú, viveva: una fretta meccanica aveva abolito in lei ogni umanità. Corse all'orologio con quella stessa frivola furia che tra i capelli, le calze, e i gesti delle sue braccia nude, preparandosi per qualche visita, le faceva gridare alla cameriera: " facciamo presto... è tardi... è tardi... ". Lo guardò: " Già dieci minuti passati " pensò: " presto... presto ". Aprí la porta e d'improvviso, trattenendo artificiosamente il suo impeto, uscí in punta di piedi nel corridoio.

L'anticamera era vuota ed illuminata, tutto era a posto, poltrone e divano; senza far rumore Carla tolse dal cassetto della tavola le chiavi della casa e con mille precauzioni, ora appoggiandosi alla parete, ora alla balaustra, discese la scala stretta; gli scalini di legno scricchiolavano sotto i suoi passi, l'altra rampa che le apparve dal pianerottolo era quasi del tutto oscura; se ne intravedeva appena il tappeto marrone che serpeggiava su per i gradini; l'atrio era buio. Ella accese la luce, passò per il corridoio tra le due file di specchi, nel vestibolo tolse l'ombrello dal portaombrelli, uscí.

Pioveva con abbondanza, la notte era nera e umida, da ogni parte arrivava il rumore monotono del diluvio; Carla discese la scala di marmo dell'ingresso e aprí l'ombrello con un gesto familiare che la stupí, come, pensò, se in certe straordinarie circostanze ogni cosa andasse fatta in modo diverso dal consueto.

Le parve di non attribuire alla sua fuga tutta la triste e vergognosa importanza che altri al suo posto le avrebbero dato; ecco, ella usciva, attraversava il viale, curva sotto l'ombrello, sforzandosi di non bagnarsi la faccia con la pioggia avversa, di evitare le pozze; attraversava a quell'ora tarda il parco, senza paura, senza meraviglia, senza neppure quella tristezza vasta e avventurosa che accompagna le azioni gravi; la ghiaia fradicia scricchiolava sotto i suoi passi, ella ne ascoltava con piacere il rumore: ecco tutto.

Alzò gli occhi, e vide davanti a sé la macchia nera del cancello, i due pilastri bianchi, il fogliame scuro di un grande albero curvo sotto la pioggia; aprì la porticina di servizio, uscí nella strada volgendo gli occhi alla parte opposta a quella dove Leo aspettava. " Non c'è " pensò delusa, osservando la luce tranquilla della lampada ad arco sul selciato bagnato e vuoto; ma già l'automobile dell'amante avanzava alle sue spalle, meno rapida del raggio improvviso dei due fanali accesi.

Addio strade, quartiere deserto percorso dalla pioggia come da un esercito, ville addormentate nei loro giardini umidi, lunghi viali alberati, e parchi in tumulto; addio quartiere alto e ricco: immobile al suo posto al fianco di Leo, Carla guardava con stupore la pioggia violenta lacrimare sul parabrise e in questi fiotti intermittenti colar disciolte sul vetro tutte le luci della città, girandole e fanali. Le strade si seguivano alle strade; ella le vedeva piegare, confluire una nell'altra, girare laggiú oltre il cofano mobile dell'automobile; a intervalli, tra i sobbalzi della corsa, delle nere facciate si staccavano nella notte, passavano, e si dileguavano come fianchi di transatlantici in rotta, non senza difficoltà, attraverso i marosi; gruppi neri di persone, porte illuminate, lampioni, ogni cosa si affacciava per un istante nella corsa e poi scompariva inghiottita definitivamente dall'oscurità.

Immobile, incantata, Carla guardava ora Leo, quelle
mani posate sul volante, quella maniera calma e riflessiva
di guidare, ora la strada; questi particolari l'affascinavano;
ella aveva la mente vuota. Cosí, quando, dopo
dieci minuti, l'automobile si fermò improvvisamente e
questo pensiero le venne: " siamo arrivati ", l'impressione
fu tale che il respiro le mancò.

Ma Leo discese e le ingiunse: " Aspetta qui ". Lo
vide, attraverso i vetri bagnati del parabrise, aprir qualche
cosa di nero che le sembrò un cancello e poi scomparire
nell'oscurità del giardino. " Bisogna mettere dentro
la macchina " pensò; infatti un rumore di saracinesca
le giunse attraverso la pioggia, la figura dell'uomo riapparve,
egli risalí, e senza curarsi minimamente di lei,
guidò la macchina prima sulla ghiaia intrisa, poi dentro
l'antro buio della rimessa; puzzo di benzina e d'acciaio
oliato; un lanternino rosso in un angolo; discesero ambedue
e non senza sforzo abbassarono la saracinesca; dopo
di che, Leo, meticolosamente, ne inchiavò il lucchetto.

Una lampada rotonda illuminava a destra la porta della
casa coi suoi quattro scalini di marmo e i suoi battenti
chiusi; Leo la aprí e spinse Carla nell'androne. All'opposto
del giardinetto buio e bagnato, tutto qui era colorato
e brillante, una lanterna di ferro battuto pendeva
dal soffitto, i muri erano dipinti a calce e avevano
uno zoccolo giallo, delle palme verdi s'innalzavano negli
angoli, tutto era nuovo; c'era anche l'ascensore, laggiú,
nella sua gabbia, ma preferirono andar su per la scala.

Salirono in silenzio due rampe. Al primo pianerottolo
un rumore appena soffocato di grammofono irruppe
sulle mattonelle lucide insieme con un brusío confuso,
intimo e lieto di voci e di piedi:

" Ballano " osservò Carla con un sorriso forzato appoggiandosi
alla balaustra: " chi sono? "

" Si tratta " disse Leo curvandosi e scrutando la targa
di ottone della porta, " del... signor dottore Innamorati,
il quale " soggiunse un po' per rallegrar Carla, un
po' per ingannare la propria impazienza " è in casa con

la sua gentile signora e i suoi giovani figli, per ricevere degnamente un'eletta compagnia di amici e di dame della migliore società". Rise e prese il braccio di Carla:

" Andiamo " disse: " ancora una rampa e siamo arrivati ".

Salirono ancora: si udiva per la scala bianca, vuota, e illuminata, la musica del grammofono risuonare lontana e fragorosa; nelle pause silenzio completo. S'indovinava allora il salotto piccolo, i ballerini fermi in piedi sotto il lampadario acceso, le risa, il movimento e negli angoli, presso le finestre, dietro le tende, i complimenti ingenui... Al secondo pianerottolo entrarono.

Nel vestibolo, Leo si tolse il cappello e il pastrano e aiutò Carla a liberarsi dell'impermeabile. Il vestibolo era vasto e bianco, tre usci vi si aprivano, in faccia alla porta vi era una gran finestra buia e rettangolare che senza alcun dubbio doveva guardare verso una corte interna. Passarono nel salotto: " Mettiamoci qui " disse Leo additando un gran divano di pelle pieno di cuscini. Sedettero: una lampada dal paralume rosso posata sopra un tavolino li illuminava fino al petto, le loro teste e il resto della stanza restavano nella penombra. Per un istante stettero immobili e non parlarono: Carla si guardava intorno senza curiosità; i suoi occhi si posavano ora su quella bottiglia di liquore là sul tavolino ora sulle pareti, come chi piuttosto che osservare aspetta con ansietà una parola oppure un gesto; Leo ammirava Carla:

" Ebbene, mia cara ", incominciò quest'ultimo finalmente, " cos'hai che non parli e neppure mi guardi? Su, animo, dimmi quel che pensi, e se desideri qualche cosa non far complimenti, domanda quel che vuoi, fa' come se tu fossi in casa tua ". Tese la mano, accarezzò con le dita il volto serio della fanciulla:

" Non ti dispiacerà mica " soggiunse senza ombra d'imbarazzo " d'esser venuta? ".

Ella voltò la testa: " No... " rispose " no, sono... contentissima... soltanto, mi capisci? bisogna che mi... abitui ".

" Abituati... abituati " disse Leo con sicurezza; si avvicinò ancor piú di quel che già non fosse a Carla: " Accidenti " pensava turbato ed eccitato, " che noia i preliminari ". Le girò un braccio intorno alla vita; la fanciulla non parve accorgersene:

" Che bel vestitino hai " incominciò Leo con voce carezzevole e sommessa: " Chi te lo ha fatto?... Che bella bambina sei... vedrai come si starà bene insieme: sarai la mia bambina, la sola bambina della mia vita, la mia graziosa bambina ".

Tacque, sfiorò rapidamente con le labbra la mano, il braccio nudo di Carla, si fermò per un istante sul collo, attirò la grossa testa seria; si baciarono; si separarono:

" Siediti qui " invitò l'uomo mostrando le sue ginocchia; Carla ubbidí con docilità; nel movimento ch'ella fece per assestarsi, la veste le discoprí le gambe, ma non venne riabbassata; questa noncuranza convinse definitivamente Leo della solidità della sua conquista.

" Che stanza c'è di là? " domandò la fanciulla additando l'altra porta del salotto.

" La camera da letto " rispose l'amante osservandola attentamente; e dopo un istante, abbracciandola daccapo, con voce persuasiva: " ma lascia star tutto questo... ascoltami... dimmi...; mi ami? ".

" E tu?... " ella domandò a fior di labbra, guardandolo con occhi seri.

" Io?... cosa c'entro?... Per forza ti amo, se no non avrei fatto quello che ho fatto... sicuro che l'amo la mia Carlotta, la mia bambola, la mia Carlottina " soggiunse Leo ficcando delle dita sconvolgitrici nei capelli della fanciulla; " la amo moltissimo e guai a chi me la toccherà... e la desidero anche, certo... tutta intera... desidero queste labbra, queste guance, queste belle braccia, queste belle spalle, questo suo corpo pieno di... femminilità, delizioso, pieno di fascino e di grazia che... che... che mi farà impazzire " egli esplose alfine e come preso da una specie di frenesia si gettò su Carla, l'abbracciò con tutte le sue forze, cadde insieme con lei sopra il divano; la lampada illuminò con la sua luce indifferente la schiena dell'uomo dalla giacca tutta sottesa dallo sforzo del torso e le gambe di Carla, calzate di rosa. Stettero cosí per qualche istante, tra i sussulti della libidine confuse parole di tenerezza uscivano di bocca all'uomo. Carla invece taceva. L'atteggiamento della fanciulla tra questi furori era docile ma non rassegnato, i suoi pensieri non erano cosí lucidi come ella aveva preveduto, un vergognoso e scomposto eccitamento incominciava ad ardere le sue guance; insomma, era inutile nascenderselo, quelle carezze non la lasciavano del tutto indifferente, un certo piacere tanto piú acuto in quanto le pareva assurdo veniva ad annebbiare la coscienza: " Vediamo " ella pensava tra i fremiti istintivi che le strappavano le strette libertine e crudeli dell'amante, " cosa sto facendo?... ". Mai come ora, questa sua tresca le era apparsa sotto un aspetto tanto comune, imperdonabile e rovinoso, " una nuova vita " pensò ancora debolmente; poi chiuse gli occhi.

Ma la lussuria dell'uomo sapeva non oltrepassare certi limiti; veder Carla abbandonarsi con gli occhi chiusi, bianca come la cera sul fondo cupo del divano, e pensare: " no... prenderla qui no... di là sí... qui è troppo scomodo ", fu tutt'uno. Egli si risollevò, fece risollevare la fanciulla; per un istante stettero immobili, ansanti, senza parlare; la luce della lampada lasciava nell'ombra Leo, appoggiato sul fondo del divano, e illuminava Carla: ella era già tutt'altra dalla signorina di pochi minuti prima, aveva i capelli arruffati, una ciocca le pendeva davanti agli occhi, il volto era rosso, grave e turbato, una delle due bretelline del vestito durante l'abbraccio si era spezzata e pendeva in due lembi, uno sul petto e uno sull'omero, discoprendo la spalla bianca e nuda. Allora, mentre cosí assorta ella guardava davanti a sé, l'uomo osservò una cosa strana: qualche cosa molto simile a un cartiglio piegato in quattro riempiva l'incavo della veste tra i seni e ne tendeva la seta rossa con due o tre punte aguzze; egli sorrise, tese una mano e toccò l'oggetto:

" E questo cos'è? " domandò senza alcuna intenzione, per pura curiosità. Carla voltò una faccia spaurita:

" Cosa, questo? ".

" Quel... pezzo di carta che tieni cosí gelosamente in seno " insistette Leo con un sorriso quasi paterno.

Ella abbassò la testa, si portò una mano al petto; non c'era dubbio, l'amante aveva ragione, qualche cosa che assomigliava molto ad un pezzo di carta stava nascosto lí, tra la camicia e la carne; solamente ella non si ricordava di avercelo messo né riusciva a capire che cosa fosse; alzò gli occhi, guardò sconcertata l'amante.

" Il posto dove tutte le bambine mettono i loro segreti " disse Leo, che l'idea di un tale nascondiglio inteneriva ed eccitava insieme; " vediamo, Carla, vediamolo questo tuo segreto ". Tese la mano e fece il gesto d'introdurla sotto il vestito.

" Non ti permetto " ella gridò improvvisamente, senza neppur saper lei perché, coprendosi con le mani.

Il sorriso dell'uomo scomparve: " Va bene " egli disse osservando attentamente la fanciulla: " ti permetto di non permettere... tiralo fuori tu questo tesoro... e poi leggilo ad alta voce ".

Silenzio; Carla guardava l'amante tra irresoluta e disorientata, intuiva che questa storia del pezzo di carta incominciava ad irritarlo; lo si vedeva dagli occhi che erano diventati duri; e si tormentava invano per sapere che cosa quel cartiglio che le sue dita curiose tastavano potesse contenere; ma non lo tirò fuori, un po' per un triste puntiglio (e se veramente fosse stato un segreto suo da non confidarsi a nessuno?), un po' per una vaga intenzione di vedere come agisse Leo quando la gelosia lo pungeva.

" E se io " disse alfine in tono di sfida, posando le mani sulle ginocchia " se io non volessi mostrartela questa lettera? ".

" Ah! è una lettera " esclamò Leo interessato e già

inquieto " e di chi, se non ti dispiace, di quale persona
cosí importante da tenerla lí, proprio lí, e da non potere
lasciarla a casa? ".

Ella lo guardò tra le ciglia socchiuse, inchinando la sua
grossa testa arruffata sopra la spalla nuda: " Questo "
rispose assumendo un atteggiamento capriccioso, guardando in aria e tamburellando tranquillamente con le dita
sopra le sue ginocchia, " questo non te lo dico ".

" È capacissima " pensò Leo del tutto irritato, " capacissima di avere qualchedun altro... capacissima ". Si
sollevò lentamente dal divano:

" Senti Carla " disse scandendo le parole e piantan-
dole addosso due occhi imperiosi e indagatori: " io voglio assolutamente sapere di chi è questa lettera ".

Ella rise un poco, divertita da questa gelosia; ma non
cambiò la sua sdegnosa attitudine: " Indovina " disse.

" Un uomo " domandò Leo.

" Già " ella commentò in tono canzonatorio; " già,
sempre che non sia una donna ". Per impedirgli qualche gesto brusco teneva una mano sul petto; guardava
in aria; i suoi occhi voltati verso il soffitto pieno d'ombra si socchiudevano; si sentiva stanca; avrebbe voluto
piegare la testa su questo suo segreto che non esisteva,
e dormire.

" Ho capito " disse Leo con un sorriso forzato, " ho
capito... qualche innamorato... qualche giovincello... ".

" Neppur per sogno " ella rispose senza abbassar la
testa, " un uomo ". Vedeva sulla parete opposta l'ombra di Leo vaga e larga, muoversi or qua or là come se
si fosse preparato a saltarle addosso:

" Un uomo " ripeté con voce piú stanca senza cessare
quel giuoco delle dita " e se tu sapessi " soggiunse ubria-
candosi d'una tristezza senza ragione. " Se tu sapessi
come lo amo!... ". I suoi occhi si socchiudevano pieni di
lacrime, il suo cuore tremava: " E invece " pensò freddamente " quest'uomo non c'è ".

" Un uomo... tutti i miei complimenti ". Ora Leo s'irritava veramente: questa purezza che non esisteva, que-

sta conquista che altri aveva fatto gli mettevano il diavolo in corpo; la Carla puerile e casta dei suoi desideri cedeva il posto ad una signorina esperta in amore, che non temeva di visitare gli uomini nelle loro case; il solletico, il profumo, il fiore dell'idillio svanivano; il suo amor proprio di seduttore restava a mani vuote davanti ad una porta aperta:

" È colpa mia " soggiunse convinto: " avrei dovuto pensarlo che non era la prima volta ".

" La prima volta di che? " ella domandò voltandosi di scatto.

" La prima volta che... m'intendi... che fai delle visite, che vai in casa di qualcheduno ".

Un rossore acceso salí alle guance di Carla, ella guardò l'amante, combattuta tra il desiderio di protestare e rivelargli la stupida verità e quello di continuare la finzione incominciata; ma alla fine seguí il secondo partito.

" E anche se fosse vero? " disse guardandolo negli occhi.

" Ah! dunque è vero? ". Per un istante Leo strinse i denti e i pugni, poi si dominò ed ebbe una stridula voce di sarcasmo: " Ah, cosí, purissima fanciulla, tu hai un amante... ".

" Sí " ella confessò, arrossendo di nuovo; quell'ironia e il tono dell'uomo le facevano male all'anima; mai come ora aveva sentito un tanto grande bisogno di bontà.

" Ma brava, ma bravissima " ripeté Leo con lentezza; guardò Carla negli occhi e come parlando a se stesso: " Già si capisce... tale la madre... tale la figlia ". Poi bruscamente un furore rosso gli iniettò gli occhi di sangue; afferrò la fanciulla per un braccio:

" Sai cosa sei tu?... una... una... "; nella sua rabbia non sapeva trovar l'epiteto giusto, e balbettava: " una svergognata... e ciò nonostante sei venuta anche da me? "

" Questa è un'altra cosa " rispose Carla con calma.

" Che roba... che schifo... e dire che ha appena ventiquattr'anni " si ripeteva Leo guardando la fanciulla:

" E si può sapere almeno chi sia quel signore? " domandò.

" È un uomo alto " ella disse sforzandosi di concretare quella vaga immagine ideale verso la quale la sua anima si tendeva; " ha i capelli castani... una bella fronte calma, un volto ovale... non è rosso, è piuttosto pallido... ha delle mani molto lunghe ".

" Santore " esclamò Leo prendendo il primo degli amici di Carla che gli parve somigliante al ritratto ch'ella andava facendo.

" No, non è lui ". Carla guardò avanti a sé: " Magari esistesse " pensava, " ora non sarei qui ". Tacque per un istante:

" Egli mi ama molto ed io lo amo molto " continuò con una dolcezza piana e facile che l'incantava e la meravigliava, perché ora le sembrava di neppure mentire; " ci siamo conosciuti due anni fa... e da allora ci siamo sempre veduti... egli non è come te... è... è soprattutto buono, voglio dire che mi comprende anche prima che io abbia parlato, che a lui posso confidare tutto quello che penso, qualsiasi cosa, e lui mi discorre come nessuno, e mi prende nelle sue braccia e... e... ": la sua voce tremò, gli occhi le si empirono di lacrime; in quel momento era convinta ella stessa di quel che diceva, quasi le pareva di vederla, là, davanti a lei, in carne e ossa, questa creatura della sua fantasia; " ed è veramente diverso da tutti gli altri, e non c'è che lui che mi abbia veramente amato " ella concluse commossa ed anche un po' stupita dalla sua stessa menzogna.

" Il nome " disse Leo per niente impressionato da quel tono e da quelle parole; " si può sapere il nome? "

Carla accennò di no con la testa:

" Il nome no ".

Un istante di silenzio; si guardarono; poi: " Dammi quella lettera " ordinò l'uomo perentoriamente.

Turbata ella si coprì il petto con le mani: " Perché Leo?... " incominciò con voce supplichevole.

" La lettera... fuori la lettera ". D'improvviso egli af-

ferrò alla cintola la fanciulla e tentò per forza d'introdurre la mano in quel suo nascondiglio; ma Carla si
divincolò, si liberò, alfine, scarmigliata, corse alla parete
opposta.

"Non lo sai che con la violenza non si ottiene nulla?" gli gridò, e aperta la porta della camera da letto
scomparve.

Preso da un furore senza limiti Leo si precipitò contro quell'uscio chiuso; ma Carla, dall'altra parte aveva
girato la chiave ed egli non poté entrare: "Apri" gridò
alfine al colmo della rabbia, urtandovi con i pugni: "apri,
stupida..." : nessuna risposta.

Gli venne ad un tratto in mente che poteva entrare
nella camera da letto dalla parte del bagno; corse nel
vestibolo, passò nel bagno; tutto era a posto, nell'ombra
i tubi nichelati e le mattonelle di lucida maiolica brillavano. Si accorse con gioia che l'uscio dai vetri verdi
era socchiuso; dapprima non vide Carla; la luce era
spenta, una rada oscurità empiva la stanza; "Che si sia
buttata dalla finestra?" pensò per un attimo, chissà
perché, avanzando a tastoni. Accese la luce, la stanza era
veramente vuota: "Che il diavolo se la porti; dove potrà essersi mai nascosta?" si domandò, e già stava per
uscire e andare a cercare la fuggitiva nelle altre stanze
dell'appartamento, quando, ad un tratto, la vide, là, rannicchiata, in piedi, dietro l'uscio del bagno.

Le andò semplicemente incontro, l'afferrò per un braccio, la tirò fuori con una certa violenza dal suo nascondiglio, come si fa coi bambini riottosi:

"Fuori questa lettera" le intimò con severità, te-
nendola ben stretta.

Si guardarono; ora il pensiero che l'amante potesse
accorgersi della sua menzogna spaventava e umiliava la
fanciulla; ella capiva che quel pezzo di carta non doveva
aver alcuna importanza, doveva essere un biglietto da
visita o chissà quale altra stupidaggine, e soffriva al-
l'idea di essere costretta a confessare all'uomo che i suoi
sogni non esistevano.

Fece un ultimo tentativo: " Questo non è giusto, Leo... " incominciò con voce querula; " io... ".

" La lettera! " intimò l'uomo per la seconda volta. Ella capí che era inutile ribellarsi. " Sarà quel che sarà " pensò rassegnata e anche un poco interessata da quel che la lettera potesse contenere; mise la mano sul petto, ne trasse il pezzo di carta, lo tese all'uomo: " Eccola ".

Leo lo prese, ma prima di esaminarlo guardò la fanciulla. Allora, chissà perché, fu come se un'insormontabile vergogna l'avesse d'improvviso assalita; bruscamente, il volto di Carla si contrasse, ella si voltò, andò al letto, vi si buttò nascondendosi il volto nelle mani; fu soltanto un gesto, non l'accompagnarono né l'animo né alcun vero sentimento; ella stessa non s'ingannò sul suo significato; poi ad un tratto, sentí l'uomo ridere, e rialzò la testa:

" Ma è il mio biglietto " egli le gridò andandole incontro, " il mio biglietto che io ti ho dato oggi ".

Ella non si stupí; in fondo quella storia della lettera era assurda, nessuno poteva scriverle, nessuno l'amava... ma ciò nonostante le parve crudelmente ingiusto che cosí fosse; ingiusta questa assenza del miracolo (perché non poteva quel gran desiderio che ne aveva cambiare in epistola amorosa quello stupido biglietto?), ingiusta questa meticolosa realtà: impallidí:

" Già, il tuo biglietto " disse con un senso di delusione amara e inevitabile. " Che cosa volevi che fosse? ".

" Ma allora " egli continuò avvicinandosi e sedendole a fianco, sul letto " allora sono io quell'uomo... capelli castani, fronte calma... sono io che ami ".

Ella lo guardò a lungo come se avesse voluto ravvisare in quel volto rosso e compiaciuto l'immagine sognata:

" E... e " disse esitando e abbassando gli occhi con la coscienza di mentire daccapo; " non l'avevi ancora capito? ".

Per la prima volta da quando Carla lo conosceva, Leo

ebbe un riso fresco, quasi giovane, spontaneo: " Io no "
gridò; la prese per la vita:

" Sia come non detto tutto quello che ho detto " ripeté " sia come non detto ". Si chinò; la baciò sulle
spalle, sul collo, sulle guance, sul petto: quel corpo tornava ad eccitarlo, insieme con l'illusione ritrovava la
libidine:

" La mia piccola bugiarda " ripeteva, " la mia piccola
bambina bugiarda... ".

Questi sfoghi d'amore non durarono piú d'un minuto; poi egli si alzò goffamente dal letto:

" E ora? " domandò tra il serio e il faceto senza rav-
viarsi quei suoi capelli in disordine che gli davano un
aspetto non si sapeva se ebbro o maldestro: " Non credi
che sarebbe tempo di andare a dormire?... Io ho un sonno... un sonno terribile ".

Carla sorrise con sforzo, accennò timidamente di sí.

" Allora, da brava " disse l'uomo " questo è il pigiama... " e le mostrò un cencio a grosse righe posato sul
capezzale " là sull'armadio se ne hai bisogno c'è il necessario per la teletta...: svestiti e mettiti a letto che io
ti raggiungo subito... ". Le sorrise ancora, del tutto fidu-
cioso, le batté con la mano sulla spalla e uscí dalla parte
del bagno.

Il letto largo e basso occupava un angolo interno; ella
vi si distese e guardò la stanza: nella penombra che
quella sola lampada accesa presso il capezzale non rom-
peva, s'intravedevano due armadi dagli specchi lucidi,
uno a destra della porta del salotto, l'altro dalla parte
opposta; e non c'era altro; la finestra occupava tutta la
parete opposta, era bassa, rettangolare, con piccoli vetri;
aveva delle mezze tendine candide; sotto la finestra c'era
il termosifone nascosto da una specie di griglia; le persiane erano chiuse, la porta del salotto era chiusa, e cosí
anche quella del bagno che ella vedeva di sbieco, dai
vetri illuminati blandamente come le pareti di un acquario se ci batte il sole. Abbassò gli occhi, una gran spoglia d'orso, bianca e irsuta, stava distesa ai suoi piedi:
aveva occhi di celluloide gialla, una bocca spalancata
piena di denti aguzzi; la pelle piatta dalle zampe corte
e dalla coda esigua dava l'impressione che un rullo gi-
gantesco l'avesse a quel modo spianata, non lasciando
intatta che la testa feroce. Si alzò, fece macchinalmente
qualche passo per la stanza, toccò la stufa che era calda,
allargò una tendina, poi si voltò: dietro quei vetri lu-
minosi della porta del bagno, l'ombra dell'amante passava e ripassava, si udiva un getto d'acqua scrosciare,

altri rumori... Allora, non senza aver osservato negli specchi cupi degli armadi la sua figura scapigliata e spaurita, tornò al letto e incominciò a spogliarsi.

Non pensava a nulla; le azioni inconsuete che compiva la assorbivano completamente, le davano uno stupore trasognato. Quel che soprattutto l'impressionava era di non essere a casa sua, di trovarsi a quell'ora in quella stanza; si tolse il vestito lacerato, lo depose sopra la bassa poltrona che stava a pie' del letto; le calze e contemplò un istante le sue gambe nude; la sottoveste, le mutande; esitò; aveva da togliersi anche la camicia? Ci pensò; sí, certo, era necessario; se la sfilò e la buttò sugli altri panni. Non si sentí nuda che sotto le lenzuola fredde, dove si rannicchiò tutta contro la parete, con una mano tra le gambe e una sul petto: il pigiama dalle grosse righe, che faceva pensare ad un'uniforme criminale, l'aveva buttato in terra; le era venuto in mente che la madre aveva potuto indossarlo.

A poco a poco il suo corpo ardente riscaldava le lenzuola. Ad un tratto ebbe l'impressione che questo tepore avesse sciolto quel nodo di paura e di stupore che fino allora le aveva ingombrato l'anima; si sentí sola, provò una gran tenerezza, una pietà indulgente per se stessa, si sforzò di raccogliersi, di raggomitolarsi piú che poteva, fino a toccare con le labbra le sue ginocchia rotonde. L'odore sano e sensuale che emanavano la commosse; le baciò piú volte appassionatamente: " Povera... poverina... " si ripeteva accarezzandosi. Gli occhi le si empirono di lacrime; avrebbe voluto piegar la testa sul suo petto florido e piangervi come su quello di una madre; poi senza cessare di fissare con gli occhi attenti quella parete appena illuminata dalla lampada, ascoltò: i rumori che le arrivavano erano familiari e rivelavano irreparabilmente il luogo dove stava: la pioggia cadeva ancora, se ne udiva il fruscío; qualcheduno camminava nel bagno; dell'acqua scorreva; se si muoveva, il letto mollemente sprofondava, con un suono sordo, e in un certo modo lontano, non sapeva se per qualche ricordo o per la estrema cedevolezza delle piume. Non era il letto di casa sua, duro e stretto, né uno di quei letti stranieri nei quali ci si caccia dopo un lungo viaggio, e ci par subito di stare troppo in basso o troppo in alto, e ci si dorme senza soddisfazione; no; questo era un letto comodo, tenerissimo, pieno di attenzioni e di premure; soltanto il corpo ne aveva paura, vi si rannicchiava tutto, vi tremava, e ogni tanto tendeva una mano esitante a tastare lo spazio immenso e freddo che avanzava dietro, quella Siberia di tela, disabitata e ostile; era una sensazione sgradevole: come camminare per una strada buia sapendo di avere qualcheduno alle spalle.

Chiuse gli occhi stanchi; era appena un minuto e le pareva un'ora che stava in quel letto: " Perché Leo non. viene? " si domandò ad un tratto. Questo pensiero ne trascinò degli altri: " Non mi volterò se non quando avrà spento la luce " si disse senza odio: " non voglio vederlo... ".

Rabbrividí: " è la fine " pensò distrattamente e senza convinzione; ora da quella volontà di distruzione che l'aveva portata fino a quel letto nasceva in lei un desiderio avido dell'oscurità nella quale tra poco si sarebbe abbracciata all'amante; immaginava, non senza turbamento, non sapeva se per una voglia istintiva di godere o per quel suo programma di avvilirsi completamente, di buttarsi, nelle tenebre e nella promiscuità di quella notte, a tutte le piú bestiali sfrenatezze di cui pur senza aver la conoscenza aveva da tempo indovinato l'esistenza; ma queste eccitate fantasie non la distraevano dall'attesa: " Perché Leo non viene? " si ripeteva ogni tanto... E poi, rotta dalle fatiche di questa lussuria, si sarebbe addormentata accanto all'amante; quest'idea le piacque, chissà perché, e già pensava che doveva essere insieme dolce e triste dormire in compagnia, l'uno a fianco dell'altro, magari abbracciati, nudi e uniti, nella notte; e quasi ne provava dell'affetto per Leo, e immaginava che non si sarebbe mossa, che avrebbe trattenuto anche il respiro per non destarlo... quando la porta del bagno si aprí con un tintinnío di vetri.

Contro l'ansietà che aveva finito per invaderla, questo rumore improvviso ma familiare le fu grato in quel momento come una presenza amica in qualche luogo sconosciuto o spaventoso: con quel suono, in quel modo, si aprivano le porte a vetri di tutto il mondo, cosí in casa sua che altrove. Dimenticò di colpo tutto il suo programma, spalancò gli occhi, vide sulla parete l'ombra larga dell'uomo e si voltò: l'amante si curvava su di lei. Ella ebbe appena il tempo di accorgersi che non indossava alcun pigiama, ma una specie di leggera veste da camera, e che si era accuratamente rasato, incipriato, pettinato; poi con un gesto semplice, senza lasciare quella sua espressione dura e distratta, egli sollevò le coltri e scivolò al suo fianco.

Il primo ad addormentarsi fu Leo; l'impreveduta seppure inesperta sfrenatezza di Carla l'aveva spossato. Dopo l'ultimo abbraccio, poiché stettero per qualche istante ambedue immobili, con le membra madide confuse tra di loro, gli occhi socchiusi e le teste unite sul capezzale in una specie di esausto dormiveglia, la fanciulla sentí l'amante ritirar pian piano il braccio dalla sua vita, districar le gambe dalle sue e voltarsi verso la parete. " E domani mattina?... " ella pensò confusamente ascoltando il respiro tranquillo del dormiente, " e domani mattina? ". Si sentiva anche lei stanchissima, quella fitta oscurità della stanza le pareva un secolo che ci stava immersa, la testa le doleva, non osava muoversi; poi, d'improvviso, benché avesse ancora la netta sensazione di quel corpo nudo contro il suo, di quelle lenzuola piene di un calore speciale tanto nuovo per lei, di quella specie d'impalpabile atmosfera che non le lasciava dimenticare neppure per un istante la casa, la stanza dove si trovava; d'improvviso, tutti questi elementi straordinari cessarono di stupirla, fu come se in un colpo solo ella ne avesse acquistato l'indurita abitudine; si voltò, tirò dalla sua parte le coltri e si addormentò.

Subito ha un sogno strano: le pare di vedere quel-

l'immaginario amante che aveva saputo cosí bene de-
scrivere a Leo, alto, forse perché sta in piedi mentre
ella giace supina, dalla fronte calma, dagli occhi pieni
al tempo stesso di serenità e d'indulgenza; è molto dritto,
è vestito trasandatamente e la guarda con meravigliata
attenzione come se veramente sia entrato allora nella
stanza e l'abbia appunto trovata cosí com'è, distesa nuda,
là, su quel letto, con quel suo corpo una volta intatto
ed ora deflorato, e anche, sí, anche qua e là insudiciato,
sul petto, sul ventre, sulle braccia, dalle recenti libidini
di Leo. Ella non si vede, sta supina, ma da quegli sguardi dell'uomo capisce di aver le membra sparse di Dio sa
che macchie o segni, di esser mutata anche per lui, straniero, da quella Carla che era prima della tresca; restano
cosí ambedue, in questi atteggiamenti per qualche istante, si guardano, non si muovono, ma alla fine la vista di
quel volto calmo, severo e attento, la tortura di quegli
occhi rivolti al suo corpo deflorato (e il peggio è che
ella non può vedersi) le riescono intollerabili, con un
gesto istintivo si copre il viso con un braccio e vorrebbe
piangere; altra sgradevole sorpresa; i suoi occhi restano
secchi, per quanti sforzi faccia le lacrime non sgorgano,
ella non può piú piangere. Eppure un dolore immenso,
un rammarico amaro, non sa di che, la pungono; si la-
menta, urla, almeno cosí le pare nell'imbroglio del sogno, e, pur restando supina (altro tormento: il senso
di essere inchiodata contro quel letto, di non potersi
alzare, piegare...), si torce col petto, coi fianchi nudi; a
intervalli, tra questi suoi movimenti spasmodici di farfalla trafitta, vede la testa calma, laggiú, molto lontana,
quegli occhi non cessano di guardarla, quella fronte giu-
sta: " piangere... piangere " ripete dentro di sé, fa tutti
i tentativi per bagnare almeno di una sola lacrima le
sue palpebre aride, ma è inutile... quel suo dolore non
si esprime, resta come un peso enorme nella sua anima,
la soffoca; alfine non ne può piú e tende le braccia fre-
netiche verso quella testa lontana... le pare di chiamar
l'uomo coi nomi piú dolci, dei nomi nuovi e spontanei

che la commuovono profondamente, e di promettergli
di amarlo tutta la vita, sempre (questo senso di eternità
le dà una grande amarezza, non sa perché); ma invano,
ché ad un tratto l'uomo scompare ed ella ricade nel-
l'oscurità; scoppia allora, con crescente sonorità, una sil-
laba cupa come un rintocco di campana: " San... San...
San... San... ", che mette nella sua anima uno scompiglio
e una paura atroci; e poi, bruscamente, al nome intero
" Santore " ella si desta.

La stessa notte nella quale si era addormentata l'avvolgeva ora, aveva tutto il corpo bagnato di sudore e
sentiva al fianco sinistro una zona umida e ardente di
calore: " Dove sono? " si domandò spaurita. Fu un solo
attimo di disorientamento ché, subito, si ricordò di tutto
quel che era successo e capì che quel calore proveniva
dal fianco nudo di Leo che combaciava col suo; poiché
le pareva di soffocare ributtò le coltri dal petto, trasse
le braccia dal viluppo fastidioso delle lenzuola; questa
libertà, questa frescura le diedero un gran sollievo; spalancò completamente gli occhi ché ormai, sia per timore
di un altro incubo, sia per il nervosismo che la possedeva, non aveva più voglia di dormire, e si diede istintivamente a rievocare gli avvenimenti occorsi dal principio di quella notte.

La memoria dei fatti le tornava a brani: ora le pareva
di rivedersi in quell'automobile in corsa, sotto la pioggia,
per le vie della città; ora nel salotto, seduta sulle ginocchia dell'amante; quasi simultaneamente le riappari-
vano l'immagine di Leo in atto d'entrar nel letto dov'ella
l'aspettava e l'altra più strana e più turbante, di loro
due nudi, l'uno a fianco all'altro, insonnoliti e storditi
in quella luce accecante della stanza da bagno tutta mu-
rata di maiolica bianca, dritti, in piedi in attesa di quel-
l'acqua calda con la quale si sarebbero lavati. Questi
ricordi così recenti le parevano invece lontani e come
staccati dalla sua persona, non li possedeva né se li
spiegava, le sembravano pieni di una inammissibile irrealtà; e pure non c'era dubbio, questa vita così vicina

che le figure che vi si muovevano le apparivano grandi
al naturale, l'aveva vissuta lei; bastava che ella tendesse
una mano sotto le lenzuola per toccare il corpo nudo
dell'amante addormentato o che accendesse la luce per
convincersi che ella si trovava davvero nella camera di
Leo e non nella sua: " Lontana dalla mia casa ", pensò
finalmente con un turbamento straordinario; " qui... nel
letto del mio amante... ". Ma se le rievocazioni dei fatti
piú normali di quella notte già la stupivano, certe altre
di cose che nonché prevedere aveva sempre ignorato, la
sconvolgevano addirittura, non si saziava di analizzarle,
ricominciava piú volte a ricostruirle, per cosí dire le
riassaporava... per esempio la memoria precisa di certe
momentanee chiaroveggenze, per le quali, quando la lampada era ancora accesa, aveva sorpreso, foss'anche per
un attimo, certi loro atteggiamenti, di lei e dell'amante,
di una tale indecente mostruosità, che le si erano per
cosí dire stampati in mente in modo incancellabile.

Ma fosse l'oscurità che l'avvolgeva, fosse veramente un
senso di paura e d'incertezza, a poco a poco queste rievocazioni la stancarono, non bastarono piú a distrarla
dalla coscienza delle sue presenti condizioni. " E ora "
pensò ad un tratto " cosa mi succederà? ". Non voleva
confessarselo ma si sentiva terribilmente sola... ecco...
stava distesa supina, in quel letto, abbandonata ai suoi
pensieri solitari, alle sue paure, alla sua debolezza; la
notte riempiva i suoi occhi sbarrati, l'amante non l'accarezzava sulla fronte, non riavviava i suoi capelli scomposti, non l'assisteva nel suo angoscioso dormiveglia,
non la difendeva, era come se non ci fosse...: un respiro tranquillo e niente di piú, là, alla sua destra, poteva esser tanto di Leo che di un'altra persona, le ricordava ogni tanto che non era sola.

Le venne d'improvviso un desiderio isterico di compagnia e di carezze; " perché dorme? ", si domandava,
" perché non si cura di me? "; quel respiro letargico,
là, al suo fianco, aveva finito insensibilmente per spa-
ventarla, non le pareva dell'amante, ma di un altro uomo

a lei sconosciuto e magari anche ostile; c'era insomma in quel respiro un ritmo cosí indifferente, una regolarità tanto mostruosamente in contrasto con le sue angosce e i suoi fantasmi ch'ella non sapeva davvero se impaurirsene o indignarsene; tentò di dimenticarlo, tese le orecchie, ascoltò i pochi rumori dell'appartamento, certi scricchiolii dei mobili, certi fruscii; poi spalancò gli occhi nell'oscurità per vedere qualche cosa su cui fissare tutta la sua attenzione... ma ogni sforzo fu inutile, il respiro s'imponeva, calmo, quasi inumano... " Come sarebbe bello " pensò alfine scoraggiata " se egli ora si destasse e mi dicesse che mi ama ". E già immaginava come tutto questo sarebbe avvenuto; ecco... egli l'avrebbe riattirata al suo fianco, e guancia contro guancia, le avrebbe mormorato in un orecchio le dolci parole, già al solo pensiero se ne sentiva tutta commossa e quasi consolata, quando, repentinamente, una terribile paura l'agghiacciò.

Le parve ad un tratto che l'uscio del bagno, laggiú in fondo al letto, si stesse aprendo; in quel punto, sia che i vetri emanassero qualche luminosità, sia che le persiane della finestra del bagno fossero aperte e un po' di luce venisse dal cortile, certo è che le tenebre erano meno fitte che nel resto della stanza... ed ecco... laggiú, non c'era dubbio, l'uscio si apriva pian piano, si muoveva, come se qualcheduno desideroso d'entrare l'andasse cautamente spingendo dall'esterno.

Dal terrore, il respiro le mancò, il cuore incominciò a battere in petto furiosamente; restò immobile, irrigidita, supina con gli occhi fissi in quella direzione; questo pensiero pazzo a cui, del resto, pur esprimendolo, subito non credette, le attraversò la mente: " È mamma che viene a sorprendermi... ". Poi la porta ebbe un leggero tintinnío e questo fu troppo per Carla: a occhi chiusi, con quanta forza poteva, con un senso di lacerazione ella cacciò un urlo lungo, lamentoso.

Ci fu un tramestío; la luce si accese, riapparve la stanza tranquilla, Leo tutto insonnolito sorse sul letto:

" Eh!... cos'è successo? ".

" La porta " balbettò Carla bianca e ansante, " la porta del bagno ".

Senza dir parola l'amante discese dal letto, ella lo vide aprir quell'uscio, scomparire nel bagno, riapparire: " Io non vedo nulla " egli dichiarò; " sarà stato il vento... avevo lasciato aperta la finestra del bagno... ". Tornò al letto, sollevò le coltri, si ridistese: " Non pensarci piú e dormi " le disse, " buon sonno ", e spense la luce.

Questi atti dell'uomo furono cosí rapidi, cosí breve quella parentesi di luce, che ella non ebbe il tempo né di parlare né almeno, con un abbraccio o uno sguardo, di esprimergli tutto il desiderio estremo di carezze e di consolazione che in quel momento le premeva l'animo; allora, nella rinnovata oscurità, dopo un istante di incertezza, incominciò a piangere.

Le lacrime colavano rapide sulle sue guance, tutta l'amarezza che aveva accumulato in quella notte dirompeva ora da ogni parte della sua anima: " Se mi avesse amata " si ripeteva " mi avrebbe consolata... e invece niente: ha spento la luce e si è voltato dall'altra parte ". Quella solitudine che prima aveva appena intuito, ora le appariva inevitabile; si coprí gli occhi col braccio nudo; ebbe, se la sentí sul volto, una smorfia di amaro dolore: " Non mi ama... nessuno mi ama ", non cessava di ripetersi. Si tirava i capelli con le dita; ormai aveva le guance tutte intrise di lacrime; alfine la stanchezza che covava in lei la vinse e piangendo ella si riaddormentò.

Quando si destò doveva già esser giorno, lo indovinò da quel po' di luce che le stecche delle finestre lasciavano trapelare nella diradata oscurità della stanza. Si destò con facilità, riconobbe subito il luogo dove si trovava, non stupí né di vedersi addosso quel pigiama dalle grosse righe che la sera avanti non aveva voluto indossare, benché non ricordasse in qual preciso momento della notte avesse potuto infilarlo, né, appena si fu alzata e appoggiata alla parete e i suoi occhi assonnati si furono abituati alla polverosa penombra della stanza di scorgere, là, sul guanciale, quella macchia oscura e arruffata, la testa di Leo. Insomma quel sonno aveva dissipato tutti gli stupori e le paure della notte; era come se ella fosse stata ormai da anni abituata a destarsi in quel modo, in quel letto dell'amante; finiti il tormento, la meraviglia, l'impazienza; finita quella sensazione d'irrealtà triste e avventurosa; con le spalle contro la parete, gli occhi sbarrati nell'ombra soffocante, Carla indovinava dall'insolita sazietà, dalla calma, dalla riflessiva pazienza che la possedevano, di essere veramente entrata in una nuova vita. " È strano " pensò ad un certo punto, non seppe se con paura o con dispetto, " è come se io fossi d'un tratto diventata molto piú vecchia di quel che già ero... ". Restò cosí immobile, vagamente preoccupata, per qualche secondo; poi si chinò e scosse l'uomo per una spalla.

" Leo... " chiamò con una strana voce sommessa.

L'amante aveva tirato le lenzuola fin sulle orecchie, pareva immerso in un sonno profondo, e da prima o non udí o finse di non udire; ancora una volta Carla si chinò e lo scosse; allora, da quell'ombra del guanciale, arrivò la voce assonnata:

" Perché mi hai svegliato? ".

" È tardi " ella disse, sempre con quella sua nuova intonazione bassa e intima; " sarà ora ch'io torni a casa... ".

Senza dir parola, senza muovere il resto del corpo, Leo tese un braccio fuori dal letto e accese la lampada; tornò quella luce tranquilla della sera avanti, e Carla riconobbe completamente i mobili, le due porte, quella poltroncina nella quale stava il mucchietto bianco dei suoi panni piú intimi, e se stessa seduta sul letto...: l'orologio posato sul tavolino, sotto la lampada, segnava le cinque e mezzo.

" Sono le cinque e mezzo " ripeté con rammarico e irritazione Leo senza voltarsi: " si può sapere perché mi hai svegliato? ".

" È tardi " ella ripeté come prima; esitò, poi con precauzione scavalcò il corpo dell'amante e sedette sul bordo del letto.

Egli non parve accorgersene, non le rispose; evidentemente, ella pensò, aveva richiuso gli occhi e si era daccapo addormentato; allora, senza voltarsi, senza curarsi di lui Carla si accinse a rivestirsi.

Ma si era appena tolta di dosso quella ripugnante uniforme dalle grosse righe, e tutta nuda, in piedi, stava preparandosi ad infilar la camicia, quando, d'improvviso, sentí un braccio afferrarla da dietro, alla vita. Il primo movimento fu di paura; lasciò cadere in terra l'indumento, si voltò vivamente da quel lato: si vide allora, là contro il fianco, la testa arruffata, insonnolita, rossa, dell'amante:

" Carla " egli mormorò, sporgendosi dal letto, levando degli occhi eccitati e mal desti verso la fanciulla e fingendo di parlare a fatica per un gran sonno che non aveva; " perché andartene cosí presto? Vieni qui... torna qui accanto al tuo Leo ".

Ella guardò quel volto tentatore, laggiú, illuminato dalla luce calda della lampada e, d'improvviso, una inspiegabile sofferenza le gonfiò il petto:

" Lasciami " disse con voce caparbia sforzandosi di staccar dal costato le cinque dita che vi s'incollavano, " è tardi... è tempo che io vada ".

Vide l'uomo ridere socchiudendo quei suoi piccoli occhi eccitati: " per certe cose non è mai tardi ", e di colpo, senza ragione, ché dentro di sé ammetteva benissimo che all'amante venissero di tali voglie, la sua collera fu al colmo: " Lasciami ti dico " ripeté duramente: per tutta risposta Leo allungò goffamente anche l'altro braccio tentando di rovesciarla al suo fianco; allora, con uno strattone, ella si liberò, andò alla poltroncina ai piedi del letto, e, curva, senza piú occuparsi di lui, senza dir parola, si diede a infilar le calze.

Dopo le calze venne la volta delle giarrettiere; non rialzò quei suoi occhi preoccupati che dopo qualche istante e guardò con espressione dura verso il letto; ma Leo si era voltato contro la parete e pareva dormire. " Buon sonno " ella pensò; fu un attimo; e nel contempo, quasi che questo breve pensiero avesse potuto provocarlo, un senso di paura e d'incertezza le strinse il cuore; tornarono, dopo tante ore di completa dimenticanza, ad echeggiare nella sua testa le vecchie parole: " la nuova vita ": si chinò, raccattò la sottoveste: " È mai possibile " pensò stringendo nervosamente quel cencio e guardando fisso davanti a sé, " che sia questa la nuova vita? ".

Senza cessare di agitare nella sua anima inerte quest'idea finí di vestirsi e si alzò:

" Alzati " gridò al dormiente curvandosi e toccandolo sopra una spalla, " sbrigati... è tempo di andare... ".

" Va bene " fu la risposta. Sicura di ritrovarlo vestito Carla passò nel bagno.

Si pettinò col pettine e la spazzola di Leo, si lavò le mani, esaminò attentamente nello specchio il suo volto pallido. " A casa " pensò " mi laverò tutta... farò un bagno... poi... e poi bisognerà andare subito a quell'appuntamento, al tennis ". Ma nonostante questi pensieri calmi e pratici, quella domanda rattristata non cessava di echeggiare nei piani inferiori della sua coscienza: " È mai possibile che sia questa la nuova vita? ".

Nella camera da letto l'aspettava una sorpresa; Leo non si era vestito e neppure per lo meno alzato; stava nella stessa identica posizione nella quale l'aveva lasciato, e pareva tuttora dormire.

Gli si avvicinò, lo scosse: " Leo... è tardi... dobbiamo andare... alzati... ".

L'uomo si voltò, alzò appena dal guanciale la faccia assonnata e la guardò: " Eh?... sei già vestita? ".

" È tardi... ".

" È tardi? " ripeté Leo come se non avesse capito;
" e allora? ".

" Come allora?... bisogna che tu mi accompagni a
casa... ".

Egli sbadigliò, si tirò i capelli: " Se tu sapessi che
sonno ho... " incominciò; " tutta la notte non mi hai
lasciato un solo istante in pace...: mi chiamavi... mi parlavi... mi davi dei calci... che so io?... Muoio dal sonno ". Parlava con lentezza, trascinando le parole, evitan-
do di guardare la fanciulla; Carla invece l'osservava con
attenzione: " Evidentemente " pensò ad un tratto, senza
ira, con calma, " non è soltanto perché non ha dormito
ma anche e soprattutto perché poco fa non gli ho ceduto che ora finge di aver sonno... ". Si drizzò:

" Se vuoi dormire, Leo ", disse quasi con dolcezza
" non far complimenti... posso anche andare sola... ".

" Che sciocchezza... "; egli si stirò, a lungo, senza riguardo: " ora che mi hai svegliato ti accompagno ".

" Bisogna mostrargli che si sbaglia " ella pensò guardandolo, " che... non sono come lui ". " Ma no ", insistette sempre con la stessa mansuetudine " no... non
voglio disturbarti; tu hai sonno, è giusto... preferisco
andar sola ".

Un poco sconcertato Leo la guardò: " Un bel nulla
sola " disse alfine con una molle energia; " dici ora
cosí... poi invece non cesserai di rimproverarmelo... vi
conosco come siete... ho bello e deciso: ti accompagno ".
Tacque, scosse con forza la testa, ma non si mosse; si
guardarono:

" E se te l'ordinassi? " domandò bruscamente la fanciulla.

" Che cosa? ".

" Di non accompagnarmi ".

Leo spalancò gli occhi stupito: " In tal caso " rispose
con diffidenza " la questione cambierebbe aspetto ".

" Ebbene " disse Carla rassettandosi tranquillamente la
cintura del vestito, " te lo ordino ".

Un istante di silenzio: " Prima volevi essere accompagnata " disse alfine l'uomo, " ora non vuoi piú... che capricci mi fai? ".

" Ah! son io che faccio i capricci " ella pensò a denti stretti; sedette sul bordo del letto, presso l'amante:

" Non si tratta di capricci " rispose " ma ho pensato che questo tuo accompagnamento potrebbe essere compromettente... se ci vedessero insieme... E poi Michele potrebbe già essersi alzato...; allora, capisci? È meglio ch'io me ne vada sola... conosco la strada, sarò in dieci minuti a casa... e tu... potrai dormire... ".

Tacquero ambedue guardandosi; ora, dopo quella momentanea vampata di desiderio, Leo provava davvero un gran sonno, nulla gli ripugnava piú che alzarsi e andar con Carla nella strada, forse sotto la pioggia; e poi c'era anche da tirar fuori la macchina; le sorrise, tese la mano, l'accarezzò sulla guancia:

" In fondo " disse " nonostante tutte le tue fisime sei veramente una gran brava bambina... e allora posso sul serio lasciarti andar sola?... ".

" Certamente " ella disse alzandosi; quel tono di Leo l'irritava; " puoi farne a meno... anzi te ne prego ".

" Ad ogni modo " soggiunse Leo come parlando a se stesso, " tu hai visto che io ho insistito fino all'ultimo... se non ti accompagno non è che io voglia dormire, ma perché come hai detto bene potrei comprometterti... cosí dopo non venire a dirmi... ". Ma s'interruppe; Carla non era piú nella stanza, era già uscita per prendere il cappello. " Tanto meglio " pensò Leo, " fa piacere a me e fa piacere a lei... cosí siamo tutti e due contenti ".

Dopo un istante ella rientrò; aveva il cappello in testa, l'impermeabile, l'ombrello; infilò un guanto con volto preoccupato, cercò invano l'altro per tutte le tasche: " Pazienza " disse alfine, " l'avrò perduto... E, a proposito ", soggiunse senza impaccio avvicinandoglisi " puoi darmi del denaro per un taxi?... io non ne ho ".

La giacca di Leo era appesa ad una sedia non lungi dal letto; egli si protese, trasse di tasca una manciata di monete di argento:

" Ecco " disse porgendogliele.

Il denaro in tasca: " Comincio a guadagnare ", Carla non poté fare a meno di pensare. Si avvicinò al letto, si chinò: " Allora a oggi, caro ", gli disse quasi con affetto, come per compensare quel suo pensiero cattivo; si baciarono. " Chiudi bene la porta " le gridò Leo; la vide uscire con precauzione, e per un istante aspettò di udire sbatter l'uscio di casa; ma nessun rumore giunse alle sue orecchie; allora spense la lampada e voltandosi contro il muro si riaddormentò.

Nel sonno di Leo, gli squallidi personaggi dell'alba, i personaggi dei sonni dormiti nel mattino, mentre il sole brilla e nella stanza disfatta la luce filtra da tutte le parti come l'acqua in un bastimento sdrucito, entravano, uscivano... Carla, la madre, Michele, avevano dei gesti compiacenti e osceni, ma le loro figure impallidivano come se la luce esterna le avesse scolorite... pur dormendo Leo faceva ogni sforzo per trattenerle; " non bisogna che mi desti " si ripeteva inconsciamente " non bisogna che mi desti "; una voce poetica e lontana, piena di fioco rimprovero, lo chiamava da qualche luogo remoto: " Leo, Leo, destati, sono io "; sempre inconsciamente egli s'illudeva che non fosse che un sogno e cogli occhi ostinatamente chiusi, ravvolgendosi piú che poteva nelle coperte, sperava, svanita quella momentanea confusione, di rientrare daccapo nel fitto e delizioso intrico del sogno... ma i richiami si ripeterono sempre piú chiari, alfine una mano lo scosse per la spalla: allora egli aprí gli occhi e vide Mariagrazia.

Dapprima credette di veder male, riguardò, sí, non c'era dubbio, era proprio l'amante, vestita di grigio, col cappello in testa, una pelliccia intorno al collo, in piedi presso il letto; l'ombra della notte aveva lasciato la stan-

za, doveva essere una bella giornata, macchie gioiose di
sole brillavano un po' dappertutto sui mobili polverosi
e opachi.

" Tu qui? " le disse alfine " e come hai fatto ad
entrare? ".

" Ero venuta per portarti un biglietto " rispose Mariagrazia " ma ho trovato la porta aperta e sono entrata ".

Leo la guardava con stupore; " la porta aperta? "
pensò " eh già... sarà stata Carla... "; sbadigliò, si stirò
senza riguardo:

" E sei venuta per dirmi? ".

La madre sedette sul letto, in quell'ombra tutta ri-
gata dai fili di luce che le stecche della persiana lasciavano trapelare:

" Volevo telefonartelo " incominciò " ma poiché non
paghiamo le tasse da due mesi, ci hanno sospeso il telefono... ieri sera mi hai promesso che ci saremmo visti
domani... ma poi ci ho ripensato... non saresti libero oggi
nel pomeriggio? ".

Leo si prese le ginocchia tra le braccia: " Oggi nel
pomeriggio? " ripeté; questa proposta non gli dispiaceva,
calcolava che se si fosse liberato quel giorno stesso del-
l'impiccio della madre, avrebbe avuto tutto il resto della
settimana libero per Carla; ma a scanso di sorprese non
volle prometter nulla.

" Senti " disse " oggi dopo pranzo verrò da voi... sa-
prò dirtene allora qualche cosa... va bene? ".

" Va bene ".

Seguí un lungo silenzio; diffidente e malcontenta Mariagrazia si guardava intorno, esaminava con attenzione
le suppellettili troppo note, il letto, il volto dell'amante;
le parve che quest'ultimo fosse pallido e un po' stravolto; questo e l'altro fatto di averlo trovato ancora
immerso nel sonno bastarono per confermarla in certi
suoi gelosi sospetti, " ha passato la notte con Lisa " pensò " non c'è dubbio... forse Lisa era qui poco fa ", un
aspro rancore l'invase, gettò all'amante un'occhiata piena
di velenoso rimprovero.

" Io " disse in tono agrodolce " al tuo posto, non
farei come se avessi vent'anni ".

" Sarebbe a dire? " domandò Leo interdetto.

" Sarebbe a dire " rispose Mariagrazia " che tu in-
vecchi e non te ne accorgi... e non t'accorgi neppure che
pazzie come quelle che probabilmente hai fatto stanotte
non ne puoi piú fare... guardati in uno specchio " ella
soggiunse alzando la voce " guarda per piacere che occhi
hai, che mascherone, che bei colori... guardati per favore... ".

" Io invecchio?... e quali pazzie?... " ripeté Leo irritato soprattutto da quella diretta allusione alla sua età
quasi matura " di quali pazzie vai parlando? ".

" Eh, m'intendo io " disse la madre con un gesto della
mano " ma sai cosa ti dico?... che tra uno o due anni
al massimo ti porteranno in carrozzella... sicuro, non
potrai neppur piú camminare ".

Leo alzò con furore le spalle: " Se sei venuta per
dirmi queste sciocchezze, è meglio che tu te ne vada... ".
Guardò l'orologio sul tavolo a fianco al letto: " Le dodici!... ed io che sto a sentirti quando ho un appuntamento alla mezza... vattene, vattene subito "; saltò giú
dal letto, infilò i piedi nelle pantofole, andò alla finestra,
tirò su la persiana; la stanza si empí di luce.

" E la mia veste da camera non te la metti? " domandò la madre senza muoversi dal letto " forse l'hai
già regalata a qualche amante di passaggio? ".

Leo non rispose nulla e passò nel bagno; Mariagrazia
si alzò, e un po' per curiosità, un po' per sfaccendamento
si diede a girare attorno per la stanza. " Anche quell'altro
mio dono, quel magnifico vaso di Murano è sparito...
Hai regalato anche quello? " ella gridò ad un certo momento; daccapo nessuna risposta; si sentiva, là, nel bagno, un getto d'acqua scrosciare. Leo prendeva la doccia.

Scoraggiata ma non vinta, Mariagrazia continuò la
sua ispezione; ogni oggetto di quella stanza evocava alla sua
memoria gradevoli ricordi, spesso ella sospirava facendo
il confronto tra la miseria presente e quei bei tempi

passati; la vista della propria fotografia, posata sopra il cassettone, le ridiede un poco di fiducia, " in fondo non ama che me " ella pensò " quando sta male, quando ha qualche noia, è sempre a me che ricorre... questa non è che freddezza momentanea... mi tornerà "; aveva, appuntate al petto, un mazzo di viole comprate poco prima per strada; un po' per gratitudine, un po' con la vaga idea di fare una gentilezza, si tolse di dosso quei fiori, e li dispose in un vasetto presso la fotografia; poi entrò nel bagno.

In piedi, in veste da camera, Leo si radeva la barba. " Allora ti lascio " ella gli disse " e... a proposito... oggi, quando verrai, fingi di non avermi vista, come se ti fosse veramente arrivato quel biglietto... siamo intesi?... ".

" Siamo intesi " egli ripeté senza voltarsi.

Soddisfatta, Mariagrazia se ne andò; discese in fretta la scala, uscí; all'angolo della strada, salí in un tram che andava verso il centro della città; erano forse già venti minuti che Lisa doveva aspettarla in quel negozio di cappelli dove si erano date convegno per esaminare i nuovi modelli di Parigi... La madre sedeva in un angolo presso il finestrino, voltava piú che poteva il dorso al popolo del tram e guardava nella strada; i marciapiedi erano affollati di una viva moltitudine di lavoratori di ogni specie che tornavano alle loro case; il freddo sole di febbraio illuminava le loro facce arrossate dal vento diaccio sotto le falde usate dei cappelli scoloriti e deformi, e le loro persone chiuse nei pastrani inverditi dal tempo; era un solicello bianco e senza calore che si diffondeva generosamente su tutti quegli stracci quasi avesse voluto benedirli; una dopo l'altra sfilavano le brillanti botteghe con quelle scritte dipinte in rosso, in bianco o in blu sulle vetrine; le insegne luminose sospese ai cornicioni, grigie e spente, parevano delle larve incenerite; il tram avanzava lentamente, multicolore, volgare e pieno come un carosello, fremeva, tintinnava... Ogni tanto, sotto gli occhi della madre, con un rapido movimento, il cofano lucido e oblungo di una automobile avanzava, si fermava quasi cercando un varco coi suoi grossi fanali, balzava avanti... ella vedeva dietro una lastra di vetro, fermo al suo posto, con le mani guantate posate sul volante, un autista tutto vestito di cuoio e poi, adagiato sopra i cuscini di pelle, soddisfattissimo, con l'occhio semiaperto abbassato sulla folla, un personaggio panciuto, oppure, avvolta nelle sue gonfie pellicce, qualche signora dal volto delicato e dipinto... Allora, senza volerlo, la madre sospirava; ella non avrebbe potuto mai passare tra la folla malvestita in un'imponente e poderosa macchina, i suoi anni erano svaniti, la sua giovinezza si era dileguata nella lucida automobile dei suoi sogni; a poco a poco le figure della sua invidia, quei personaggi effimeri passati via con la rapidità delle frecce nei loro carri rombanti si erano allontanati anche dalla sua fantasia e dalla sua speranza, rassegnata ella continuava il suo cammino, non senza una specie di disgustata dignità, in quel colorato carrozzone di ferro e di vetro.

Trovò Lisa seduta nel retrobottega della modista, pieno di specchi e di cappelli nuovi; davanti alla specchiera una signora giovane si mirava vanitosamente passeggiando in su e in giú con atteggiamenti nobili e affettati; si udiva parlar nell'altra sala e delle porte a vetri chiudersi; il pavimento odorava di cera; la stanza era grigia e nuda; in un angolo si vedeva un mucchio piramidale di grandi e leggere scatole di cartone bianco, quali chiuse, quali già aperte; nell'altro opposto era cresciuta una fitta vegetazione di cappelli nuovi, dai colori freschi, sobri e delicati, tutti pendenti dai loro sostegni di legno.

Appena vide la madre, Lisa si alzò:

" Mi dispiace tanto " disse " oh! proprio tanto, ma non posso restare con te... è tardi, debbo tornare a casa ".

La madre la guardò sospettosamente: " Ecco com'è egoista " pensò " ha già fatto la sua scelta e vuol impedire la mia ".

" Allora io resto " disse con una faccia irresoluta.

" Fai come vuoi " e già Lisa le tendeva la mano, quando la madre cambiò idea:

" No, vengo con te: ai cappelli ci penserò un altro giorno ".

Uscirono insieme nella strada affollata: " Ti accompagnerò " disse la madre " fino ai giardini, cosí avremo tempo di discorrere ". Lisa non rispose; camminarono insieme fermandosi spesso davanti alle vetrine, esaminando la merce, paragonando i prezzi; le botteghe dei gioiellieri ammalinconivano la madre: " Avevo una collana come quella " diceva additando con un sospiro un vezzo di perle esposto nel suo scrigno, " ora non piú ". Lisa la guardava ma non diceva nulla; anche i suoi gioielli erano partiti per delle destinazioni lontane: " Ma i miei " pensava " me li ha portati via mio marito... almeno non li ho venduti io per sbarcare il lunario ". Cosí lentamente arrivarono alla fine di quella strada.

La madre aveva seguito l'amica per poter sfogare i suoi sospetti su Leo; poi la folla, le botteghe, il mattino luminoso avevano mitigato il suo rancore; ma quando nella piazza vide Leo stesso fermo sul marciapiede, insieme con un signore vestito di nero, salutarla senza guardarla e senza interrompere la sua conversazione, sollevando appena il cappello sulla testa, allora quel pensiero le tornò piú tormentoso che mai.

Guardò Lisa: " Non piú tardi di ieri sera " pensò " ella era con lui ". Questa supposizione le pareva inconfutabile, ella la fondava sul fatto che anche a occhi piú spassionati dei suoi, doveva apparire evidente che tra quei due " qualche cosa c'era ". Guardava Lisa, la esaminava, e le trovava appunto una certa nuova seduzione, una felicità corporale difficile a definirsi ma incontestabile; ora questo mutamento era un indizio, la madre lo indovinava con un ribrezzo malsano, un indizio d'amore: non c'era dubbio, lo si vedeva nel volto dai lineamenti grassi e delicati come li hanno spesso le donne bionde: Lisa amava ed era amata; da chi? " Da Leo " pensava la madre, e la sua gelosia dietro le im-

magini di una fantasia indecente cresceva: " Non piú
tardi di ieri sera ", pensava; trovava negli occhi umidi
dell'amica, nella sensibilità di quelle narici, una conferma al suo disgusto: " come si fa ad amare una tale
donna? " si domandava con un vero e isterico ribrezzo;
" io non potrei neppure toccarla, tutta piena di calore,
tutta piena di amore; non è una donna, è una bestia ".
E le dita le si raggricciavano dalla ripugnanza, al pensiero che Leo avesse potuto accarezzare, palpare quel
corpo, quella testa, tutta quella roba calda e palpitante.
  Ora, davanti ai loro occhi, un lungo, largo, diritto
viale alberato fuggiva nella lontananza grigia, tra due
file di ville seminascoste nei loro giardini; gli alberi,
dei platani giganteschi, erano nudi, l'aria fredda e ferma;
poca gente camminava per questa passeggiata solitaria;
e con un fruscío di seta, con un ronzío passavano quasi
silenziosamente sopra l'asfalto levigato le grandi automobili che la madre sognava.
  Quest'ultima raccontava i preparativi per il ballo che
doveva aver luogo la sera:
  " Il vestito da spagnola si confà meravigliosamente
alla mia carnagione " diceva. " Avrò un gran pettine,
sai, uno di quei pettini andalusi... Siamo invitati alla
tavola dei Berardi... e tu... ci verrai tu? ".
  " Io " disse Lisa abbassando gli occhi, " io al ballo?... non ho chi mi accompagna ". Tacque aspettando
con una certa ansietà la risposta dell'amica; pensava che
avrebbe dovuto invitarla a quel ballo; ella conosceva i
Berardi, si sarebbe mascherata in un modo qualsiasi,
avrebbe bevuto, si sarebbe divertita... Poi al ritorno
avrebbe domandato alla madre di lasciarle Michele (le
piaceva trattarlo come un ragazzo), si sarebbe fatta accompagnare a casa sua, a notte alta, scherzando, pungendolo, eccitandolo; si sarebbe fatta accompagnare in un'automobile chiusa, col lume spento... Il percorso era lungo, le vie per arrivare oscure; essi avrebbero avuto il
tempo di parlare, di tacere, in una parola di mettersi
d'accordo, e alla porta essa l'avrebbe invitato a salire

per bere un bicchierino di liquore o una tazza di tè prima di rimettersi in cammino in quella notte fredda.

Questo programma le piaceva per l'inevitabilità degli avvenimenti che si dovevano produrre: era impossibile che Michele si rifiutasse di salire in casa sua, impossibile...

Ma già la madre parlava; aveva meditato la risposta, e come tutte le persone che credono di possedere delle pericolose riserve di malizia, ne mise tanto poca nelle sue parole che passò inosservata:

" Amici non te ne mancano " disse con intenzione, " fatti accompagnare da uno di essi ".

" I miei amici siete voi " rispose Lisa che voleva ad ogni costo essere invitata, " non ho che voi ".

" Grazie, troppo gentile ".

" Da chi siete invitati voi? Dai Berardi? Ma allora li conosco... " continuò Lisa, " certamente li conosco... abbiamo fatto la villeggiatura insieme ".

" Ah! Sí? ".

" E chi vi accompagnerà voi due? " domandò Lisa ingenuamente.

" Leo " rispose la madre staccando le sillabe " starà ad un'altra tavola... i Berardi ci accompagneranno ".

" Cosa importa a me di Leo! " pensò Lisa. " E sarà brillante? " soggiunse con aria dubitosa.

" Brillantissimo ".

Tacquero per un istante. " Mi piacerebbe andarci... " ricominciò Lisa negligentemente, guardando davanti a sé, " anche per rivedere i Berardi... è tanto tempo che non ci vediamo piú... forse piú di due anni ".

" Ah!, proprio i Berardi? " la madre diventava nervosa e batteva con la punta dell'ombrellino le pietre del marciapiede: " proprio loro? ".

" Sí ", disse Lisa senza guardarla, come chi fruga tra i ricordi: " Pippo, Mary, Fanny... stanno tutti bene? ".

" Benissimo... non aver paura, la loro salute non corre alcun pericolo ".

Nuovo silenzio. " Ed ora? " pensò Lisa guardando la faccia un po' rossa dell'amica, " cosa le prende? ". Si era finalmente accorta del nervosismo della madre e le attribuiva un significato sfavorevole ai suoi desideri. " Che egoismo " pensò con amarezza; " ha già capito fin dalla prima parola che mi piacerebbe andarci, e solamente per farmi una cosa sgradevole non m'inviterà ". Si sentiva un po' scoraggiata; fece un ultimo sforzo.

" Debbo confessarti, Mariagrazia ", mormorò con voce persuasiva " che mi piacerebbe molto andare al ballo... non vorrei disturbarti... ma forse tu potresti portarmi con te alla tavola dei Berardi? ". Aspettò e la vide ridere:

" Ah! questa è bella " disse la madre tra i singulti di quella amara risata; " io dovrei?... Grazie tante, cara, per il pensiero delicato, grazie davvero, ma io a questi servizi non mi presto ".

" Quali servizi? " incominciò Lisa irritata, comprendendo finalmente il vero significato di tutte quelle ironie; ma l'altra la interruppe:

" Ebbene, vuoi proprio che te lo dica? " domandò. " Ho capito tutto: tu al ballo non vieni per me e per i Berardi, ma per qualchedun altro, qualchedun altro che ti interessa ".

" Cosa può importarti? ".

" E già " disse la madre scrollando amaramente il capo, " già... cosa dovrebbe importarmi tutto questo? Niente, niente, proprio niente; in fondo hai ragione; cosa dovrebbe importarmi che mi rubassero o mi ammazzassero? Niente, niente, sempre niente ". Tacque per un istante assaporando il veleno dei suoi pensieri, poi ricominciò: " E questo accade perché sono buona, troppo buona... se ti avessi messa sotto i piedi la prima volta " e la madre fece il gesto di schiacciar qualche cosa, " questo ora non avverrebbe ".

" Mettermi sotto i piedi? A me? Ma sei matta Mariagrazia? Sei matta? ".

Sul marciapiede vuoto, le due donne camminavano litigando; la madre indossava un vestito grigio, Lisa marrone; avevano ambedue una pelliccia di volpe intorno al collo, fulva quella di Lisa, argentea quella della madre; camminavano e si leticavano; le brillanti automobili correvano, qualche coppia passava, giovane ed elegante; grigio e oro: grigie le figure lontane e vicine dei passanti, i profondi giardini, al di là delle inferriate, il viale deserto, i platani; d'oro quel sole nuovo e freddo, ancora rappreso nel gelo dell'inverno, grondante luce ed acqua dai suoi ghiaccioli fusi, ridente e frigido come un convalescente, avvolto nella bambagia, quel sole d'oro, nella bambagia azzurra del cielo di febbraio.

La madre continuava il suo monologo:

" Troppo buona " diceva Lisa con un riso alto e sprezzante, " troppo buona, tu? ".

Un istante di silenzio: " Però " continuò la madre scostandosi dall'amica e guardando davanti a sé come se avesse voluto parlare ad una terza persona, " non capisco proprio come si faccia ad amare certe donne... questo non lo capisco ".

" È quello che dico anch'io ".

Lisa impallidiva, le labbra le tremavano; perché l'amica si mostrava cosí dura e senza pietà? Ella non le aveva fatto nulla di male; era triste che una madre si occupasse del proprio figlio soltanto per danneggiare l'antica rivale; cosa poteva mai importare a Mariagrazia che ella andasse al ballo per incontrarsi con Michele?... E poiché era forse la prima volta nella sua vita che Lisa si vedeva accusata a torto, il suo rancore era grande e esuberante; per contrasto con tali ingiustizie le pareva di esser tornata ai tempi della sua innocenza, si sentiva un'anima e due ali d'angelo, un'aureola di martire; ella amava Michele, Michele amava lei, come poteva esserci ancora qualcheduno che trovasse in una storia cosí pura materia di riprovazione e di scandalo?

" E ieri sera " continuava la madre, " ieri sera come sono andate le cose? Bene eh?... Da noi non è voluto restare, aveva sonno, è scappato via... è giusto: c'eri tu che l'aspettavi ". Tacque per un istante: " Sai cosa ti dico? " proruppe ancora voltandosi: " Che dovresti vergognarti! ". Storse con disgusto la bocca dipinta guardando l'amica dall'alto in basso: " Non sei piú giovane ".

" Abbiamo quasi la stessa età... tu sei piú vecchia di me " rispose Lisa dolcemente e senza alzar la testa.

" Nossignora " negò la madre con autorità " è una cosa differente... io sono vedova... ma tu invece sei ancora maritata... tuo marito esiste... Vergognarti! Ecco cosa dovresti fare ".

Passavano in quel momento sotto una villa dalle finestre chiuse; dietro la villa che era tutta circondata da grandi alberi nudi, doveva aver luogo una partita di tamburello; si udivano i colpi sonori echeggiare nel silenzio del cielo meridiano con un rumor secco, come se qualche cosa si fosse schiantato lassú, dietro l'azzurro; e se il vento che disperdeva il fumo bianco dei comignoli soffiava dalla parte della strada si udivano anche le voci allegre e forti dei giocatori.

Lisa stette per un istante ad ascoltare soprappensiero quell'eco, poi guardò Mariagrazia; si meravigliò; era mai possibile che quella faccia adirata e gelosa riflettesse... l'amor materno? E che specie d'amor materno era quello che faceva incollerire sino a quel punto una donna che non si era mai mostrata eccessivamente tenera coi figli suoi? O non era piuttosto gelosia carnale, gelosia d'amante?... Improvvisamente capí: il primo sentimento fu di sollievo; poi guardò la madre e il dubbio le tornò:

" Mariagrazia ", domandò: " dimmi, tu parli di... di Leo non è vero? ". Vide l'amica accennar di sí, con la testa, con un'espressione imbarazzata e ancor dolente che pareva dire: " Perché me lo domandi?... lo sai... non ho che lui... ". Si guardarono; un gran sollievo, una specie di trionfante pietà erano negli occhi di Lisa. Disse: " Mia povera Mariagrazia " e avrebbe potuto spiegare, discolparsi, spianare quella ruga di sospetto che era sul volto dell'amica: " Mia povera Mariagrazia " ripeté. Ora dei ricordi le tornavano, rivedeva la scena del giorno prima, quella della candela, con Leo e Carla abbracciati: " È di sua figlia " pensava " è di sua figlia che dovrebbe essere gelosa ". Provava un po' di compassione per l'amica perduta nell'errore, ma nel tempo stesso una gioia, una tale contentezza di non esser colpevole di quel che l'altra l'accusava che non sapeva come parlarle, se con disprezzo o con pietà.

" Puoi star sicura " disse finalmente, " puoi star sicura... non ho veduto Leo né ieri né... mai, posso giurartelo, guarda, su quel che ho di piú sacro ".

Senza parlare, la madre continuava a scrutarla con quei suoi occhi indagatori e sospettosi:

" Credimi " soggiunse Lisa messa a disagio da quegli sguardi " è stato un malinteso ".

La madre abbassò la testa: " Sarà meglio lasciarci " disse studiandosi di parer fredda, contenuta e dignitosissima; " è tardi ". Si udivano i colpi di tamburello e a intervalli le voci dei giuocatori... la madre fece qualche passo avanti.

" Credimi " ripeté Lisa incerta, " un malinteso ". Si guardava intorno, come cercando un appiglio ai suoi ragionamenti. In quel momento il viale era deserto, e il sole aumentava questa solitudine illuminando a perdita d'occhio il marciapiede vuoto. Lisa si guardava intorno e stava ferma; lentamente invece Mariagrazia si allontanava, passo a passo, guardando in terra, con un atteggiamento pensoso e distratto. " Credimi " avrebbe voluto gridarle ancora Lisa; " è con Carla che Leo ti tradisce, con tua figlia, mia povera Mariagrazia, non con me... ". Ma c'era nella schiena un po' curva della madre una caparbia risoluzione a non voltarsi verso la verità; Lisa la vide a poco a poco rimpicciolire, scolorire passando attraverso tutto quel sole, confondersi con la fuga d'ombre delle alte cancellate dei giardini; finalmente non fu piú che una macchia nera, laggiú in fondo al viale.

Perché Lisa aveva prima quasi ammesso di essere colpevole e poi protestato la sua innocenza? Altri che la
madre si sarebbe smarrita di fronte a questa domanda,
la madre no: per lei tutto era chiaro, cristallino, spie-
gabilissimo; aveva la convinzione profonda che Lisa fosse
ipocrita e mentitrice... non sapeva perché, ne aveva la
faccia, le parole, gli atteggiamenti... Era una convinzione
antica che doveva trarre origine da qualche fatto dimenticato, ma era cosí indispensabile al ritratto morale che
la madre si faceva di Lisa, che abolirla sarebbe stato
come cancellare dalla sua mente la figura dell'amica.

Dunque Lisa e mentitrice e ipocrita, allora tutto era
chiaro. Perché le aveva detto quasi con compassione:
" Mia povera Mariagrazia? ". Evidentemente per beffarsi
di lei, per canzonarla, o tutt'al piú per commiserarla
della sua cecità, della sua ingenuità, delle sue gigantesche corna. Perché aveva mostrato tanto desiderio di
andare al ballo con lei e con i Berardi? Trasparente: per
trarla machiavellicamente in inganno e farle credere che
quella sera non aspettava Leo. Insomma Lisa, con l'abituale falsità, aveva immaginato mille strattagemmi per
imbrogliarla; c'era riuscita? Oh! No, non si poteva dire;
ci voleva ben altro per ingannar lei, Mariagrazia, altro

ci voleva: " Disilluditi cara " avrebbe voluto dirle rabbiosamente; " sono cretina... ma fino a questo punto no...
è passato il tempo che credevo tutti buoni, cari, affe-
zionati, gentili... Ora tengo gli occhi bene aperti e non
mi lascio piú mettere nel sacco... ah! no, mia cara... una
volta basta... Dunque disilluditi, carina, ho capito tutto...
non me la dai a bere, sono fine io, molto fine, estrema-
mente fine ". Mentre pensava, scuoteva la testa con grande sufficienza e sorrideva dipingendosi il volto di una
espressione di amara e scanzonata superiorità; quel che
piú la irritava era l'idea che l'amica potesse crederla in-
fetta di dabbenaggine e d'ingenuità; dalla rabbia mentre
camminava faceva gli occhi piccoli e stringeva i denti;
non si era mai sentita cosí spietata: se Lisa fosse stata
morente per la sete le avrebbe rifiutato l'ultimo bicchier
d'acqua, se affamata l'ultimo boccone; se poi l'amica fosse diventata improvvisamente povera, avrebbe potuto sup-
plicarla in ginocchio e baciarle le mani, ella non le avrebbe dato neppure un centesimo di roba; nulla; e se si
fosse trovata in punto di morte e l'avesse fatta chiamare
al capezzale, ella, certo, l'avrebbe lasciata morire sola
come un cane, sí, crepare sola dentro il suo sudicio letto,
colla faccia voltata contro la parete, nella sua stanza
vuota; e oltre che di questo la madre si sentiva anche
capace di punzecchiarla, torturarla, trascinarla per i capelli, e coi tacchi delle scarpe pestarla sul ventre, sul
petto, sul volto e sulla faccia... di tutto sarebbe stata
capace; né mai in vita sua si era sentita cosí pienamente,
voluttuosamente cattiva.

Ma... ma la miglior vendetta non era il perdono? Sí,
ma quale perdono? Quello affettuoso, amorevole, ilare?
Oppure l'altro sprezzante, freddo, gettato in faccia come
un'elemosina?

Il secondo; Lisa si rovinava, faceva dei debiti, impo-
veriva, diventava cenciosa e mendicante; tutti l'abban-
donavano; oppure dopo una grave malattia restava smagrita, imbruttita, grigia e, chissà, son cose che avven-
gono, forse ebete e mentecatta, forse cieca... un viso

scarnito, degli occhi bianchi, una fronte incerta che urta contro i mobili e contro le persone... il dito di Dio, la punizione del Cielo, son cose che succedono... Allora ella le perdonava... piano, un momento, le perdonava sí, ma soltanto a metà, con disprezzo, freddezza e tenace memoria, umiliandola e senza lasciarla troppo avvicinare, come per farle capire che non era piú neppur degna del suo odio... e come avveniva questo perdono? Ecco... ecco... era una sera di ricevimento... l'orchestra fragorosa ritmava la danza... le coppie dei ballerini passavano e ripassavano davanti le porte dorate dei suoi saloni... sotto i lampadari accesi, davanti al buffet, negli angoli intimi, negli atrî, perfino sulle terrazze donde appoggiati sulle balaustre di marmo si poteva veder la luna sorgere dietro le punte nere degli abeti, ovunque nella sua casa, tutta la migliore società, si riuniva; era il momento culminante, quando le conversazioni e la musica si fondono in un solo frastuono, le passioni si accendono, i fiori appassiscono, e nelle orecchie delle dame vengono mormorate galanti dichiarazioni... Allora doveva venire una cameriera a bisbigliarle: " C'è la signora Lisa ". Ella si alzava subito... no, la faceva aspettare un poco, poi usciva scusandosi; andava nel vestibolo pieno di pastrani e di cappelli ammonticchiati gli uni sugli altri; non una sedia libera, e tra tutte quelle ricche spoglie, in piedi, poveramente vestita, invecchiata di dieci anni almeno, trovava Lisa che appena la vedeva le veniva incontro con le braccia tese... Piano, piano, carina... e, ristabilite le distanze, ella ascoltava con magnanimità quelle imbrogliate scuse, quelle proteste di amicizia... poi molto fredda, molto superiore le rispondeva: " Sí, ti perdono, va bene... ma bisognerà che abbia pazienza, che tu aspetti qui o su nell'anticamera... Sai, ricevo una quantità di persone alle quali non posso presentarti... gente nobile, capisci? aristocratici... gente che non vuol conoscere chicchessia, gente molto chiusa nel suo circolo... Allora, siamo intesi, vai su e aspettami... ". E per tutta la lunga sera la lasciava aspettare... final-

210

mente, a notte alta, si presentava all'infelice, accasciata nell'ombra e nella tristezza, col suo piú bel sorriso e il suo piú ricco vestito: " Scusami tanto Lisa " le diceva " ma questa sera proprio non posso star con te... vieni domani, forse domani ". E con uno scoppio di risa usciva... Chi l'aspettava alla porta, presso una colossale automobile, otto cilindri, cofano nichelato, due chauffeurs, tutta foderata di raso? Leo... ed entrambi, rallegrati da questo ritorno di Lisa, partivano nella notte.

Queste cinematografie, galoppanti senza posa sullo schermo della sua anima, consolavano la madre; a intervalli, quando alzava gli occhi, il paesaggio e il sole irrompevano tra i suoi pensieri. Allora si accorgeva di esser la solita Mariagrazia piú lontana da quei sogni che non dalle Indie, di camminare a piedi tutta sola per le strade vuote del sobborgo; finalmente si trovò davanti alla villa, spinse il cancello socchiuso ed entrò.

Attraversò in fretta il viale del parco; si sentiva stanca, non sapeva se per causa di quel suo litigio con Lisa o per quel senso di vanità che le restava ogni qual volta si abbandonava alle sue fantasie. Nell'anticamera trovò Michele che fumava seduto in una poltrona:

" Sono morta... " disse togliendosi mollemente il cappello. " Carla dov'è? ".

" Fuori " rispose Michele; senza aggiunger parola Mariagrazia uscí.

Michele era di cattivo umore: gli avvenimenti della sera avanti gli avevano lasciato un malcontento ipocondriaco; capiva che bisognava una buona volta vincere la propria indifferenza e agire; senza alcun dubbio l'azione gli veniva suggerita da una logica estranea alla sincerità; amor filiale, odio contro l'amante di sua madre, affetto familiare, tutti questi erano sentimenti che egli non conosceva... ma che importava? Quando non si è sinceri bisogna fingere, a forza di fingere si finisce per credere; questo è il principio di ogni fede.

Insomma, una montatura?

Già, nient'altro che una montatura: " Lisa per esem-

pio " pensava Michele: " non l'amo... non la desidero
neppure... però ieri sera le ho baciato la mano... oggi
andrò a casa sua; in principio sarò freddissimo, poi mi
ecciterò, mi monterò... è ridicolo... ma credo che di
questo passo diventerò il suo amante ".

Non esistevano per lui piú fede, sincerità, tragicità;
tutto attraverso la sua noia gli appariva pietoso, ridicolo, falso; ma capiva la difficoltà e i pericoli della sua
situazione; bisognava appassionarsi, agire, soffrire, vincere quella debolezza, quella pietà, quella falsità, quel
senso del ridicolo; bisognava essere tragici e sinceri.

" Come doveva esser bello il mondo " pensava con
un rimpianto ironico, quando un marito tradito poteva
gridare a sua moglie: " Moglie scellerata; paga con la
vita il fio delle tue colpe " e, quel ch'è piú forte, pensar
tali parole, e poi avventarsi, ammazzare mogli, amanti,
parenti e tutti quanti, e restare senza punizione e senza
rimorso: quando al pensiero seguiva l'azione: " ti odio "
e zac! un colpo di pugnale: ecco il nemico o l'amico
steso a terra in una pozza di sangue; quando non si
pensava tanto, e il primo impulso era sempre quello
buono; quando la vita non era come ora ridicola, ma
tragica, e si moriva veramente, e si uccideva, e si odiava,
e si amava sul serio, e si versavano vere lacrime per
vere sciagure, e tutti gli uomini erano fatti di carne ed
ossa e attaccati alla realtà come alberi alla terra. A poco
a poco l'ironia svaniva e restava il rimpianto; egli avrebbe voluto vivere in quell'età tragica e sincera, avrebbe
voluto provare quei grandi odi travolgenti, innalzarsi a
quei sentimenti illimitati... ma restava nel suo tempo e
nella sua vita, per terra.

Pensava e fumava; sulla tavola, la scatola di dieci
sigarette non ne conteneva piú che una; eran quasi due
ore che sedeva nell'anticamera piena della luce bianca
del mattino; si era alzato tardi e minuziosamente vestito: cravatte, vestiti, camicie, quante cure, quante intenzioni di consolarsi delle sue miserie sollevandosi alla
lucida estetica dei figurini inglesi. Gli piacevano i gen-

tiluomini fermi in piedi presso la loro torpedo, quei
pastrani di forma ampia, quei volti glabri affondati nelle
calde sciarpe di lana, e lo scenario banale ed elegante di
qualche *cottage* sepolto sotto il fogliame di alberi rotondeggianti e molli come nubi: lo seducevano i gesti, i nodi
delle cravatte, le pieghe dei vestiti, i cristalli e le lane.

Ora sedeva nella poltrona con atteggiamento nobile
ed elegante; teneva le gambe accavalciate, i pantaloni im-
peccabilmente rialzati su delle calze di lana, la testa pettinata e lustra un po' reclinata sulla spalla, verso la sigaretta che con languido gesto la mano stringeva tra due
dita; sulla sua faccia morbida, rasata e ovale, riflessi
d'ironia si alternavano a repentini rabbuiamenti, come
l'ombra e la luce sul volto di una statua; fumava e
pensava.

Venne Carla dal tennis, salendo lentamente la scala;
indossava una maglia policroma sopra una gonna bianca
e pieghettata; portava sulle braccia il mantello, la rac-
chetta e la reticella delle palle, sorrideva.

" Dov'è mamma? " gridò; finí di salir la scala, si fermò davanti a Michele: " Ho incontrato Pippo Berardi "
disse. " Siamo invitate ambedue a cena, io e mamma;
poi ci porteranno al ballo; se tu vorrai potrai raggiun-
gerci laggiú ". Tacque; Michele fumava e non parlava.

" Cos'hai? " domandò ella sentendosi osservata: " perché mi guardi cosí? ". La sua voce nervosa suonava nel-
l'anticamera vuota come per una strana sfida piena di
malinconia e di speranza; la nuova vita incominciava,
tutti avrebbero dovuto saperlo; ma dentro questa effi-
mera vigoria fluiva un disagio intollerabile che la fiac-
cava e le faceva desiderare di chiudere gli occhi, piegare
le braccia in croce e rovesciarsi nell'oscurità di un sonno
nero e profondo.

Entrò la madre: " Sai mamma " ripeté Carla trasognata, con voce meno gioiosa, " i Berardi ci hanno invitate a cena... e... poi ci porteranno al ballo ".

" Va bene " disse la madre senza entusiasmo; aveva
il naso rosso e diaccio, la pelle del volto lustra e spoglia

di cipria e un freddissimo sguardo fra le sue palpebre patetiche. " In tal caso " soggiunse " bisogna mascherarsi presto ".

Sedette. " E con te " disse guardando Michele, " con te ho da parlare ".

Carla uscí. " Con me? " ripeté Michele fingendo uno stupore enorme; " con me? E di che cosa? ".

La madre scosse la testa: " Lo sai meglio di me... ieri sera hai gettato il portacenere contro Leo... per fortuna hai colpito me... ne porto ancora il segno... ". Levò una mano e fece il gesto di denudar la spalla; ma il figlio la fermò:

" No ", disse con disgusto, " no grazie... non facciamo esibizionismi inutili... non sono mica Leo io ". Vi fu un silenzio; la faccia della madre si contrasse, i suoi occhi si abbuiarono; restò con quella mano sul petto, con un gesto pieno di dignità, simile ad una madonna che additi il proprio cuore trafitto; dopo essere stata ridicola quella mossa diveniva quasi profonda; era come se la madre avesse voluto mostrare altra ferita che quella prodotta dal portacenere: quale? Michele non avrebbe potuto dirlo, che già l'atteggiamento si decomponeva e la donna parlava:

" Voglio essere buona con te " disse con voce alterata. " Che cos'hai, Michele, che cos'hai? ".

" Nulla ho ". Il malessere del ragazzo aumentava: " Dovrebbe saperlo cos'ho " pensava commosso ed esasperato; la voce piangevole di sua madre lo fece rabbrividire: " Se continua su questo tono " pensò " diventa patetica e ridicola, ridicola e patetica... Bisognerà impedirle ad ogni costo le sue romanticherie... non voglio vederla piangere, né gridare, né supplicare... ad ogni costo ".

" Michele ", continuava la donna " fai un piacere a tua madre ".

" Mille " interruppe il ragazzo con un viso amabile.

" Allora " disse ella un po' rasserenata, ingannandosi su quella ironia, " dammene una prova... per esempio,

abbi un po' di amicizia per Leo, fingi magari di averla...
guarda, mi basta questo ".

Tacquero per un istante, guardandosi: " E lui " domandò Michele con viso improvvisamente duro " ne ha per me? ".

" Lui? " fece la madre con un sorriso giovane, commovente d'ingenuità e d'illusione; " lui ti ama come un padre ".

" Ah! Ma davvero! " domandò il ragazzo stupefatto; tanta buona fede, tanta incomprensione lo scoraggiarono; " Niente da fare... " pensò, " finché restiamo cosí, la vita non appartiene a me ma a lei ". E apparteneva anche alla madre questo mondo deforme, falso da allegare i denti, amaramente grottesco; per lui, per la sua chiaroveggenza, non c'era posto.

" Lui " disse ancora la madre con quel suo riso chiaro e trionfante " è l'uomo piú buono della terra ". Ah, bene, benissimo! non c'era piú niente da dire; la terra stessa, oltraggiata, cessava di girare, rassegnato Michele taceva.

" Spesso " riprese la madre " mi parla di te, delle sue preoccupazioni, delle sue speranze... ".

" Lo ringrazio " interruppe il ragazzo.

" Non credi? " domandò la madre, " guarda... non piú tardi di avant'ieri mi esponeva i suoi programmi per voi due, tu e Carla... avresti dovuto udirlo per capire a che punto arrivi la bontà di quell'uomo: ' So bene ', mi diceva ", e qui la madre prese un viso compunto come se avesse recitato una preghiera " ' che Michele non mi ama molto, ma non importa... io gli voglio bene lo stesso... Tra poco, appena Carla sarà sposata, bisognerà che anche lui si metta a lavorare. Allora ' senti, ' allora raccomandazioni, aiuti, incoraggiamenti da parte mia non gli mancheranno ' ".

" Ha detto questo? " domandò Michele interessato: la sua diffidenza cedeva a queste seduzioni come una donna facile che si sente pizzicare i fianchi e il petto, cedeva con un sorriso di compiacimento. " E se fosse vero " pensò, " se veramente Leo volesse aiutarmi a diventare qualche cosa, a diventare... ricco? ". Tale speranza fece balenare nella sua eccitata fantasia l'immagine dei suoi desideri e delle sue invidie: le donne di lusso dai preziosi sorrisi, i viaggi, gli alberghi, la vita intensa divisa tra gli affari e gli intensi divertimenti...; era come quando al cinematografo, davanti agli occhi sbarrati della moltitudine, sfilano al ritmo trionfale e nostalgico dell'orchestra le alte città e tutte le loro ricchezze, i paesaggi lontani, le avventure, le donne piú belle e gli uomini piú fortunati. Al ritmo affrettato del suo cuore illuso, il cinematografo delle sue ambizioni girava sempre piú presto... sullo schermo della sua fantasia le immagini si inseguivano, si raggiungevano, si mescolavano, si sorpassavano... era la corsa delle speranze, che toglie il respiro, fa tremar l'anima, illude e finalmente si dissolve lasciando la mediocre realtà; esattamente come al cinematografo, quando si fa luce e gli spettatori si guardano fra di loro con facce disincantate e amare.

" Se fosse vero " si ripeté, " se fosse vero? ".

" Questo ha detto " continuava la madre " e tante altre cose ".

Tacque per un istante: " È buono " soggiunse guardando davanti a sé come se avesse veduto Leo e la sua bontà, l'uno accanto all'altra, là, nel mezzo dell'anticamera; " è veramente buono... Si capisce, ha dei difetti anche lui, ma scagli la prima pietra chi non ne ha... non si deve giudicare dalle apparenze: è uomo di poche parole, brusco, non dice tutto quel che pensa, nasconde i propri sentimenti, ma bisogna conoscerlo nell'intimità... ".

" E tu lo conosci " pensò Michele divertito e irritato.

" Per capire quanto egli possa essere espansivo, gaio, affettuoso... Mi ricordo ancora " soggiunse la madre con un sorriso di tenerezza " di quando vi teneva sulle ginocchia, tu e Carla: eravate piccoli e vi riempiva la bocca e le mani di cioccolatini... Oppure lo sorprendevo mentre giuocava con voi, Michele, giuocava con voi come un bambino... ".

Il ragazzo sorrise di pietà: " E dimmi " domandò per sfuggire alla piena di quelle rimembranze patetiche e familiari; " ha detto veramente che mi aiuterà? ".

" Sicuro " disse la madre un po' incerta, " sicuro che vi aiuterà... Appena tu sarai laureato... ha tante conoscenze, tante amicizie in alto... ". E la madre alzò una mano come per indicare i fastigi dove quelle conoscenze dell'amante sedevano tronfie e impettite... " Sicuro che ti aiuterà... ".

" Ah! Mi aiuterà? ". Un sorriso di compiacimento tentava le sue labbra: quell'ottimo, quell'eccellente Leo! La madre aveva ragione, in fondo era un uomo pratico, brusco, si sa, ma un cuor d'oro... Un bel giorno si sarebbe recato da lui, gli avrebbe detto: " Senti Leo... fammi un biglietto per il tal dei tali... sai, quel pezzo grosso... ". Oppure: " Per favore, Leo, avresti centomila lire da prestarmi? ". E Leo: " Subito Michele... accomodati... ecco il biglietto... ecco il denaro... lo vuoi in moneta liquida o in chèque?... E, quando hai bisogno " avrebbe affettuosamente soggiunto accompagnandolo alla porta e battendogli una incoraggiante mano sulla spalla, " ritorna sai... ché l'ho promesso alla mamma tua di aiutarti nella vita... dovunque e sempre ". Ah! Leo, Leo, uomo forte, uomo sicuro e buono!... Ora la sua anima si gonfiava di amicizia e di affetto... mille ricordi gli tornavano, mille aneddoti nei quali Leo appariva modesto, pratico, sicuro e generoso, tutto irrorato di buon umore, di buon senso e di bontà, figura ora seria, ora gaia, mai ridicola; figura maliziosa, burbera, figura paterna ed esemplare.

" Sí " continuò la madre gradatamente trionfando; " sí, ti aiuterà, ma a patto che tu sia piú gentile con lui... altrimenti può finire per aversene a male... Guarda Carla, per esempio: mai una parola di piú, mai un gesto fuori di posto... e lui... e lui le si è affezionato ".

" Ah, le si è affezionato?... " interruppe Michele con un sorriso trepidante.

" Sicuro, le si è affezionato a tal punto che pensa

sempre a lei come ad una figlia... Per esempio, ha capito che bisogna accasarla... ora o mai... e se ne occupa... vedessi quanto ci pensa!... Ieri appunto al ballo me ne parlava... mi diceva che Pippo Berardi sarebbe un buon partito... ".

" È tanto brutto! " esclamò Michele.

" Brutto ma simpatico... come vedi " concluse la madre " dobbiamo tenercelo stretto il nostro Leo ".

" Il nostro Leo " si ripeté il ragazzo con un fremito di gioia.

" E non allontanarlo da noi con degli sgarbi, o peggio, tirandogli dei portacenere ". Completamente rasserenata prese una mano di Michele: " Allora mi prometti " domandò, " mi prometti che sarai piú gentile con Leo? ". La sua voce tremava per una commozione sincera e improvvisa, il suo cuore si apriva come un cofano pieno d'amore che ella avrebbe voluto, nell'enfasi di questa tenerezza, rovesciare su tutti, su Leo, Carla, Michele, Pippo Berardi... " Me lo prometti, Michelino? " ripeté; quel diminutivo era per lei l'infanzia, il bimbo dagli occhi chiari, gli anni passati, la sua giovinezza; Michelino era il figlio suo, non Michele.

" Ma sí " rispose il ragazzo messo a disagio da quegli occhi lustri dall'emozione, " sí, te lo prometto ". Ma capiva ora troppo tardi di essersi perduto, con tutta la sua chiaroveggenza, nella passione della madre, come in una boscaglia senza luce.

Carla entrò: " Cosa fate? " domandò. " Vi credevo già a pranzo ".

" Niente " disse Michele già pentito della sua promessa: " si parlava... ".

" Già " spiegò loquacemente la madre, " gli dicevo che dovrebbe essere piú gentile con Leo... Non ti sembra che io abbia ragione Carla?... Lui ci fa una quantità di favori, è un vecchio amico di casa, si può dire che vi abbia visti crescere... non bisogna trattarlo come una persona come tutte le altre ".

Senza muoversi, dritta in piedi nel mezzo dell'anticamera, Carla guardò la madre; allora, per la prima volta, vedendola cosí cieca e inoffensiva, capí di averla tradita: " Cosa diresti " pensò " se tu sapessi la verità? ".

" Io credo " rispose finalmente con voce profonda, socchiudendo gli occhi, " che bisogna esser gentili con tutti ".

" Ecco " esclamò la madre felice " anche Carla pensa come me... Vieni qui Carla ", soggiunse con improvvisa tenerezza, " vieni qui, fatti vedere ". L'attirò, la fece sedere sul bracciuolo della sua poltrona, passò una mano su quelle guance: " Figliola " disse " mi sembri un po' pallida... hai dormito bene? ".

" Benissimo ".

" Io no " disse la madre con ingenuità. " Ho fatto un sogno terribile... mi pareva che un signore molto grasso sedesse in un angolo... Passeggio in su e in giú, pensando a diverse cose, e finalmente mi avvicino e gli domando che ora sia... lui non risponde... Penso che sia sordo, sto per allontanarmi, quando vedo che ha gli occhi infossati nella carne che quasi non ci vede... le palpebre sono gonfie, la fronte tocca gli zigomi, s'intravede appena qualche cosa di chiaro che spia e si muove tra due pieghe di grasso... insomma un orrore... Impietosita, gli domando che cosa abbia e lui mi risponde che a forza d'ingrassare finirà per non vederci piú... ' Dovrebbe mangiar meno ' gli dico io, o qualche cosa di simile, e lui come prima non risponde... Allora penso che bisognerebbe ad ogni modo aprirgli gli occhi, ' affinché possa vederci ', mi dico non so perché e già stendo una mano per disserrare tutto quel lardo che gli ostruisce la vista, quando incomincia a nevicare... La neve cade cosí fitta e violenta che in breve non ci vedo piú; ne ho pieni gli occhi, le orecchie e i capelli; non faccio altro che inciampare, cadere, rialzarmi e ho un freddo tale che batto i denti... E finalmente mi sveglio e mi accorgo che il vento ha spalancato la finestra... Non è curioso? Dicono che i sogni possono essere spiegazioni... vorrei proprio sapere che significato ha questo ".

" Sogno invernale " osservò Michele " ... e, se si andasse a mangiare? ".

Si alzarono: " Veramente " insistette la madre " Carla, tu sei molto pallida... forse ti sei stancata al tennis? ".

" Ma no, mamma ".

In silenzio discesero.

Sedettero tutti e tre nella fredda sala da pranzo, intorno alla tavola troppo grande; mangiarono senza guardarsi, con gesti gelidi e deferenti di sacerdoti celebranti un rito; non parlarono; questo silenzio appena interrotto dall'urto leggero dei cucchiai nelle scodelle, che in quel bagliore del giorno, riflesso sui paramenti bianchi, ricordava il rumore agghiacciante dei ferri chirurgici, nelle bacinelle, durante le operazioni; questo freddo silenzio senza intimità infastidiva la madre socievole e loquace.

" Che silenzio " esclamò ad un certo punto sorridendo. " Un angelo è passato... dite la verità, non è vero che si sente la mancanza di Leo? ".

" Già ", mormorò Michele meditabondo, " di Leo ".

Carla alzò la testa: " Ne senti ora la mancanza " avrebbe voluto domandare, " e poi? Come farai poi, quando non lo vedrai piú? ". Si sentiva leggera e turbata, come di chi è in procinto di partire e siede per l'ultima volta alla tavola familiare, mangiando in fretta e pensando all'imminente viaggio... Invece la madre le appariva ferma per sempre al suo posto, pietrificata in quell'atteggiamento e in quella parola di rimpianto: " Si sente la mancanza di Leo " avrebbe detto anche tra dieci, tra vent'anni, e tutti i giorni si sarebbe seduta là a capotavola, pensando con rammarico all'amante perduto.

" È un fatto " disse la madre come se qualcheduno avesse messo in dubbio le sue parole, " che quando vien Leo ci par di essere piú allegri... ieri per esempio... che cosa non ha detto?... che cosa non ha fatto?... È stato inesauribile ".

" Se proprio ti manca tanto " disse Michele con un sorriso di scherno, " se proprio non ne puoi fare a meno, ebbene invitalo ogni giorno... anzi si potrebbe addirittura prenderlo a pensione ".

" Che sciocchezza " ripeté la madre irritata, indovinando l'ironia; " non ho voluto dire che senza di lui non potrei vivere, no... ". " Ma è la verità " avrebbe voluto interrompere Michele.

" ... Ma solamente che mi piace la sua compagnia perché è gaio, amabile, divertente... ecco tutto ". Tacque mangiando: " Parliamo d'altro " disse alfine. " Carla, chi è che ti ha fatto l'invito: Pippo o gli altri? ".

" Pippo ".

" Ah! era al tennis... ed è restato molto tempo con te? ".

" Una mezz'ora ".

" Una mezz'ora soltanto? " ripeté la madre delusa. " E... di che cosa avete parlato? ".

" Niente di speciale " rispose Carla posando la forchetta. " Si guardava la partita ".

Silenzio; la cameriera tolse via i piatti e ne portò degli altri.

" E... come ti sembra? " insistette la madre.

" Hum... cosí " rispose Carla vagamente.

" E a te come ti pare? " domandò la madre a Michele.

" Brutto ma simpatico " fu la risposta con le medesime sue parole di pochi minuti prima; ella si guardò intorno insoddisfatta, come se avesse voluto udire ancora il parere di qualchedun altro:

" È un giovane intelligente e colto, ha molto viaggiato, conosce molta gente... credo " soggiunse con una grossolana malizia " che abbia un debole per te, Carla ".

" Ah! sí? ".

" Debbono esser ricchi " continuò la madre seguendo la logica delle sue idee " molto ricchi... ".

" E perciò " avrebbe voluto concludere Michele ironicamente, " sarebbe un buon matrimonio ". Ma tacque guardando serenamente, curiosamente tutti questi errori come se non l'avessero neppure toccato, ed egli fosse stato uno spettatore lontano ed estraneo.

" Hanno cinque automobili " soggiunse la madre con evidente esagerazione.

" Dieci " pronunciò tranquillamente Michele, senza alzar la testa: " dieci automobili ".

" No ", rettificò Carla con calma " non ne hanno che tre: una di Pippo, una del padre, e la piccola delle ragazze ".

Entrò la cameriera con un secondo piatto, che salvò la già pericolante situazione della madre:

" La signora Berardi mi ha detto " continuò ella servendosi " che soltanto in vestiti per Mary e Fanny spende ottantamila lire all'anno ".

Anche qui era evidente una leggera esagerazione, ma Michele non la rilevò; tanto a che cosa poteva servire? A certe cose non si può metter rimedio.

" Hanno dei bei vestiti " ammise Carla senza invidia, ma come sottointendendo una malinconica constatazione della povertà del proprio guardaroba; un candido malessere la vinceva: nebbia o mussolina? quel bianco fantasma, quel bianco languore che dalle finestre velate fluiva nella stanza, stringeva in una mano enorme e gonfia di bambagia il suo cuore tremante; ad ogni stretta l'ovatta cedevole strideva, gli occhi le si empivano di nebbia, e tutto, intorno, diventava bianco, di un denso e balenante biancore nel quale le voci solitarie di sua madre e di Michele si disarticolavano distendendosi in lunghe vocali, come un grammofono se si rallenta il disco. Allora, spontaneamente, si ricostruiva qualche gesto della notte passata: da quella nebbia che ne inghiottiva subito il volto e il corpo, la mano di Leo si tendeva e accarezzava i suoi grossi seni sensibili, il suo ventre angusto; nonostante la propria immobilità, le pareva di fremerne; poi la nebbia si dissipava e in una realtà, piú plastica e piú dura dopo tali abbandoni, le apparivano la madre, Michele, la cameriera che le porgeva il piatto.

Rifiutò con un gesto molle:

" Com'è Carla che non mangi? " domandò la madre.

" Cosí... ". Non aveva fame, tra tutte quelle cose af-

famate della sua vita; in verità questa stanza nella quale
avrebbe dovuto nutrirsi, si era nutrita di lei: tutti quegli
oggetti inanimati avevano succhiato giorno per giorno la
sua vitalità, con una tenacia piú forte dei suoi vani tentativi di liberazione: nel legno cupo delle credenze panciute fluiva il suo miglior sangue; in quell'eterno biancore dell'aria si era dissolto il latte della sua carne, nel
vecchio specchio là, di fronte al suo posto, era rimasta
prigioniera l'immagine della sua adolescenza.

" Cosí, non è una spiegazione " insistette la madre.
Mangiava con avidità, guardando il boccone prima di in-
trodurlo in bocca: " Il padre " soggiunse continuando la
sua interminabile biografia " guadagna molto ".

" Industriale " recitò Michele versandosi del vino:
" cotoni grezzi e lavorati, cotoni stampati ".

" Ah! industriale! un uomo intelligente e energico, è
venuto su dal nulla, si è fatto da sé ". La madre bevve,
si asciugò le labbra e finalmente fissò Michele con una
curiosa e atona espressione di sazietà:

" È commendatore " disse.

" Ah! ma davvero? " domandò Michele stupefatto.
" Berardi è commendatore? e perché? ".

" E che vuoi che ne sappia io " disse la madre che
non aveva capito nulla; " forse avrà reso qualche servizio allo Stato... ".

" Ma come? dove? in che modo? " insistette Michele
con la piú grande serietà.

" Ah! io non lo so " disse la madre chinando la testa;
mangiò; poi rialzò quei suoi occhi incomprensivi:

" Sí " ripeté con un sussiego distante e trasognato,
" commendatore... Carla " soggiunse bruscamente " ti os-
servavo l'altro giorno mentre ballavi con Pippo... mi
sei sembrata fredda, rigida... ballavi come un automa...
e infatti nei giri seguenti non ti ha piú invitata ".

" Non ero io fredda " rispose Carla un po' vivace-
mente; " era lui troppo caldo...: mi faceva certi discorsi
indecenti... allora gli dissi di tacere e si ballò in silenzio... ".

La madre incredula scosse la testa: " E via " disse con un sorriso penetrante; " via... cosa avrà mai detto di cosí indecente?... Le solite sciocchezze che dicono i giovani alle signorine... Piuttosto, Carla ", soggiunse " io credo che tu abbia un partito preso contro di lui ".

Entrò la cameriera con la frutta; la fanciulla aspettò che fosse uscita, prese una mela, la guardò:

" Prima " disse senza alzar la testa, con voce calma " mi fece dei complimenti sulla tua bellezza ".

" Sulla mia bellezza!... " interruppe la madre lusingata.

" Sí... poi domandò se potessi andare nel suo studio... Gli chiesi che cosa studiasse, e lui mi rispose che soprattutto si dedicava al nudo femminile ".

" Ebbene, cosa c'è di male? " intervenne la madre " dal momento che è pittore... ".

" Aspetta... Allora io ingenuamente gli domando se dipinga o disegni... Lui ride, e con quella sua voce, sai? manierata, mi fa: ' Signorina, non so neppure tenere una matita in mano '... ' Oh! allora ' chiedo io; e lui ride ancora: ' Venga — mi dice, — venga lo stesso... quanto al suo nudo, può star sicura che qualche cosa se ne farà '... E nello stesso tempo mi fa, come dire? mi fa l'occhiolino... ". Qui Carla interruppe il suo racconto, fissò con comica gravità la madre stupefatta e d'improvviso, ridicolmente, le ammiccò: " ... Cosí... e mi domanda se io sarei andata... Io gli rispondo un ' no ' secco... e lui... lui come meravigliato esclama: ' Non vorrà mica dirmi che sarebbe la prima volta... '. Hai capito? Credeva che io fossi abituata a... ad andare negli studi; naturalmente non gli risposi neppure e tutto finí lí... ".

Seguí un silenzio impressionante; la madre molto degna e un po' ridicola, come se Pippo in persona le avesse mancato di rispetto, proprio in quel momento, ingiuriandola o peggio urtandola in modo da scomporre uno di quei suoi atteggiamenti pieni di dignità, incarnava l'indignazione e lo stupore. Michele trasognato guardava Carla: quella storia l'aveva sorpreso nel bel mezzo della sua piú grande indifferenza; avrebbe voluto convincersi della ignobiltà di Pippo, dell'offesa recata alla sorella, ma non ci riusciva; tutto questo sfuggiva al suo esame, restava estraneo e lontano dai suoi occhi... era come se egli avesse voluto sdegnarsi per la sorte di Lucrezia, giovane, bella e buona, ma cosí antica, violata dal dissoluto Tarquinio: " È enorme " pensava, e nello stesso tempo si accorgeva di non sapere in che cosa precisamente consistesse questa enormità.

Finalmente la madre parve ritrovare l'uso della parola; storse con disgusto la bocca e lasciò cadere quest'ingiuria veemente:

" Mascalzone! ".

" Il fatto è, mamma ", soggiunse Carla senza alzar la testa " che molta gente parla male di me ".

La sua calma era grande: presto, pensava, le male lingue avrebbero trionfato; ella sarebbe fuggita con Leo, oppure si sarebbe fatta sorprendere senza rimedio; avveniva sempre cosí; e tra queste idee di rassegnazione e di scandalo ogni fede in una nuova vita pareva spenta.

" Se no, mamma " soggiunse tristemente " perché Pippo avrebbe parlato in quel modo? ".

Michele non staccava gli occhi da sua sorella, gli pareva mesta e inoffensiva... ma oltre tale commossa constatazione non sapeva andare: " Vediamo " pensava, e nel contempo capiva tutta la ridicolaggine di questa domanda: " Vediamo... non dovrei sdegnarmi? ". Si sentiva freddo e speculativo; esaminava Carla; gli sembrava seducente, gli pareva di capir meglio la libidine di Pippo che l'indignazione della fanciulla: " È una bella ragazza " pensò con superficiale ignobiltà; " non ha mica cattivo gusto Pippo... l'ha adocchiata bene... E poi chissà, potrebbe anche darsi che non sarebbe stata davvero la prima volta, e che Pippo avesse ragione... ". Con una fantasia dilettantesca e freddissima immaginava sua sorella tra le braccia di qualcheduno: cosí... svestita, scapigliata, le gambe accavalciate, rannicchiata contro il petto di lui, seminuda; oppure liberamente seduta sulle sue ginocchia... Possibilissimo... era una donna anche lei...

doveva anche lei aver le sue libidini... le sue simpatie...
sviluppatissima nel corpo, perché non nel temperamento?... Ricordava di averla vista un giorno per sbaglio,
mentre usciva dal bagno: gli era restava l'impressione
di un lungo, bianco dorso curvo sotto la grossa testa
indolente e bagnata, e di qualche cosa simile ad una
pesante e pallida ghianda, un seno, che l'atteggiamento
chino della bagnante faceva pendere avanti sotto l'ascella
bruna: " Susanna al bagno " aveva pensato discretamente
ritirandosi; ed ora Pippo... eh eh, quel Pippo... non
aveva mica tanto cattivo gusto poi.

Tra queste ironie taceva: ed ecco, ad un tratto, si
avvide che doveva parlare; capí che doveva, in un certo
modo imperiosamente richiesto da quelle tristi circostanze, esprimere uno sdegno adeguato e sincero; altrimenti,
come sempre, sarebbe ricaduto in quella mortale indifferenza che gli impediva di agire e di vivere come tutti
gli uomini; abbastanza aveva giuocato con le sue fantasticherie; ora bisognava tentare di essere una buona
volta tragico e sincero: " Ora o mai " pensò.

Guardò la madre: " Davvero mascalzone " ripeté, e
si sentí agghiacciare dalla propria voce, che era fredda
e banale come se avesse voluto dire " buon giorno " oppure " che ore sono ". Allora batté il pugno sulla tavola: " Ma io " gridò con una stridula ed esteriore veemenza " sono anche capace di andare a casa sua e prenderlo a schiaffi ". Alzò gli occhi e si vide nello specchio
di Venezia appeso alla parete di faccia: era sua o di qualchedun altro quell'immagine dagli occhi ipocriti, che lo
guardava di sotto in su come per dirgli " No... non sei
capace "?

La madre non parve osservare questo sfogo d'indignazione fraterna:

" Tutti sanno cosa sono " ripeteva: " arricchiti... arricchiti e nulla piú ".

Ma Carla l'aveva udito e si voltò.

" Ti ringrazio tanto " disse " ma l'ho già messo a
posto io... è meglio che lasci fare a me ".

Questa pacatezza aumentò il bisogno d'ira di Michele: " Lasciar fare a te! " esclamò, e ossèrvò con sollievo di essere già sensibilmente piú sincero; " non credi che due mie parole gli farebbero meglio capire che si è grossolanamente sbagliato? ".

" Ti prego " ripeté Carla osservandolo attentamente: " lascia fare a me ". Era la prima volta che le accadeva di veder Michele sotto l'aspetto insolito del fratello vendicatore, e le parve goffo ed esagerato come un cattivo attore di provincia. " E se sapesse che mi sono data a Leo " pensò turbata " cosa farebbe? ". Lo guardò: Michele taceva ora, chinando sul piatto la sua testa lustra e pettinata; taceva, pareva che pensasse e con le dita appallottolava il pane; nulla rivelava i suoi violenti propositi. " Che cosa farebbe? " si ripeté ella; un sottile disagio l'avvertiva che qualche cosa di falso era in quell'atteggiamento, in quel pugno sulla tavola, in quelle parole del fratello, non sapeva perché... e quando Michele alzò gli occhi le parve di sorprendervi un triste e vergognoso segreto; rabbrividí; ora il candido fantasma riafferrava il suo cuore tremante; tutto ridiventava bianco; nella nebbia la madre parlava.

Il pranzo era finito: " Ed oggi " domandò Carla accendendo una sigaretta, " cosa farai mamma? ". Aspettò la risposta con una certa ansietà: " Purché " pensò " non mi proponga di accompagnarla ". Voleva passare il pomeriggio in casa dell'amante, ormai capiva che non avrebbe potuto farne a meno; l'abitudine si era sostituita al desiderio di una nuova vita, provava un'impazienza avida e dolorosa di tornare in quella stanza, di ritrovarsi con quell'uomo.

" Io? " fece la madre in tono distaccato e distante. " Non so... credo che andrò a far delle spese ". Tacque per un istante abbassando gli sguardi sulla punta accesa della sigaretta:

" E tu? " domandò; il suo cuore maturo e illuso batteva: quel giorno sarebbe stato suo; l'amante sarebbe tornato a lei ed al suo vecchio ma sicuro amore, come

già altre volte (e questa esperienza l'empiva di speranza
e molto la consolava) dopo gli errori effimeri.

" Io? " rispose Carla con quello stesso tono distaccato che la madre aveva usato: " Sono invitata a prendere il tè da Claretta ". Tacquero ambedue abbassando
gli occhi come per nascondere i loro sguardi modesta-
mente trionfanti e soddisfatti; una stessa espressione di
sollievo e di serenità si diffuse sopra i due volti, quello
maturo della madre, quello puerile della figlia; avevano
ambedue nel loro cuore l'immagine del comune amante,
e verso di lui, in quel momento, l'anima di ciascuna s'in-
clinava gentilmente come per dirgli con una gioia trattenuta e compiaciuta: " Ecco... vedi... l'intrigo è fatto...
nessuno, caro... nessuno ci disturberà ".

Si alzarono, uscirono dalla stanza: nel salotto per prima entrò la madre rabbrividendo e stropicciandosi le
mani diacce, e subito con voce sorpresa esclamò: " Oh!
c'è Merumeci ". Gli andò incontro e gli strinse le mani.
" È molto tempo che ci aspetta? " domandò. Entrò
Carla a sua volta, ed anche lei con voce e volto lieta-
mente stupiti, esclamò: " Oh! c'è Leo ". Ultimo venne
Michele: salutò con un gesto, si fermò ad accendere una
sigaretta, ed uscí di nuovo.

" Ebbene " domandò la madre sedendosi e stropicciandosi le mani con maggior vigore, come per esprimere
la sua contentezza " ebbene... qual buon vento la porta qui? ".

" Non precisamente il vento, ma la mia automobile "
rispose Leo con una vieta spiritosaggine, e le due donne
ebbero entrambe un riso cordiale e nervoso di gente
sazia che dopo pranzo ascolta volentieri, nell'intimità di
un salotto comodo e freddo, delle facezie idiote.

" Ho ricevuto " soggiunse egli piú seriamente, guardando la madre, " la sua lettera d'affari, e volevo appunto telefonarle... ma ho saputo di quel guasto... ".

" Ed è venuto qui " concluse la madre; si voltò verso
Carla: " Senti " disse " vedi di avvertire che facciano
quattro caffè invece di tre ".

Carla si alzò, e uscí con gli occhi bassi.

" Ed ora " disse la madre con sorriso lusingatore, assumendo un atteggiamento piú confidenziale; " dimmi... hai pensato a quella risposta che dovevi darmi? ".

" Sí " rispose Leo considerando con attenzione la punta accesa del suo sigaro.

" Cosa c'è? " domandò la madre insinuante e inquieta, subitamente alzandosi; " cosa c'è Lulú? ". Con volto ansioso, tenero ed eccitato, come chi vuole strappare qualche confidenza e nel tempo stesso fare un gesto intimo, gli si avvicinò alle spalle, gli mise le braccia intorno al collo e chinò la testa fino a sfiorare con la sua la guancia dell'amante: " Cosa c'è? " ripeté.

Infastidito Leo piegò la testa da una parte: " Nulla c'è " rispose, sempre guardando il sigaro; la donna gli prese una mano e se la passò sul volto, strofinandovi, come un cane fedele, il naso freddo e la bocca molle. " Mi ami? " domandò a bassa voce, prima che egli finisse la sua frase; e subito mutando il tono e diventando bruscamente disinvolta come se avesse intuito il pericolo di questa sentimentalità:

" Verrò oggi " soggiunse " ma sarai savio, molto savio ". Inconsciamente ripeteva le stesse parole dette la prima volta che Leo con un pretesto qualsiasi l'aveva invitata a casa sua. " Molto savio ", aveva detto anche allora, col suo brillante sorriso, entrando nel vestibolo dell'appartamento dell'amante; quindici anni erano passati; quella saggezza ipocritamente invocata era alfine arrivata; molto savio, Leo tentava di svincolarsi dal suo peccaminoso abbraccio.

" Saremo buoni " soggiunse baciando con attenzione quella mano inerte; " faremo i buoni bambini ". Morse coscienziosamente il pollice e si passò la lingua sulle labbra: " I buoni bambini " ripeté con voce ed espressione ghiotta, pregustando il rito compiacente che era in questa frase condizionale; ella la diceva con un fremito di gioia e vi aggiungeva il gesto di un dito ammonitore e un'espressione che tentava di essere infantile, ogni volta che dopo essersi distesa tutta bianca e grassa sulla coperta gialla del letto, chiamava l'amante al suo fianco; e lei rispondeva gioiosamente con lo stesso gesto frenetico e ammonitore: " faremo i buoni bambini "; dopodiché, il loro lussurioso e complicato amore incominciava.

Ma Leo scosse la testa: " Debbo dirti, Mariagrazia ", mormorò senza imbarazzo " che oggi non possiamo vederci...: ho un appuntamento di affari, urgentissimo... impossibile vederci ". Curvò la testa guardando il sigaro; un'espressione delusa, stupida e dolente si contorse come una mano sul volto della donna; ma ella restò in quel suo atteggiamento di tenerezza:

" Questo vuol dire " insistette esitante " che oggi non posso vederti ".

" Già ".

L'abbraccio si sciolse, le mani risalirono al petto fermandosi alle spalle; il volto della madre si fece duro: " Io no ", sibilò mettendo una straordinaria intensità nella sua voce sommessa " ma le donnacce come Lisa sí... per quelle " soggiunse " tutto è possibile... si mandano all'aria anche gli urgentissimi affari... ci si fa bello... si freme... si bolle... Bolli, Lulú, bolli pure ". Gli si avvicinò e con la punta delle dita gli diede a denti stretti un pizzico sul braccio.

Leo alzò con furore le spalle, si strofinò la parte offesa, ma non parlò; contemplava la punta oscillante del suo piede, ora con un occhio ora con l'altro, e pareva molto assorto in questa occupazione.

" Ma sai cosa ti dico " fece ella fissandolo; " che hai ragione... non una, mille volte... Sono io la stupida, io la cretina, io che non so vivere... Tu però " soggiunse fieramente, ergendosi sul busto e irrigidendo il volto, con un gesto lungimirante della mano, " lascia fare a me...: tutti i nodi vengono al pettine... domani vedrai ". Si allontanò un poco per osservare l'effetto di questa sua minaccia: nessuno; e reggendo il vassoio del caffè Carla entrò:

" Michele è uscito " disse, " Leo berrà il caffè di Michele ". Empí le tazzine, le offrí, sedette; bevvero tutti e tre in silenzio.

" Una notizia che le farà piacere " disse la madre posando la tazza vuota: " stamane ho incontrato la sua Lisa... ".

" Mia? " interruppe Leo ridendo, " mia? e perché poi? da quando? ".

" A buon intenditore poche parole " disse la madre con espressione fine e stupida. " E mi ha incaricato " soggiunse senza avvedersi di mentire " di trasmetterle i suoi piú cari, piú affettuosi, piú cordiali saluti ".

" La ringrazio tanto " rispose Leo senza sorridere, " ma non capisco, cara signora, che cosa significhi tutto questo ".

" Non abbia paura... lei mi comprende benissimo " disse la madre, sempre piú fine e come escludendo Carla da tale comprensione; " troppo bene... e mi raccomando, non perda alcuno dei suoi appuntamenti... sarebbe un vero peccato ". La sua voce, le sue labbra tremavano; Leo alzò le spalle senza rispondere.

" Di che cosa si tratta? " domandò Carla piegandosi rigidamente avanti con tutto il busto; un irragionevole turbamento affrettava i battiti del suo cuore, il respiro le mancava, avrebbe voluto alzarsi, lasciare quelle persone, uscire da quel salotto, da quell'atmosfera.

" Si tratta... " spiegò la madre sforzandosi di parer disinvolta, e nervosamente giuocando con la sua collana di perle false " di affari... Il nostro Leo " soggiunse con voce piú alta guardando in aria e accelerando il giuoco della collana, " è un uomo d'affari... occupatissimo... un affarista come ce ne sono pochi... tutti lo sanno... oh! oh!... ". Rise tremando per tutto il corpo e bruscamente strappò la collana; si udí un tintinnío secco, là, sul pavimento: le prime perle cadevano: rigidamente seduta, col busto eretto e le mani posate sui bracciuoli della poltrona, la madre lasciava che la collana si sciogliesse e le perle rotolassero sul suo petto raccogliendosi nell'incavo del grembo; era molto degna, teatrale e, pur nella sua innata ridicolaggine, tragica. Poi d'improvviso, come aveva rotto il filo, pianse; dagli occhi dipinti due lacrime impure scivolarono sopra il suo viso denso di cipria lasciandovi le loro tracce umide, altre due seguirono... e dal collo le perle continuavano a cadere nel grembo tremante; come le lacrime; e tutto l'atteggiamento era rigido, con grandi pieghe, come di statua; e quelle cose che cadevano, lacrime e perle, si confondevano sull'eguale rigidità del volto e del corpo, ambedue contratti, tremuli e dolorosi.

"Al diavolo le donne nevrasteniche" aveva pensato Leo assistendo alla rottura della collana. Ora che l'amante piangeva, un imbarazzo odioso lo metteva a disagio: "al diavolo le lacrime" pensava e tentava di fissare come prima la punta dondolante del suo piede; intanto Carla si era alzata:

"Perché?" domandava; "cosa è successo?". La sua voce era fredda, un'espressione di noia era sul volto; Leo ebbe l'impressione che anche la fanciulla fosse seccata di tutti quei piagnistei: "al diavolo le lacrime" si ripeté. Intanto, con un gesto della mano e del capo la madre allontanava da sé la figlia, come se non avesse voluto guastare quel suo rigido e teatrale atteggiamento di dolore.

In questo momento entrò Michele; era pronto per uscire: cappello, guanti, pastrano: "C'è una donna che ti vuole" disse alla madre. "Ha una scatola... credo che sia la sarta...". Ma si fermò di colpo, vedendo quel pianto:

"Cosa c'è" domandò.

"Nulla... nulla" rispose la madre; si alzò in fretta, lasciando cader le perle sul pavimento, si soffiò rumorosamente il naso: "Vengo subito" soggiunse, e rossa e un po' curva come chi vuol nascondere qualche cosa uscí.

"Cos'è successo?" insistette Michele guardando curiosamente Leo; questi si strinse nelle spalle:

"Nulla" rispose, "ha rotto la collana... e poi ha pianto".

Ci fu silenzio; Carla taceva, in piedi presso la poltrona vuota della madre; Leo guardava in basso; immobile nel mezzo del salotto, Michele fissava l'uomo con due occhi irresoluti e imbarazzati; non provava alcuna pietà per la madre, né odio contro Leo; si sentiva superfluo e inutile; per un istante provò un violento desiderio di reagire, di interrogare, di altercare, di protestare... poi, non senza un acuto sentimento di umiliazione e di tedio, pensò che in fin dei conti tutto questo non lo riguardava:

"Fate quel che volete" disse bruscamente: "Io me ne vado". Ed uscí.

"Vieni qua Carla" comandò Leo ancor prima che la porta si fosse chiusa, con eccitata e goffa disinvoltura; "qua... vicino a me".

"Hai dormito bene?" domandò la fanciulla avvicinandosi.

"Benissimo".

Egli stese le braccia, le circondò la vita e l'attirò: "Poi verrai con me" soggiunse con voce profonda; "dirai qualche cosa... un'amica, una visita... e verrai con me". La strinse piú dappresso, giungendo le mani in basso, dove le cosce grosse e muscolose si saldavano alle natiche sferiche con una linea netta, riconoscibile sotto le pieghe della veste:

"E stamani?" soggiunse per dir qualche cosa; "tutto è andato bene?"

"Tutto bene" ella rispose guardando non sapeva se con ripugnanza o con paura quella testa, laggiú, dell'uomo seduto, che le parlava senza alzare la fronte bassa, senza distogliere gli occhi dal suo grembo, come se il dialogo si fosse svolto tra lui e il suo ventre e non l'avesse interessato che questa sola e men nobile parte del suo corpo; "nessuno si è accorto di nulla".

"Era presto..." egli disse senza cambiare atteggiamento, come parlando a se stesso; si scosse finalmente da quella sua immobilità, alzò gli occhi, fece sedere la fanciulla sulle sue ginocchia:

" Non hai piú paura " domandò guardandola con espressione stupida e ottusa " che venga qualcheduno? ".

Carla si strinse nelle spalle: " Ormai " disse con una voce chiara che le empí la bocca di saliva, " cosa m'importerebbe? ".

" Ma, vediamo " insistette Leo divertito: " se ora... in questo momento, la mamma entrasse, cosa faresti? ".

" Direi tutta la verità ".

" E poi? ".

" E poi " ella disse con voce malsicura, con l'angosciosa sensazione di mentire rispetto ad una piú profonda verità, giuocando col nodo della cravatta dell'uomo, " me ne andrei con te... andrei a stare con te... ".

Lusingato da questa serietà di cui fraintendeva le ragioni, Leo sorrise: " Sei una cara bambina " profferí abbracciandola.

Si baciarono. Si separarono.

" Abbiamo il tempo di restare insieme dalle tre fino alle sette " ricominciò l'uomo; questa previsione non lo entusiasmava; nonostante la propria eccitazione, intuiva oscuramente, stringendo quel grande corpo giovane, che le proprie forze sarebbero state ormai sempre piú insufficienti a soddisfare queste sue furibonde avidità. Era un sentimento sgradevole e preciso d'incapacità, come dire? d'impotenza: era come se per saziarlo, gli avessero offerto dei barili traboccanti di vino, delle immense tavole piegate sotto il peso d'ogni piú prelibata vivanda e degli appartamenti rigurgitanti delle piú belle donne del mondo distese e ammucchiate le une sulle altre come tante bestie. " Dalle tre fino alle sette " pensò con ironia, " cosa potrò mai fare? ". Si guardò sopra la spalla di Carla in uno specchio: fronte calva, volto pesante e rosso, guance piú gonfie che grasse, dove la barba non rasa metteva un suo riflesso azzurro e metallico: maturità. " Io me ne infischio " concluse serenamente con un vivo senso di realtà: " Quando non ne avrò piú glielo dirò ". Tra questi pensieri passava distratto una mano sul collo di Carla: " Come sei calda " esclamò.

234

Ella taceva, guardando attentamente il volto rosso e duro dell'amante:

" Perché mamma ha pianto? " domandò alfine.

" Perché le ho detto che oggi non potevo riceverla ".

" Anche a me " domandò la fanciulla con gentilezza, " farai un giorno la stessa cosa, Leo? ".

" Perché? ". Quel che piú interessava e divertiva l'uomo in quel momento, era il contrasto tra le carezze che non senza piacere, a giudicare dai fremiti delle membra docili, Carla si lasciava fare, e l'indifferenza, anzi, meglio ancora, la triste dignità del volto e dei discorsi; " come se il suo corpo non la riguardasse " egli pensò rallegrato.

Passò qualche istante di silenzio; poi Leo alzò gli occhi verso quelli della fanciulla: " A cosa pensi? " domandò.

" Al giorno " ella rispose, non senza una certa cosciente falsità, " nel quale dirai anche a me di non poter ricevermi ".

" Fandonie " rispose Leo riabbassando la testa e tornando alle sue studiose carezze. " Che c'entri tu con tua madre? ".

" Ora " continuò Carla " dici cosí... Ma poi? " Ella non sapeva perché parlasse cosí; in verità non le importava tanto indovinare se l'amante l'avrebbe abbandonata o no, quanto esser certa che il proprio destino non sarebbe stato eguale a quello di sua madre; quella domanda significava " potrò io avere una vita differente da quella di mamma? ".

L'uomo non rispose; gualciva con attenzione la gonna. " E qui cosa c'è? " domandò puntando un dito sulla gamba.

" La giarrettiera ". Ella chinò la testa fino a batter con la fronte la fronte dura dell'amante: " E... mi ami? " chiese.

Meravigliato Leo la guardò: " Voglio dire " ella soggiunse in fretta; " mamma non l'hai mai amata, ma me sí, non è vero? ".

Un lampo illuminò la mente di Leo: " È gelosa di Mariagrazia... ho capito... è gelosa... gelosa di sua madre ". Fiero della propria perspicacia, lusingato da una tale rivalità, sorrise: " Ma non aver paura... non pensarci neppure... con tua madre è finito, capisci? fini-to! ".

" Non è questo... ". E già Carla si sforzava di spiegare il proprio oscuro sentimento, quando la porta del salotto si aprí.

" Lasciami " ella mormorò svincolandosi: " ecco mamma ". Con un solo movimento si liberò, e scivolò in terra.

Entrò la madre, affaccendata, rasserenata, con un involto in mano:

" Cosa fai? " domandò.

" Raccolgo " rispose la fanciulla; carponi sul tappeto, a testa bassa e coi capelli pendenti, riuniva con alacrità le perle cadute; immobile, Leo considerava con divertimento le natiche alte, mobili, rotondeggianti sopra il dorso incavato e la testa quasi assente.

" Non era la sarta " disse la madre; " era una signora che vende delle stoffe e dei cuscini... ne ho comprato uno ".

" Di che? " domandò Carla sforzandosi di raggiungere una perla rotolata sotto il canapè.

" Un cuscino " spiegò la madre. " Guarda " soggiunse indicando " eccone una... là... in quell'angolo ". Ostentava di non occuparsi di Leo e si era evidentemente infarinata a nuovo la faccia.

" L'ho vista " disse Carla; curva raccoglieva; ma donde le veniva questo bisogno di abbassarsi, di strisciare, di nascondersi, con la mano piena di perle e gli occhi dilatati, fissi e tristi? Non sapeva; un po' rossa si alzò e rovesciò le perle dentro un portacenere.

" Vedere " disse.

La madre spiegò l'involto e mostrò il suo acquisto: era un quadrato di seta azzurra sul quale, con dei colori brillanti, rosso, verde, oro, era stato ricamato il solito drago cinese, dalla bocca fiammeggiante, dalla coda irta.

" Bello " disse Leo.

" Come ti pare? " domandò la madre alla figlia, fingendo di ignorare il giudizio dell'amante.

" Mi sembra per lo meno inutile " disse Carla un po' rudemente. " Abbiamo la casa piena di questa roba... non so dove potrai metterlo ".

" Nell'atrio " propose la madre con umiltà.

" Del resto " addolcí Carla con una frettolosa compassione, " non è affatto brutto ".

" Credi? " domandò l'altra con un debole e compiacente sorriso.

Carla fece qualche passo verso la porta: " Vado a vestirmi " disse. " Leo, aspettami... usciremo insieme ".

" È presto " gridò la madre, guardando l'orologio e correndole dietro.

" Non importa " rispose la fanciulla già in fondo al salotto.

" Ma no " rispose la madre " ma no... ". E ambedue parlando, schiamazzando, agitando le braccia come due grandi uccelli spaventati, uscirono in un fracasso di porte sbattute e chiuse.

Solo, Leo gettò il sigaro spento, si stirò le braccia e le gambe, sbadigliò, trasse alfine di tasca una lima e incominciò a nettarsi le unghie; fu in questa occupazione che dieci minuti dopo Carla lo sorprese:

" Allora Leo " disse infilandosi i guanti, " vogliamo andare? ".

" All right " rispose Leo; si alzò, seguí la fanciulla; e nel vestibolo si abbandonò alle sue stravaganze gravemente buffonesche:

" Posso " domandò inchinandosi " avere il piacere e l'onore della sua compagnia, signorina? ".

" È concesso " disse Carla arrossendo un poco e suo malgrado sorridendo. Uscirono ridendo, urtandosi tra di loro, balzando con agilità e leggerezza faunesche sugli scalini di marmo ingialliti dalle piogge recenti: nel mezzo del piazzale, l'automobile di Leo, bassa sopra le grosse ruote, stava distesa al sole.

Con molte risa e molti scherzi quei due si avvicinarono alla macchina brillante; salirono con pochi movimenti; prima Leo poi Carla; stettero.

" Nulla di dimenticato? " domandò l'uomo attentamente premendo il bottone della messa in moto.

" Nulla " rispose la fanciulla. In quell'aria fredda e
limpida le sue tristezze e le sue paure si erano dile-
guate; seduta al fianco di Leo godeva del cielo azzurro,
della natura lavata, della macchina luccicante.

L'automobile partí e rapidamente passò tra i tronchi
nudi degli alberi del viale; il sole, i rami pendenti, il
vento colpirono variamente quelle due teste immobili,
una stessa meraviglia infantile, una stessa colorata e brillante giovinezza erano sui loro volti; estranei alla corsa
pareva che si mirassero nel vetro del parabrise dove,
sopra il confuso variar del parco e del cielo, si riflettevano pochi tratti delle loro figure: gli occhi, le bocche,
le guance puerili di Carla, il feltro di Leo, distaccati
e sospesi nel vuoto come un miraggio d'impossibile comprensione.

Michele era uscito per visitare Lisa; per tutta la mattinata l'idea di quest'incontro si era nascosta dietro ogni suo pensiero, creando quello stesso disagio che in una compagnia numerosa provoca un fatto a tutti noto e di cui nessuno osa parlar per primo; per tutta la mattina, questo ricordo, il baciamano del giorno prima, nell'oscurità, non aveva lasciato i piani inferiori della sua coscienza, formando intorno ai suoi pensieri una atmosfera provvisoria e scoraggiante: egli indovinava oscuramente che la questione essenziale non era per quelle ore dedicarsi a questa o ad un'altra occupazione, ma sapere se doveva tornare da Lisa o no, che l'importante non era leggere, scrivere, parlare, vivere in un modo qualsiasi, ma amare Lisa; finalmente, dopo pranzo, col pretesto di una passeggiata era uscito.

La vera ragione di questa su uscita gli apparve subito appena fu fuori ed ebbe rivolto gli occhi al cielo che, puro pochi minuti prima, ora si andava riempiendo di una nuvolaglia bianca e minuta. " Si capisce " pensò con calma chiudendo dietro di sé la porticina del parco, " che non esco per passeggiare o per prendere un caffè... no... bisogna che me ne convinca: io esco per andare da Lisa ". Gli parve di esser molto forte andando cosí incontro alle proprie inevitabili viltà, e in un certo modo, di accettare coraggiosamente delle condizioni che nessuna volontà avrebbe potuto trasformare; erano stati inutili quella falsità caparbia, quell'orgoglio puerile che per un solo istante gli avevano fatto credere ad una nuova tresca di Lisa col suo antico amante, e poi gli aveva pesato addosso, obbligandolo a continuare in una direzione sbagliata. Ora capiva che quell'inchino ironico dalla porta a Lisa discinta e ansante non gli era stato suggerito da alcun vero sentimento: egli avrebbe potuto con altrettanta facilità entrare, sedersi, discorrere, oppure accettare con serenità il fatto compiuto, oppure ancora portarsi via Lisa, strappandola dalle braccia di Leo; invece, con un fiuto di commediante costretto ad improvvisare la sua parte, egli aveva scelto quell'atteggiamento ironico come il piú adatto o meglio, il piú naturale e piú tradizionale in tali circostanze: qualche parola, un inchino e via; ma poi, nella strada, nessuna gelosia, nessun dolore: soltanto un intollerabile disgusto di questa sua versatile indifferenza che gli permetteva di cambiare ogni giorno, come altri il vestito, le proprie idee e i propri atteggiamenti.

L'importanza di questa sua visita era per lui evidente ed estrema: era l'ultima prova della sua sincerità, dopo il fallimento della quale o egli sarebbe restato in queste provvisorie condizioni di dubbio e di ricerca, o si sarebbe incamminato per la via opposta, quella di tutti, dove le azioni non sono sorrette da alcuna fede o sincerità, si valgono tutte tra di loro e si accumulano in belle stratificazioni sullo spirito dimenticato fino a soffocarlo; ma se la prova riusciva, tutto sarebbe mutato: egli avrebbe ritrovato la sua realtà concreta come un artista ritrova l'ispirazione dei tempi piú felici; una nuova vita sarebbe cominciata, la vera, la sola vita possibile.

Voltò in una strada piú grande e si trovò presso il segnale davanti al quale si fermava il tram che portava al quartiere di Lisa. Aveva da aspettarlo o no? Guardò l'orologio: era presto, meglio andare a piedi. Riprese il cammino coi suoi pensieri; dunque, ricapitolando, le ipotesi erano due: o egli riusciva nei suoi scopi di sincerità, o si adattava a vivere come tutti gli altri.

La prima ipotesi era chiara; si trattava di isolarsi con poche idee, con pochi sentimenti veramente sentiti, con poche persone veramente amate, se ce n'erano, e ricominciare su queste basi esigue ma solide una vita fedele ai suoi principî di sincerità. La seconda, eccola qui: nulla sarebbe mutato se non nel suo spirito sconfitto; avrebbe aggiustato alla meglio la situazione come una brutta casa in rovina, che si rifà qua e là, non essendo possibile per mancanza di denari fabbricarne una nuova: avrebbe lasciato che la sua famiglia andasse in rovina o che si facesse mantenere da Leo, e si sarebbe risolto a sua volta (benché molto l'umiliasse accontentarsi di una tale consolazione) a far la sua piccola sudiceria con Lisa; porcherie, piccole bassezze, piccole falsità, chi non ne depone in tutti gli angoli dell'esistenza come in quelli di una grande casa vuota? Addio vita chiara, vita limpida: sarebbe diventato l'amante di Lisa.

E la villa? e l'ipoteca? Per questo sarebbe venuto a patti con Leo: " Tu mi dai i denari che serviranno a farci campare me e la mia famiglia, io in cambio ti do... ". In verità cosa restava che Leo non avesse già preso?... Vediamo, un momento...: restava Lisa... con... con cui Leo aveva tentato invano di riallacciare gli antichi legami... Lisa, già, sicuro... dunque: " Tu mi dài i denari... ed io in cambio convinco Lisa... ".

Gli parve di vedere come sarebbe andata quest'ultima faccenda.

Una sera, dopo molte esitazioni, ne avrebbe parlato alla donna; ella avrebbe protestato. " Fallo per amor mio " egli avrebbe allora supplicato; " se mi ami devi farlo ". Alla fine ella si sarebbe rassegnata, forse, chissà? non troppo malcontenta in fondo di tornare alle antiche amicizie. " E sia ", avrebbe risposto, non senza lanciargli un'occhiata di disprezzo, " fallo venire... ma non credere che io lo faccia per la tua famiglia... soltanto per

te ". Egli l'avrebbe abbracciata, l'avrebbe calorosamente
ringraziata, sarebbe andato di là, nell'anticamera, a chiamar Leo: " Vai " gli avrebbe detto; " Lisa ti aspetta ".
E l'avrebbe condotto per mano, l'avrebbe gettato tra le
braccia della donna; dove glieli avrebbe dati i denari,
Leo? qui, nella casa di Lisa, sotto gli occhi della donna,
o altrove? Altrove. Poi discretamente, se ne sarebbe andato, chiudendo dietro di sé la porta, augurando la buona notte; sarebbe andato ad aspettare a sua volta nel-
l'anticamera; che lunga, interminabile notte avrebbe allora passato, seduto nel vestibolo, ascoltando i rumori
della stanza accanto, dove quei due se ne stavano in letto;
dormendo, destandosi ogni tanto di soprassalto e sempre
ritrovando davanti a sé quel pastrano appeso all'attaccapanni, rivelatore della presenza dell'uomo presso la
sua amante; che notte senza fine! E verso l'alba Leo
se ne sarebbe andato, senza ringraziarlo, senza guardarlo in faccia, permettendogli appena di aiutarlo a
infilare il soprabito; gli avrebbe ceduto il posto in un
letto disfatto e insudiciato, presso una Lisa seminuda,
rovesciata nel sonno e nell'oscurità dal faticoso godimento, come da una pesante ebbrezza. E non sarebbe stata
né la prima né l'ultima volta; Leo sarebbe tornato, spesso, ogniqualvolta egli avrebbe avuto bisogno di quattrini... " Anche questa " concluse distrattamente, " sarebbe una soluzione ". Ma si sentiva mortalmente stanco
come se tutte queste fantasie fossero state fatti veri e
accaduti. E se Leo non avesse voluto saperne di Lisa, o
viceversa Lisa di Leo? Allora... allora... non restava che
Carla per salvare la situazione... Giustissimo... anche Carla era una risorsa... poiché era necessario vivere in quel
modo, meglio andare fino in fondo. Restava dunque Carla... da sposare, già da dare in moglie a Leo... Sarebbe
stato un matrimonio di affari, di denari, come se ne ve-
dono tanti e son poi quelli che riescono meglio; l'amore
sarebbe venuto dopo... e se anche non fosse venuto non
sarebbe stato un gran male... Carla poteva consolarsi in
tanti modi, non c'era soltanto Leo al mondo... giustis-

simo... Però... però... e se Leo non avesse voluto dare i suoi denari che a patto di farne la sua amante?

" È capace anche di questo " pensò Michele " capacissimo ". Si fermò un istante: gli parve che la testa gli girasse; una stanchezza, un disgusto senza speranza gli pesavano addosso: il cuore gli tremava; ma implacabile riprese il cammino e i suoi pensieri: " Avanti, avanti... " pensò, e oscuramente si meravigliava di questa sua capacità di scoprire sempre nuove abiezioni; quando ne sarebbe arrivata la fine? " Bisogna arrivare fino in fondo ". Sorrise pallidamente... Dunque se Leo non avesse voluto sposarsi... anche quest'ipotesi era probabile... in tal caso un altro accordo avrebbe potuto farsi tra le due parti contraenti... Leo avrebbe dato i soliti quattrini e in considerazione della giovinezza intatta, della bellezza di Carla, gli sarebbe stata richiesta una somma due, tre volte maggiore di quella che sarebbe bastata per Lisa matura e corrotta... Ad ogni merce il suo prezzo... ed egli... ed egli in cambio si sarebbe impegnato, sicuro, in tale atmosfera, sopra un tale pendío anche a questo si poteva arrivare, si sarebbe impegnato a facilitare le cose presso la sorella. Difficile impegno; Carla doveva avere dei princípî o forse, chissà? amare qualchedun altro; difficilissimo... Due tattiche erano da prendersi in considerazione: o dire ogni cosa insieme, adducendo vari pretesti, l'onore della famiglia, la miseria, e con la stessa violenza e subitaneità della pressione vincere di un sol colpo la battaglia; oppure preparare lentamente la fanciulla, facendole capire a poco a poco, ossessionandola, oggi una parola, domani un'altra, facendole indovinare con accenni ripetuti e insistenti quel che si esigeva da lei... Di queste due maniere quale la migliore?... La seconda, indubbiamente... molto piú facile lasciarle capire certe cose, che dirle... e poi, in un'atmosfera di disagio, abilmente preparata, a forza di accenni e di allusioni, a forza di seduzioni, Carla, sola e debole, avrebbe finito per cedere... " Avviene a tante ragazze " pensò egli " perché non a lei? ". Con una lucidità allucinata, camminando passo a

passo e guardando in terra, gli parve anche di potere immaginare come sarebbe avvenuta questa seduzione... una
giornata grigia, come oggi, una giornata morta, tiepida,
senza sole e senza movimento... Come oggi Leo sarebbe
venuto, li avrebbe invitati, lui e la sorella, ad un giro
in automobile... subito detto, subito accettato... e dopo
il giro, dove sarebbero andati a prendere il tè?... In casa
di Leo, già, in casa di Leo, dove Carla sarebbe venuta
volentieri, rassicurata dalla presenza del fratello... sarebbero tutti e tre discesi davanti a quella porta, avrebbero insieme salito quella scala, lentamente, la fanciulla
per prima, poi i due uomini... Sulla soglia della porta,
mentre Carla si sarebbe tolta il cappello davanti allo
specchio del vestibolo, loro due avrebbero scambiato una
stretta di mano come suggello dell'intesa... e dopo aver
visitato, ammirato la casa, eccoli tutti e tre, in quella
luce blanda del pomeriggio, nel piccolo salotto di Leo,
tutti e tre con i loro pensieri differenti, con le loro facce
immobili. Poi Carla avrebbe servito in piedi il tè, l'ultimo, e da quelle mani i due uomini seduti avrebbero
ricevuto la bevanda, i biscotti farinosi, lo zucchero, il
latte; da quella bocca amabile un sorriso senza sospetto,
da quegli occhi degli sguardi limpidi... Tutti e tre seduti presso la finestra, perché il cielo si sarebbe fatto
un po' fosco e l'ombra avrebbe incominciato ad invadere
il fondo della stanza, tutti e tre insieme avrebbero bevuto, mangiato... avrebbero anche parlato, in quel silenzio pomeridiano della casa; i due uomini guardandosi
negli occhi, la fanciulla ridendo, ignara, scherzando ad
alta voce... E dopo il tè, in quel momento di silenzio
e di sazietà trasognata che segue ogni appetito soddisfatto, egli avrebbe guardato Leo, e Leo avrebbe reso quello
sguardo... poi, con rapido movimento, gli occhi dell'uomo
si sarebbero posati sulla testa docile e un po' curva di
Carla e sulla porta... Egli avrebbe capito, si sarebbe lentamente alzato: " Vado a prendere le sigarette " avrebbe
detto, e con un passo stranamente sicuro, a fronte alta,
sarebbe uscito lasciando quei due, la sorella e l'uomo,

figure nere e immobili, davanti alla finestra piena di cielo grigio.

Sarebbe andato nel vestibolo, si sarebbe rivestito del suo pastrano; sarebbe partito, chiudendo con precauzione la porta... Le ore di quel pomeriggio, sarebbero passate, interminabili, una dopo l'altra, senza Carla, senza Leo, senza nessuno, per strada, oppure in qualche piccolo caffè, in qualche cinematografo. E alla sera egli sarebbe tornato alla villa, avrebbe ritrovato Carla, forse anche Leo, alla tavola familiare, e avrebbe scrutato quei due volti, senza indovinare, da alcuno sguardo, alcun segno, quel che era avvenuto in quella casa tra quelle quattro pareti, dopo la sua partenza...: una fuga per l'appartamento buio, in un fracasso di sedie rovesciate e di porte aperte e chiuse? una breve lotta nell'ombra del piccolo salotto, davanti alla finestra crepuscolare? o piuttosto una mortale rassegnazione di fronte all'inevitabile caduta, presentita da lungo tempo e finalmente accettata?

Egli non avrebbe mai saputo; nonostante questo pomeriggio e tutti gli altri giorni nei quali si sarebbe ripetuta la fruttuosa e colpevole vicenda, la loro vita, per forza di abitudine e di convenienza, avrebbe continuato come prima... un malinteso, una falsità di più e avanti... Oppure un giorno queste segrete vergogne, come dei vermi in un gran corpo in decomposizione, si sarebbero rivelate in un'esplosione di egoismi, provocando il crollo finale... Essi si sarebbero trovati nudi, l'uno di fronte all'altro... allora sarebbe stata la fine, la vera fine...

Gli parve di soffocare; si fermò, guardò davanti a sé, senza vedere, la vetrina di un negozio. Ora era veramente arrivato in fondo al suo avvenire: nulla più da vendere, né la innocenza di Carla, né il proprio amore per Lisa, né il proprio coraggio, nulla più da consegnare a Leo in cambio del suo denaro. Dopo queste fantasie, che non erano più ripide della realtà sulla quale la sua esistenza precipitava, della aridità che gli asciugava la bocca e gli screpolava l'anima, avrebbe voluto gridare e piangere; si sentiva stanco e mortalmente a disagio come

se veramente pochi minuti prima avesse lasciato Carla
in casa di Leo, e ora, laggiú nell'appartamento chiuso,
quella vergogna si compisse, con questi gesti, la lotta,
la fuga, l'abbraccio; con quei colori, con quelle forme,
le braccia tese, il petto nudo, il corpo prostrato sotto
la macchia cupa e curva di un altro corpo, gli occhi
chiusi e violati, che a lampeggiamenti gli erano apparsi
nel cielo febbrile della sua immaginazione. Si sentiva addosso tanto disgusto e tanta fatica che ne provava un
bisogno istintivo di lavarsi, non sapeva perché, un bisogno lamentoso di acqua pura, come se il fiotto fresco
delle abluzioni avesse potuto scorrere per quei meandri
della sua anima... ruscelli mormoranti fra le erbe, ca-
scate bianche e vive precipitanti con un fragore continuo
dall'alto di una rupe, torrenti freddi spumeggianti sui
loro letti di ghiaia, i rigagnoli stessi che dalla fronte ne-
vosa delle montagne, al momento del disgelo, serpono
giú per delle vie nascoste e si congiungono a valle; tutte
le acque piú fresche, nella sua triste bramosia, gli parevano insufficienti.

Riprese il cammino: ora capiva che una frase: " Per
fortuna non sono che idee ", non sarebbe bastata a pu-
rificarlo: dal suo animo turbato, dalla sua bocca amara,
capiva di aver vissuto quelle fantasie; impossibile rivedere Carla con occhi fraterni, dimenticare di averla im-
maginata sotto quelle apparenze impudiche che solita-
mente si attribuiscono alle donne perdute; troppo tardi
ora per tornare alle piú tranquille visioni: pensare era
vivere.

Ma aveva veduto, aveva provato quel che sarebbe diventato, se non avesse saputo vincere la propria indifferenza: senza fede, senza amore, solo, per salvarsi bisognava o vivere con sincerità e secondo degli schemi
tradizionali questa sua intollerabile situazione, o uscirne
per sempre; bisognava odiar Leo, amar Lisa, provar del
disgusto e della compassione per la madre, e dell'affetto
per Carla: tutti sentimenti che non conosceva; oppure
andarsene altrove a cercare la sua gente, i suoi luoghi,

quel paradiso dove tutto, i gesti, le parole, i sentimenti avrebbero avuto una súbita aderenza alla realtà che li avrebbe originati.

Questo paradiso di concretezza e di verità gli era sembrato, due anni prima, d'intravederlo nelle lacrime di una donna pubblica fermata per strada e portata in una camera di albergo. Piccola e frivola, aveva un corpo divertente per certa ingenua sproporzione tra le sporgenze goffe dei seni e delle natiche, e la snellezza incavata del dorso, cosí che nuda pareva che camminasse piegata in avanti ostentando vanitosamente, come un pavone la coda, quelle sue floride rotondità. Un altro contrasto stava nel fatto ch'ella offriva quelle sue seduzioni rosee e sciupate, avvolte in certi miserabili veli neri (e li portava un po' di traverso come un travestimento di carnevale), cenciose gramaglie improvvisate, gli aveva confidato su per la scala dell'albergo, senza ombra di tristezza, con quella indifferente semplicità che si riferisce ad ogni fenomeno naturale, per la morte di sua madre avvenuta una settimana prima. Ma questo luttuoso avvenimento, che l'aveva lasciata, secondo la sua espressione, sola al mondo, non le impediva di cercarsi ogni sera un compagno alla sua solitudine: bisognava pur vivere. In camera aveva fatto la sua piccola commedia del pudore, gaiamente, con una certa fresca e lieta spontaneità: la camera era piccola e modesta: ella aveva lasciato un po' dappertutto in terra, come un fuggiasco che si libera pezzo per pezzo della sua armatura per correr piú spedito, le parti leggere del suo vestimento, i veli neri, la gonna, la sottoveste, i panni intimi; e si era alfine rifugiata, vestita delle sole calze, nell'angolo piú caldo e oscuro, presso la stufa. Ne era uscita con molte moine e con movimenti goffi del petto e delle anche che facevano credere che ad ogni passo eseguisse una riverenza; ne era uscita con mille proteste, coprendosi dove poteva con le mani; era cautamente entrata nel letto, con un sorriso misterioso e amabile che pareva prometter chissà quali raffinate delizie... ma poi, ad un tentativo

di Michele di costringerla a qualche abilità puramente
professionale, si era rifiutata e alfine, poiché egli insisteva, era scoppiata in lacrime; non un pianto dignitoso,
oppure doloroso e tragico; neppure uno di quegli scoppi
isterici accompagnati da grida e da contorcimenti... no,
una specie di pianto infantile, con grosse lacrime e singhiozzi veementi, che facevano sussultare tutto il corpo
e in particolar modo quei due seni leggeri e teneri come
due innocenti viaggiatori costretti da un cavallo bizzarro
ad un faticoso e continuo sobbalzare. Egli la guardava
stupito, senza comprendere questo rapido passaggio dalla
gioia al dolore... Finalmente, dopo molte domande, gli
era sembrato di capire che nel momento in cui egli le
domandava di mostrare tutte le sue sapienze professio-
nali, in quella testa cosí vicina e pur cosí lontana dalla
sua, il pensiero della madre morta era stato tanto forte
e intollerabile da provocare quel rumoroso scoppio di
pianto. Fatte queste confuse spiegazioni con voce lamentosa e assonnata, mentre il ragazzo, ancora attonito, curvo su di lei, la guardava senza parlare, ella si era solle-
citamente soffiato il naso, si era asciugate quelle lacrime
con un lembo del lenzuolo, ed era tornata serena, gaia,
perfino zelante, come se avesse voluto farsi perdonare
il suo inopportuno dolore. Tutto era andato bene, e dopo
un'ora si erano separati sulla porta dell'albergo, se n'erano andati ciascuno per la propria strada, né si erano mai
piú rivisti.

Ora quel pianto gli tornava alla memoria come un
esempio di vita profondamente intrecciata e sincera; quelle lacrime colate sul volto imbellettato, versate in quel
momento, risortivano dalla pienezza segreta di quella vita
come muscoli che ad una leggera contrazione affiorano
improvvisamente sotto la pelle. Quell'anima era intera,
coi suoi vizi e le sue virtú, e partecipava delle qualità di
tutte le cose vere e solide, di rivelare ad ogni momento
una verità profonda e semplice. Invece egli non era cosí;
schermo bianco e piatto, sulla sua indifferenza, i dolori
e le gioie passavano come ombre senza lasciare traccia,

e di riflesso, come se questa sua inconsistenza si comuni-
casse anche al suo mondo esterno, tutto intorno a lui
era senza peso, senza valore, effimero come un giuoco di
ombre e di luci: da quei fantasmi che avrebbero dovuto
impersonare tradizionalmente i membri della sua famiglia,
la sorella e la madre, o la donna amata, Lisa, per uno
sdoppiamento che poteva continuare all'infinito, altri se
ne distaccavano, secondo le circostanze e la sua fantasia.
Cosí gli era possibile di vedere in Carla una fanciulla
disonesta, nella madre una signora stupida e ridicola, in
Lisa una donnaccia; per non parlar di Leo che di ora
in ora, attraverso i discorsi degli altri e le proprie troppo
obbiettive impressioni, cambiava completamente, cosí, che
se in un primo momento credeva di odiarlo, poco tempo
dopo lo amava teneramente.

Sarebbe bastato un solo atto sincero, un atto di fede,
per fermare questa baraonda e riassestare questi valori
nella loro abituale prospettiva; di conseguenza gli appariva enorme l'importanza della sua visita a Lisa; se
fosse riuscito ad amarla, tutto poi sarebbe stato possibile: odiare Leo e il resto.

Alzò gli occhi, si accorse di aver oltrepassato la strada
dove abitava la donna: tornò indietro. Ora il suo spirito maligno lo tormentava: " E se veramente " gli domandava " tu sapessi rimettere le cose in quei luoghi
dove comunemente stanno, credi tu che te ne troveresti
avvantaggiato? Credi tu che diventare un vero fratello,
un vero figlio, un vero amante, un vero uomo qualun-
que, egoista e logico come ce ne sono tanti, significhe-
rebbe un progresso di fronte alle tue presenti condizioni? Lo pensi veramente? ne sei proprio sicuro? ".
Tutte domande senza risposta. " Non credi invece ", continuava la voce dubbiosa, " che la strada piena di dubbi
e di perversità per la quale ora cammini ti porterebbe
molto piú lontano? E anche non ti pare che sarebbe
una vigliaccheria da parte tua diventare come tutti gli
altri? ". " O a che cosa porterebbe allora " pensò tra
ironico e disperato, " a che cosa porterebbe raggiungere

la sincerità? ". Guardava davanti a sé, con occhi imbambolati, ingannato dal proprio riflesso nel vetro della bottega; e ad un tratto gli parve di capire a che cosa avrebbe portato la sincerità: nel mezzo della vetrina, che era quella di un profumiere, tra uno scintillío biondo di bottiglie di acqua di Colonia a buon mercato, in cima ad una catasta di saponette rosee e verdoline, un fantoccio réclame attirava l'attenzione dei passanti; dipinto a vivi colori, tagliato nel cartone, raffigurato secondo un modello piú umano che fantastico, aveva un volto immobile, stupido e ilare e dei grandi occhi castani pieni di fede candida e incrollabile; indossava un'elegante giacca da camera, doveva essersi alzato proprio allora dal letto, e senza mai stancarsi, senza mai lasciare quel suo sorriso, con un gesto dimostrativo passava e ripassava una lama di rasoio sopra una striscia di pelle; affilava. Non ci poteva esser alcun nesso tra la banale azione che compiva e la lieta soddisfazione della sua faccia rosea, ma appunto in tale assurdità stava tutta l'efficacia della réclame; quella sproporzionata felicità non voleva additare la imbecillità dell'uomo, sibbene la bontà del rasoio; non voleva mostrare tutto il vantaggio di possedere una modesta intelligenza ma quello di radersi con una buona lama; però a Michele immerso nei suoi pensieri fece tutt'altro effetto.

Gli parve di vedere se stesso e la sua sincerità; gli parve di ricevere da quel fantoccio sorridente la risposta alla sua domanda: " A che cosa servirebbe aver fede? ". Era una risposta scoraggiante: " Servirebbe " significava il fantoccio " ad avere una lama, una felicità come la mia, come quella di tutti gli altri, di umile, stupida origine, ma scintillante... e poi l'essenziale è che rade ". Era la stessa risposta che gli avrebbe dato una di quelle tante persone dabbene: " Fai come me... e diventerai come me ", mettendo la propria persona stupida, goffa, volgare, come un esempio, come uno scopo da raggiungere in cima alla dura montagna dei suoi pensieri e delle sue rinunzie. " Ecco a che cosa servirebbe " insisteva il suo spirito maligno, " servirebbe a diventare un fantoccio stupido e roseo come questo qui ". Imbambolato egli guardava il pupazzo che, con un movimento continuo, a piccole scosse automatiche, una, due, tre, affilava la sua lama, e avrebbe voluto colpirlo in faccia e spezzare quel sorriso radioso.

" Piangere dovresti " pensava, " piangere a grosse lacrime ". Ma il fantoccio sorrideva e affilava.

Si staccò a fatica da questo spettacolo affascinante (e veramente c'era qualche cosa di pazzo e di allucinante in quel movimento continuo), e voltò nella strada dove abitava Lisa; delle frasi stupide e assurde ballavano nella sua testa: " Ecco, Lisa ", si ripeteva, " ecco il tuo povero fantoccio dal rasoio ".

Il corridoio oscuro era pieno di un certo odor di cucina che gli parve di aver già sentito altre volte in altre case eguali; Lisa stessa, evidentemente appena alzatasi da tavola, con una sigaretta tra le labbra e un aspetto tra stravolto ed eccitato, che le derivava forse dal molto vino bevuto, venne ad aprirgli: " Di qui... di qui " ripeté, senza rispondere alle sue parole di saluto, e lo guidò verso il boudoir, chiudendo sul suo passaggio delle porte aperte che rivelavano ora una camera da letto dai lenzuoli in disordine e dall'atmosfera opaca, ora una nera cucinetta colma di utensili, ora il salotto già conosciuto, polveroso e oscuro. " Qui si starà meglio " ella disse entrando nel boudoir. In questa stanza una luce bianca, abbagliante, entrava dalle due finestre velate; in quell'istante la nuvolaglia del cielo doveva essersi un po' schiarita; un riflesso intollerabile e candido era, laggiú, dietro i vetri delle finestre.

Sedettero insieme sul divano: " Ebbene, come va? " domandò Lisa porgendogli una scatola piena di sigarette. Egli ne prese una senza alzar gli occhi, conservando un volto preoccupato: " Sarà meglio cominciare subito " pensava sogguardando la donna. Molto infarinata, Lisa indossava una vecchia, ingiallita camicetta bianca, e una gonna grigia dalla stoffa cedevole tutta sformata a forza di portarla; una cravatta vivace, non molto fresca, male annodata, le pendeva dal collo, dei bottoni di smalto, raffiguranti ciascuno una testa di cane, ornavano i polsini... Ma in contrasto con questa maschile acconciatura, il petto florido gonfiava la camicia e la carne rosea e bionda delle spalle esplodeva nella trasparenza del velo, tra le due bretelline bianche e volgari della sottoveste.

" Va male " egli rispose alfine.

" Male? ". Un turbamento provocato non sapeva se dal vino bevuto o da altre cause affrettava i battiti del cuore di Lisa, le interrompeva il respiro, e ogni tanto spingeva un fiotto di sangue sulla sua faccia grave ed eccitata: " E perché? ". Guardava Michele e sperava che egli si ricordasse di quel baciamano del giorno prima, nell'oscurità del salotto:

" Non so ". Egli posò la sigaretta, fissò per un istante Lisa: " Ho pensato diverse cose... ho da dirtele? ". Vide la donna fare un vivo gesto di assentimento: " Di' pure " e atteggiare il volto e la persona come chi vuol ascoltare con interesse e, si sarebbe detto, con amore: " Chissà cosa crede che stia per dirle " pensò con ironia, " forse che l'amo... eh! già, non aspetta che questo... ". Riprese la sigaretta:

" Debbo dirti " incominciò " che io mi trovo in una curiosa posizione di fronte a voi tutti ".

" Chi voi? ".

" Voi della famiglia...: tu, Leo, mia madre, mia sorella... ".

Ella lo scrutò con degli sguardi penetranti: " Anche di fronte a me? " domandò prendendogli, come per caso, con tutta naturalezza una mano. Si guardarono:

" Anche di fronte a te " egli rispose; strinse macchinalmente le dita della donna. " Per ciascuno di voi " continuò incoraggiato " dovrei provare un certo sentimento, dico dovrei perché volta per volta mi sono accorto che le circostanze ne esigono sempre uno... È come andare ad un funerale o a delle nozze: in ambedue i casi un certo atteggiamento di gioia o di dolore è obbligatorio come il vestito di cerimonia...: non si può ridere seguendo una bara o piangere nel momento nel quale due sposi si scambiano l'anello... sarebbe scandaloso, peggio, inumano... Chi per indifferenza non prova nulla, deve fingere... cosí io con voi... fingo di odiar Leo... di amare mia madre... ".

" E poi? " domandò Lisa avidamente, vedendolo esitare e interrompersi.

" E poi basta " egli rispose. Si sentiva annoiato e triste: " Se aspetti che io parli di te! " pensava guardando la faccia di Lisa. " Soltanto " aggiunse, e la sua voce tremò come se avesse voluto elevare una lamentosa protesta, " io non so fingere... e allora, capisci, a forza di sentimenti, di gesti, di parole, di pensieri falsi, la mia vita diventa tutta una commedia mancata... Io non posso fingere... capisci? ". Tacque per un istante: Lisa lo contemplava e pareva delusa. " E poi " concluse confusamente, scoraggiato, sentendo ad un tratto la sua voce sola risuonare inascoltata nel silenzio del boudoir, " tutto questo non ti interessa né puoi comprenderlo... potrei parlarti per un giorno intero e tu non mi capiresti... ". Abbassò la testa; allora udí alfine parlare sulla sua fronte la voce falsamente ispirata e confidenziale della donna:

" Ti capirei, mio povero Michele... sono sicura che ti capirei ". Gli parve di udire quella stessa voce che egli avrebbe avuto se avesse voluto dichiarare il proprio amore a Lisa: " Guarda, guarda " pensò con amara ironia, " siamo tutti e due nelle stesse condizioni ". Sentí una mano posarglisi sui capelli, gli venne una disgustata compassione di sé e della donna: " Oh! poveretta " si disse, " vuoi proprio insegnare a me come si fa la commedia? ". Ma alzò gli occhi, e incontrò degli sguardi e un volto tanto imperiosamente sentimentali che se ne spaventò: " È già dunque giunto il momento? " pensò confusamente, come il malato che dopo aver immaginato dei lunghi preparativi vede, appena disteso sul lettuccio, brillare per aria il ferro del chirurgo. Guardava la faccia

della donna: labbra semiaperte, supplichevoli, occhi turbati, guance rosse, e capiva, cedendo a poco a poco a
questa preghiera, che ancora una volta la vita imponeva
alla sua indifferenza un falso atteggiamento; poi sentí
le dita di Lisa premere leggermente le sue come per
invitarlo a decidersi, si chinò e la baciò sulla bocca.

Lungo abbraccio; delle nubi passeggere oscurarono
quel chiarore bianco che appena un minuto prima empiva il boudoir, le pareti rapidamente si scolorirono, si
raffreddarono... e sul divano, tra le due finestre, quei
due dalle bocche unite, seduti l'uno accanto all'altro, coi
busti appena tanto girati quanto bastava per permettere
il bacio, stavano immobili e rigidi. Non fossero state
quelle loro labbra avide e confuse, i loro corretti atteggiamenti avrebbero fatto pensare piuttosto a una conversazione che ad un abbraccio: Michele teneva le braccia lungo i fianchi, gli occhi bene aperti, e i suoi sguardi
erravano oziosamente sulla parete in faccia; Lisa, con le
mani in quelle del ragazzo, faceva ogni tanto con la testa
il gesto di chi, bevendo, sosta un istante e poi con rinnovata ingordigia ricomincia; alfine si separarono e si
guardarono.

" E ora " pensava Michele fissando trasognato il volto
confuso, eccitato e grave della donna; " ed ora? ". Vide
un'espressione di gratitudine arrossare le guance accese
di Lisa, le labbra umide socchiudersi ammirate e sup-
plici, una adorazione quasi religiosa, cui non mancava
che il gesto delle palme aperte in segno di pietà, em-
pirle gli occhi; poi ella distese una mano e gliela passò
fra i capelli mormorando un " caro... " con voce tre-
mula e falsa.

Abbassò gli occhi; Lisa stava seduta in difficile equilibrio sulle proprie gambe, e senza parere di nulla, pur
continuando ad accarezzargli la testa, gli si avvicinava
strisciando penosamente sul divano: a questo movimento
la gonna tirata svelava a poco a poco una coscia grassa
dalla calza lenta e arrotolata. Gli vennero un disagio,
un'irritazione forte, non seppe se per il dispetto di es-

sersi lasciato trascinare all'abbraccio, o per il contrasto ipocrita tra quelle carezze, quella parola affettuosa e la nudità impura, che quel subdolo movimento veniva discoprendo. " Per chi mi prende? " pensò disgustato: quel po' di libidine che l'abbraccio aveva destato in lui svaní; si ritrasse indietro e, guardando fissamente Lisa, con un gesto goffo si alzò in piedi.

" No " disse scuotendo la testa, " no, non va... ".

Stupita, quasi scandalizzata, senza coprire la gamba nuda, senza calmare la sua eccitazione Lisa lo guardava.

" Che cosa non va? " domandò; questa freddezza di Michele oltraggiava il suo rossore e il suo abbandono: " Stupido di un ragazzo ", pensava irritata; " avevamo cosí bene incominciato... ed ora ecco... ecco che si alza ". Lo vide scuotere ancora una volta la testa, ripetendo: " Non va ". Allora si sporse, gli afferrò con un gesto malcerto una mano:

" Vieni... " disse, tentando di attirarlo al suo fianco, " vieni qui... siediti qui... dimmi che cosa non va ".

Egli esitò, poi sedette: " Ti ho già detto che cosa non va " spiegò con voce annoiata guardando attentamente qualche cosa dietro la testa di Lisa e fingendo d'ignorare la carezza nervosa delle mani della donna e quei suoi occhi commossi; " ti ho già detto che mi trovo anche di fronte a te come di fronte agli altri... ".

" Come sarebbe a dire? ".

" Sí... come non posso odiare Leo... ".

" Anche ora, dopo quello che ti ho raccontato?... ".

Michele guardò la donna: " Debbo dirti " incominciò con un certo imbarazzo, " che quello che hai detto di mamma ho finto d'ignorarlo... invece lo sapevo già... ".

" Lo sapevi già? ".

" Almeno da dieci anni ". Egli si chinò, raccolse un tagliacarte che era caduto dal tavolino; allora, mentre lo riponeva, gli venne ad un tratto un bisogno isterico di verità: " E cosí, come non posso odiare Leo, di cui potrei raccontarti per filo e per segno tutta la storia delle sue relazioni con mamma... nello stesso modo non posso amarti: è sempre la stessa ragione... indifferenza, sempre indifferenza... Allora " concluse irritato " piuttosto che fingere di caderti fra le braccia, di morir dalla passione per te, di farti delle dichiarazioni... visto che non mi riesce... preferisco non farne nulla... ". Tacque e guardò Lisa: la vide cosí perplessa e annoiata che gli venne una dispettosa compassione:

" Sforzati di comprendermi " soggiunse cupamente " come posso io fare una cosa che non sento? ".

" Prova... ".

Egli scosse la testa: " Non serve... sarebbe come se io andassi da Leo e gli dicessi: ' Senti, mio caro, non ti odio, anzi mi sei simpaticissimo, ti sono amicissimo, me ne dispiace tanto, ma proprio non posso farne a meno, debbo darti uno schiaffo ': e subito giú botte da orbi... ".

" Ma l'amore viene sempre dopo... " ella mormorò ostinata, con una mancanza di pudore che parve incredibile a Michele; " quando ci si conosce meglio... ".

" Ci conosciamo anche troppo ".

Lisa impallidí, nessuno mai l'aveva respinta con tanta durezza; ebbe paura che il suo " adolescente " stesse per sfuggirle per sempre, e per un istante le venne l'idea pazza di gettarsi ai suoi piedi, di supplicarlo come una divinità, ma protestò ancora: " Non parli seriamente ".

" Tutto quel che c'è di piú serio ".

Ella gli venne accanto, gli prese una mano; il cuore le batteva, un'ansietà irragionevole le arrossava le guance: " Non essere cattivo " insistette con voce esitante accarezzandogli una mano; " vediamo... non provi nulla... proprio nulla per questa tua Lisa?... Dimmi, non è vero che mi farai questo piacere? " ella soggiunse mettendo un braccio intorno al collo del ragazzo; " Michele... non è vero che avrai un po' d'amore per me? ". Un rossore acre, un'accesa eccitazione decomponeva il volto della donna; la sua voce era insinuante, sentimentale... tutta protesa verso Michele toccava con il ginocchio la gamba del ragazzo; questi scosse la testa: " Comprendimi " ripeté; ora un'irritazione forte lo invadeva contro questa testarda libidine: " Dove andrebbe a finire questo tuo amore, se io, senza troppo curarmi dei miei sentimenti, come si fa con le donne perdute, ti... ti prendessi... ti rovesciassi senza tanti complimenti sul divano?... comprendimi... ".

" Ma non siamo ancora arrivati a questo punto di... rovesciarmi sul divano... " ella disse con un riso stupido e lusingato; esitò un istante, poi con un gesto molle e irresistibile, gli gettò le braccia al collo, lasciandosi nel contempo cadere indietro sopra il divano. Questo primo movimento le riuscí; sorpreso Michele non resistette e cadde in avanti; ma al vedere il volto rosso ed eccitato di Lisa, quelle sopracciglia inarcate in segno di comando sopra gli occhi turbati, quella gola protesa, a sentir sulla sua nuca tutto il peso di quel corpo, una collera, un disgusto intollerabile lo invasero; risollevò la testa, puntò la palma della mano su quella faccia imperiosa e supplice, e, con una sola spinta, si liberò dall'abbraccio e sorse in piedi.

" Se ne hai proprio tanto desiderio... " disse corrucciato, rassettando macchinalmente la cravatta in disordine; " ebbene torna... torna con Leo... ".

Rovesciata sul divano, col volto tra le mani e il petto in tumulto, Lisa fingeva un dolore e un'umiliata vergogna entrambi inesistenti; ma al nome dell'antico amante egli la vide sorgere con occhi allucinati e quel gesto accusatore della mano:

" Leo... hai detto Leo... che debbo tornare con Leo? " ella gridò senza curarsi dei suoi capelli in disordine e della sua veste discinta. ". E, se non mi sbaglio, hai anche detto che non ti riesce di odiare Leo, non è vero? anche sapendo quello che sai? ".

" Sí " balbettò egli turbato da quell'improvviso furore, guardandola: " sí... ma che nesso c'è? ".

" Lo so io... ": ella ebbe un riso breve e nervoso: " lo so io... ". Tacque per un istante inghiottendo la saliva e la propria impazienza: " Sai che cosa ti dico? "

proruppe di nuovo sporgendosi dal basso e fissandolo con quei suoi occhi allucinati: " che c'è una sola ma buona ragione perché tu possa odiar Leo ed io non tornarci insieme... ".

" Mia madre " arrischiò Michele messo a disagio da quella mano accusatrice; ma vide Lisa rompere in una risata sprezzante:

" Tua madre... è proprio di tua madre che si tratta!... " ella ripeté tra i singulti della sua amara risata. " Ma mio povero Michele, tua madre è già da un pezzo fuori combattimento... già da molto tempo... ".

Egli la guardò; gli parve allora di vedere molto dall'alto, con una superiorità che gli derivava più dalla disgustata compassione che ne provava che da una sua maggiore purezza, in una miseria più bassa e più cieca della sua, quella figura vendicativa; avrebbe voluto chinarsi, ravviare quei capelli scomposti, calmare quel gesto di accusa; ma non ne ebbe il tempo:

" No... " ella continuò sempre fissandolo con quei suoi occhi che parevan vedere oltre il boudoir, oltre la casa, le figure della sua memoria; " no caro... qualchedun altro che tua madre... indovina... indovina ". Ebbe un piccolo riso nervoso, si rassettò i capelli, la veste, sedette più comodamente.

" Tu " egli profferí.

" Io? ".

Ella ebbe il gesto di chi cade dalle nuvole. " Io... ma mio povero Michele, ti ho già detto che c'è una buona ragione perché io non torni con Leo... e questa ragione sai chi è... sai chi è? ". Un nome stava su quelle labbra, ella stava per profferirlo ma si trattenne. " No " soggiunse scuotendo la testa; " no... è meglio che io non dica nulla ". Passato il primo momento di sincera eccitazione, ora Lisa tornava a quella sua consueta falsità nella quale, come in un giuoco sottile e avvincente, ella trovava le più forti consolazioni alle sue miserie. " Non vorrei che per colpa mia succedessero cose gravi... ". Accese una sigaretta e, come chi è deciso a non parlare, fissò gli occhi in basso, sul tappeto.

" Senti Lisa " profferí alfine Michele: " di' quel che vuoi dire... perché si vede che proprio non ne puoi piú... e falla finita... ".

Le si avvicinò, le mise una mano nei capelli, le rovesciò indietro la testa... Allora guardando in quegli occhi gli parve di scoprire nella spietata e stupida fissità che ella gli opponeva, un errore indurito e inguaribile; gli venne la stessa disgustata compassione di prima: " Se l'amassi " pensò rigettando da sé la testa, " ella non sarebbe cosí... ". Sedette di nuovo: " Che maniere " ripeteva Lisa turbata, con voce lenta e caparbia, ravviando i capelli scomposti; " che maniere ". Michele la guardava: " La colpa non è loro " pensava, " è mia... essi hanno bisogno dei miei sentimenti... e io non ne ho ".

" Allora vuoi proprio saper tutto? " ella domandò.

" Sí... e sbrigati... ".

Un istante di silenzio: " Hai detto " cominciò Lisa con qualche esitazione " che vorresti e non puoi odiare Leo? ".

" Sí " egli rispose, " e ho anche detto " soggiunse impacciato " che vorrei e non posso amarti... ".

Un gesto secco della mano: " Non occuparti di me " ella disse freddamente; stette un istante sopra pensiero come chi riunisce i propri ricordi prima di narrare: " La storia è breve " cominciò alfine abbassando gli occhi e guardandosi le mani. " Ieri... ti ricordi? vennero Leo, tua madre e tua sorella al ballo... mancava la luce e si cercarono delle candele... Poi tua madre mi trascinò in camera sua per mostrarmi quel vestito nuovo che ha fatto venir da Parigi...: è un bel vestito, ma ha un difetto alla cintura... Ad un certo momento, non ricordo perché, pensai di uscire... apro una porta, faccio un passo avanti... indovina chi vedo nell'anticamera? ".

Michele la guardò: tutto il racconto era stato fatto con voce fredda, parsimoniosa, senza mai cessare quella contemplazione delle mani; distratto egli l'aveva ascol-

tata senza interesse, come una qualsiasi storia banale;
ma ora, d'improvviso, si ricordò che tutti questi pream-
boli non riguardavano che Leo; questi giri concentrici
si stringevano intorno a quel nome; gli venne una ansietà oscura e minacciosa, e cosí brusca che gli mancò
il respiro.

" Leo... " disse in un soffio.

" Sí, Leo " ripeté Lisa scuotendo tranquillamente,
ostentatamente la cenere della sigaretta; " Leo con Carla... abbracciati ".

Si guardarono; Michele, immobile, senza stupore, ma
con quella fissità trasognata che fa la vista doppia e
tripla come un vetro difettoso; Lisa con curiosità, timore, e una certa ridicola fierezza, come chi sa di aver
vibrato un bel colpo, o detto una gran parola.

" Come abbracciati? " egli domandò alfine.

" Abbracciati " ripeté la donna con crudeltà, irritata
da questa incomprensione come dai sussulti di una bestia
ferita che non si decide a morire. " Come abbracciati?
come tutti fanno...: lei sulle ginocchia di lui, la bocca
sulla bocca... insomma abbracciati ".

Silenzio; immobile, Michele guardava il tappeto, roseo
anche quello come il resto del boudoir, tutto spelato
sugli orli; sul tappeto erano posati i due piedi uniti di
Lisa; piú in là c'era il divano: " Abbracciati " si ripeteva intanto, " abbracciati...: questa è straordinaria ";
avrebbe voluto gridarlo: " questa è fantastica " divertito,
incuriosito da un caso tanto imprevisto. Indignazione
non ne provava e neppure disgusto; anzi, se mai, un
vivo interesse lo pungeva di ottenere schiarimenti, di
saperne qualche cosa di piú.

Tale stato d'animo durò pochi secondi; poi, mentre
già si apprestava a far delle domande, si accorse, ad un
tratto, quasi con spavento, di essere ancora una volta
privo dei sentimenti che quel triste fatto avrebbe dovuto ispirargli; Leo e Carla abbracciati non gli suggeri-
vano che una curiosità, diremo cosí, mondana; questa
nuova rovina non lo commoveva, questa prova suprema

e non prevista della sua sincerità falliva; quei due abbracciati gli apparivano come tante altre coppie note e
ignote, e non ciascuno con quella personalità che piú lo
riguardava. " Vediamo " pensò " si tratta di Carla, di
mia sorella... Lisa l'ha vista abbracciata a quell'uomo,
l'amante di mia madre... Non è orribile? non è ribut-
tante?... Vediamo... non è quasi un incesto? ". Ma Carla
e Leo abbracciati e incestuosi restavano lontani dai suoi
gesti di costernazione e di disgusto; egli non poteva
toccarli.

Guardò la donna, e capí dagli occhi, da tutto l'atteggiamento ch'ella aspettava con delizia e curiosità una
bella scena di sdegno virtuoso e familiare: " Collera...
ira... odio " pensò febbrilmente; " tutte le ricchezze del
mondo per un po' di odio sincero ". Ma il suo spirito
restava inerte, come di piombo; né collera né ira né
odio: Carla in lacrime, nuda, perduta, Leo dalle san-
guinose avidità, quella vergogna, quel disagio, nulla ser-
viva a scuoterlo.

Allora gli venne un'idea disperata; poiché l'ultima
prova era fallita e nessun piú violento stimolante era
riuscito a galvanizzare il suo spirito morto, non sarebbe
stato meglio decidersi una buona volta a finger tutto,
amore, odio, sdegno, finger senza parsimonia, con lar-
ghezza, anzi con grandiosità, come chi ha anche da but-
tarne via?... Idea pazza: " è la fine " egli pensò, e gli
parve veramente di rinunziare per sempre a quel refri-
gerio irraggiungibile delle sorgenti spontanee, limpide e
continue della vita; " la fine... ma qualche cosa deve avvenire... qualche cosa avverrà ".

Si alzò in piedi; " No " disse cominciando a camminare in su e in giú per il boudoir, come si conviene ad
un uomo sdegnato e preoccupato; " questo è troppo...
no, non è possibile continuare cosí... questo è il colmo... ".
Si sentiva freddo e ironico; gli parve di non avere una
voce abbastanza risoluta; decise di modificarla, silenzio:
" Leo crede che tutto gli sia permesso " continuò
poiché Lisa curva e immobile lo guardava e non parlava,

" ma si sbaglia... ". " No, questo è troppo debole " pensò senza cessare quel suo andare e venire; " bisogna dire qualche cosa di piú forte... io sono il fratello oltraggiato dall'amante di sua madre nell'onore di sua sorella (tutte queste parole virtuose e familiari gli facevano un ridicolo effetto come se fossero state arcaiche): bisogna trovare qualche cosa di piú duro... magari se è necessario esagerare... ". Ma tra queste ironiche falsità la sua triste stanchezza aumentava: avrebbe voluto lasciare questa commedia, inginocchiarsi davanti a Lisa come davanti alla donna che si ama, e dir tutta la verità: " Lisa, io non sono sincero: non m'importa nulla di mia sorella, non m'importa nulla di nessuno... Lisa, come debbo fare? ". Ma Lisa non era la donna amata e non l'avrebbe compreso; come tutti gli altri ella esigeva da lui un atteggiamento necessario e naturale.

" Che cosa farai?... " domandò la donna.

Egli si fermò e la guardò, sforzandosi di dare ai suoi occhi calmi un'apparenza allucinata: " Che cosa farò? che cosa farò?... Che cosa farò? " ripeté con rapidità; " è chiaro quel che debbo fare...: andare da quel mascalzone e prenderlo per il collo ". Gli parve che Lisa fosse stupita di questa sua violenza:

" Quando? " ella domandò fissandolo acutamente tra il fumo della sigaretta che le pendeva dalle labbra.

" Quando?... domani... anzi oggi... subito ". Prese una sigaretta dalla tavola, l'accese; vide Lisa squadrarlo dall'alto in basso, con una rapida e perplessa occhiata:

" E cosa gli dirai? " ella interrogò.

" Oh! gli parlerò molto ma molto freddamente " egli rispose con un gesto della mano; guardava dinanzi a sé, con gli occhi accigliati, come chi vede il proprio destino, ora gli riusciva sempre meglio di recitare la sua parte. " Poche parole... e capirà che non c'è nulla da scherzare... ". Altra occhiata di Lisa: " Quanto sono cretino " egli pensò.

" Ma quel che piú mi ripugna " continuò con un vivo desiderio di accalorarsi e convincer se stesso e la donna,

" è la falsità di Leo... la sua ignobiltà... Pazienza s'egli si fosse veramente innamorato di mia sorella... questo non lo scuserebbe ma spiegherebbe in parte la cosa... Invece no... sono sicuro che non l'ama, è nel suo carattere, gli è piaciuta, l'ha trovata carina, e vuol divertirsi con lei... ecco tutto... Ora, a parte il fatto che è sempre una viltà abusare dell'inesperienza d'una ragazza, è tre volte vile l'uomo che lo fa a mente fredda e nelle condizioni in cui egli si trova di fronte a Carla e a noi tutti!... Non si potrebbe essere piú...: " egli cercò la parola piú espressiva per qualificare la condotta di Leo: " piú porci... E poi l'ho già detto: pazienza se l'avesse fatto per forza di passione... trascinato dal proprio sentimento... Invece non c'è amore, qui, non c'è passione, non c'è affetto... nulla c'è se non la libidine e la falsità piú odiosa, piú ripugnante, quella che simula dei sentimenti puri e ideali... non la si può né scusare né comprendere... soltanto condannare ". Prima malcerto, poi sempre piú sicuro, Michele profferí le ultime parole con una forza strana e profonda che stupí lui stesso. " Quanto a Carla " concluse dopo un istante, " non ha colpa... si è lasciata stordire da quell'uomo... ".

Silenzio; seduta sul divano, immobile, con la testa fra le mani, Lisa considerava il ragazzo: " Non c'è dubbio " disse alfine in tono di vaga approvazione " che la falsità sia un gran brutto difetto ".

" Bruttissimo ". Egli si mosse ed andò alla finestra; il sole era scomparso, e una bassa, fitta cortina di nubi grigie stava sospesa sulla città. Lisa abitava al primo piano, ma la casa sorgeva sopra una specie di collina, e da quella parte un vasto panorama di tetti si stendeva davanti alla finestra; comignoli, tegole, terrazze, abbaini, poggiuoli, tutta la visione aveva sotto il cielo grigio un umido e uggioso colore tra giallo e marrone, a cui il vetro difettoso della finestra prestava delle sbavature e delle deformazioni di scenario scolorito e mal dipinto; piú lontano il fumo che ogni casa esalava si confondeva con le nubi e formava una specie di nebbia nella quale i profili irregolari dei tetti e la selva dei camini perdevano ogni prospettiva, s'infittivano, si confondevano.

Sotto la finestra le tegole erano rossicce e dei ciuffi di erba vi crescevano. Michele contemplava questo paesaggio; era la prima volta che se ne accorgeva e non sapeva staccarsi; tutti quei tetti lo impressionavano: " Scoperchiarli " pensava; " vedere quel che avviene dentro le case... ". Poi un gatto nero passò rapidamente da un abbaino all'altro; egli lo seguí un istante con gli occhi. " Pioverà " pensò guardando il cielo grigio e lo spazio umido e lontano; rabbrividí; si voltò; gli apparvero il boudoir scolorito, e là, sul suo cencioso divano, Lisa pensosa e immobile; le si avvicinò: " Fingere " pensò riaggrappandosi con sforzo alla sua falsa realtà " vorrei... vorrei dormire... ma bisogna fingere ". Nessuna connessione era tra il " fingere " e il " dormire ", ma quest'ultima parola gli era venuta spontanea come una espressione di quella mortale stanchezza che l'opprimeva.

" Che ora è? " domandò bruscamente; " sarà già tempo che io vada da Leo? ".

Con una pigra lentezza Lisa si scosse dalla sua immobilità e guardò l'orologio che portava al polso:

" Le quattro " disse considerando attentamente il ragazzo; silenzio; " ma forse sarà meglio " ella soggiunse " che tu telefoni per sapere se è in casa ". Si alzò, mosse verso la porta.

Nel corridoio l'oscurità era completa; Lisa girò l'interruttore e una luce giallastra, da dormiveglia, colò dal soffitto basso sulle pareti oscure; il telefono era inchiodato presso la porta del salotto, ad altezza d'uomo; sotto il telefono era il libro dei numeri; Lisa lo sfogliò rapidamente, girò piú volte la manovella:

" Ma poi ci andrai? " domandò dubitosa, voltandosi verso Michele.

" E ne dubiti ancora? " egli rispose con energia; ma gli parve che gli occhi della donna fossero pieni di un dubbio malizioso e perverso.

" No... tutt'altro " ella disse; si voltò e ricominciò a girare la manovella.

Il campanello del telefono squillava; alzandosi sulle punte dei piedi Lisa gridava con voce gutturale " prontooo... prontooo... "; aspettava muta e attenta un istante, ricominciava. Egli contemplava il corridoio; due armadi, una specie di scaffale vuoto, delle sedie... Lisa gli volgeva le spalle, la camicetta tutta imbevuta di luce giallognola lasciava intravedere ancor piú che nel boudoir l'abbondanza rosea e bionda del dorso stretto dalle due bretelline opache della sottoveste; i fianchi divorati dall'ombra parevano meno larghi, meno storte le gambe...: tutto questo egli l'osservò con occhi trasognati... " Eccomi in casa di Lisa... nel corridoio... " si ripeteva: " bisogna fingere... non un minuto di riposo... fingere ". Senza saper quel che facesse si accostò alla donna e la prese per la cintola: " Ebbene " domandò con voce insinuante e falsa, sfiorando con le labbra la nuca; " ebbene, sei ancora in collera con me? ". Qualcheduno parlava al telefono; Lisa diede il numero e si voltò:

" Non pensare a me " disse con quella stessa occhiata estimatrice di prima. " Pensa piuttosto a tua sorella, a Leo... ".

" Ci ho già pensato " egli rispose sconcertato; ma la lasciò e si appoggiò alla parete. " Fingere " pensò disincantato, " ma fino a quando? ". Quel secondo sguardo gli bastava; evidentemente Lisa dubitava della sincerità del suo sdegno; come fare per convincerla?

Ora ella parlava: " Con chi? " ripeteva, " con chi?... col signor... signor Merumeci?... ah! pardon, ho sbagliato ". Rimise a posto il ricevitore e si voltò:

" È in casa " disse seccamente. " È probabile che se vai ora lo trovi ". Si guardarono; " Non mi crede " pensava Michele scrutandola sospettosamente.

" Ebbene va' " ella soggiunse alfine. Il ragazzo fece un gesto con la mano, puerile e prudente, che poteva significare " adagio... non c'è fretta "; si mosse: " Vado... sí, vado " ripeté.

" Puoi anche non andarci " disse la donna con voce dura; " far finta di non aver saputo nulla... a me personalmente non importa se tu ci vai o non ci vai ".

Nel vestibolo ella lo aiutò a infilarsi il pastrano e gli porse il cappello:

" Allora " egli disse " tornerò domani a fare il mio rapporto ".

" Va bene... a domani ".

Ma Michele se ne andava a malincuore; intuiva che Lisa non aveva creduto una sola parola di quel che aveva detto; avrebbe voluto far dei giuramenti, dei grandi gesti, dir delle frasi profonde: insomma convincerla; esitò... " Sono sicuro " disse alfine prendendo la mano che Lisa gli tendeva, " che tu non credi al mio odio contro Leo, al mio disgusto ".

Silenzio: " Infatti non ci credo " ella rispose con semplicità.

" E perché? ".

" Cosí ".

Ancora silenzio. " E se io " domandò Michele " te lo provassi coi fatti? ".

" Quali fatti? ".

Egli esitò di nuovo: ora gli occhi di Lisa esprimevano una malsicura imperiosità: " Quali fatti in verità? " si ripeté. Una lieve paura l'invase di non sapere nominare quel fatto che avrebbe saputo convincer la donna della sua sincerità; poi trasportandosi da Lisa al suo nemico, spontaneamente, come si trova una cosa a lungo e senza saperlo cercata, lo scoprí: ucciditer Leo. L'idea gli piacque non in quanto pensava di realizzarla ma per la sua supposta efficacia sull'animo della donna.

" Per esempio " profferí tranquillamente " ci crederesti se io uccidessi Leo? "

" Se tu lo uccidessi?... ". Il primo movimento di Lisa fu di spavento; egli sorrise, soddisfatto dell'impressione che avevano fatto queste parole:

" Già... se lo uccidessi... ".

Ma Lisa ora si rasserenava, aveva osservato quella

faccia calma, quegli occhi senza ira: " Allora sí... " sorrise con ironia " ma basta vedere il modo col quale lo dici per capire che non lo farai... ".

Silenzio: " Il modo " pensò Michele irritato di aver a tal punto guastato il suo effetto; " che modo?... esiste anche un modo per dire che si vuol uccidere qualcheduno? ". Il sipario calava, la commedia era caduta; non restava che andarsene:

" Cosí, non mi credi capace di uccidere Leo? " egli insistette; vide la donna scoppiare a ridere, non troppo sicura, ma certo non spaventata:

" Io no... mio povero Michele " ella rispose alfine rallegrata e compassionevole. " Son cose che si dicono... ma tra il dire e il fare... e poi te l'ho già detto: basta guardarti in faccia per capire che non ne hai alcuna intenzione... Del resto " soggiunse come per soffocare in se stessa l'ultimo dubbio " se tu lo avessi detto seriamente, non ti lascerei andare cosí, via di casa mia... ". Aprí la porta, gli tese la mano: " Sbrigati " soggiunse, " se no, non riuscirai neppure a vederlo, Leo ".

" E se io l'uccidessi? " egli ripeté con un sorriso amaro, come un ritornello, fuori dal pianerottolo.

" Allora sí... allora ci crederei " ella rispose con un sorriso profondamente incredulo; la porta si chiuse.

Dalla vetrata del soffitto una luce bianca pioveva sulla scala; la porta era chiusa; silenzio: " Nessuno mi crede " egli pensò avviandosi, " nessuno mi crederà mai ". Discese lentamente qualche gradino; un disagio lieve ed angoscioso l'opprimeva, e per quanti sforzi facesse non riusciva a sciogliere la triste confusione della sua mente.

Volta per volta, le figure e i fatti della sua miseria, la seduzione di Carla, l'incredulità di Lisa, sua madre, Leo, gli apparivano in brusche chiaroveggenze come squarci di un solo paesaggio illuminato dai lampi di una tempesta notturna. " Nessuno mi crede " pensava, e poi subito dopo: " Carla si è data a Leo "; e con un senso di umiliazione rivedeva la faccia ironica di Lisa, là, nella fessura della porta, o piú cupamente indovinava Carla discinta e seminuda tra le braccia dell'amante... Ma se tentava di riunire queste sue immaginazioni, di raggruppare questi fatti e d'impadronirsene come un burattinaio che sa stringere in pugno i fili di tutte le sue marionette, se si sforzava di considerare freddamente, spassionatamente, l'intero groviglio nel quale si era cacciato, allora annaspava, soffocato: i suoi pensieri deboli non bastavano a incorniciare l'irta realtà, i suoi occhi a vedere, fino in fondo e da ogni parte, questo suo panorama della vita.

Tentò di ragionare, di far dei sistemi: " Vediamo... "
pensò, " vediamo... la questione ha due facce...: una interna, una esterna... interna la mia indifferenza, la mia
mancanza di fede e di sincerità... esterna, tutti gli avvenimenti contro i quali non so reagire... e ambedue le
facce sono egualmente intollerabili ". Alzò gli occhi come
se avesse voluto vederle quelle due facce della sua questione. " No ", pensò ancora scontento; " la colpa è mia...
non so appassionarmi alla vita ". Ricominciò a discendere; la colpa era anche di Carla: " Carla " avrebbe voluto domandarle, " perché hai fatto questo? ". E di sua
madre; la colpa era di tutti: impossibile scoprirne l'origine, la ragione prima; tutti erano colpevoli... gli pareva
di vederli, tutti quanti, là, sul pianerottolo, appoggiati al
muro... " Siete dei disgraziati " pensava, " mi fate pietà... tutti... anche tu, madre, colle tue ridicole gelosie,
anche tu Leo con le tue arie di vittoria... ". Credeva
di veder Leo, di prendergli una mano: " Soprattutto mi
fai compassione... sí, proprio tu...: pensi di essere il piú
forte... ah! ah! povero Leo ". Avrebbe voluto dirgliele
quelle parole, al suo nemico, tranquillamente, cosí... una
specie di ebbrezza lo possedeva; rovesciava la testa indietro: " Poveri voi, non siete che dei disgraziati... poveri
voi... ora state freschi... vedrete cosa vi succederà... ".
Ma sulla porta si accorse di avere ancora il cappello in
mano; questa inezia, questa distrazione, bastarono a farlo crollare dalla sua superiorità; una rabbia, un'angoscia
indicibili lo invasero: " Son io, altro che storie... son io
il disgraziato " pensò; era di nuovo a terra, in basso;
si calcò il cappello sulla testa e uscí.

Le case erano morte, muti i platani, immobile il giorno; un cielo di pietra pesava sui tetti curvi; né ombra
né luce per quanto lunga era la strada, ma soltanto una
fame arida di tempesta. " Ora andiamo da Leo " egli
pensò; a quest'idea un'esaltazione incontenibile lo pos-
sedette: " Ah! tu non credi ch'io possa uccidere Leo... "
si ripeteva con rapidità; " tu non ci credi... e se l'uccidessi? ". Camminava in fretta, mettendo una gran forza

nei suoi passi, dando a tutta la sua persona una decisione e una sicurezza irresistibili; delle frasi assurde ballavano, a quel ritmo di marcia, nella sua testa vuota: " Andiamo Lisa, andiamo insieme ad ammazzare Leo... poi lo cucineremo... lo cucineremo a lento fuoco ". Oppure: " Leo, Leuccio, Leuccino, lasciati ammazzare come un cagnolino ". Guardava davanti a sé e sorrideva di un freddo e disperato sorriso: " Anche per te Leo è finita, una cosí bella carriera... un cosí radioso avvenire... che peccato... sono il primo io a piangere... ma cosa ci vuoi fare? anche per te è finita ". Avrebbe voluto cantare: " fi-ni-ta; fi-ni-ta la bella vita ", sull'aria di qualche canzone celebre e malinconica; camminava in fretta; camminava con i passi rigidi e diritti di un soldato che va verso la battaglia.

La strada era modesta e secondaria; vi si vedevano ora qua or là delle piccole botteghe speciali, dalle vetrine miserabili; osservò cosí un negozio di fiori che esponeva corone mortuarie; una tipografia tappezzata di biglietti da visita di ogni specie; un negozio di falegname; un barbiere: " Ecco " pensò, " eccoti servito Leo, prima ti ordino quella splendida cassa da morto, poi ti compro quella bella corona e ci metto il mio biglietto da visita... e il barbiere... il barbiere ti raderà accuratamente... ". Dopo il negozio di falegname c'era una casa dall'aspetto severo, dal portone profondo di convento; la oltrepassò non senza gettare uno sguardo nell'androne vuoto; intravide un'altra bottega: la vetrina era dalla sua parte, poi veniva la porta. Prima non capí che bottega fosse: il lustro del vetro, di sbieco, confondeva gli oggetti; ancora un passo: allora gli apparvero " armeria " scritto in lettere bianche, e, sopra un fondo marrone, una rastrelliera di fucili da caccia. " E qui ci compro una rivoltella " pensò; ma non tirò innanzi; davanti alla porta esitò, fece una giravolta ed entrò.

" Vorrei una rivoltella " disse subito, ad alta voce, appoggiandosi al banco. Il piú era fatto; gli venne una gran paura che l'armaiuolo comprendesse le sue inten-

zioni; assunse un aspetto freddo, paziente, cogli occhi
bassi e le mani immobili; del negoziante non vedeva che
il busto vestito di nero che si muoveva lentamente, con
dei gesti particolari al mestiere, tra il banco e gli scaffali;
sotto il vetro del banco, vide una quantità di brillanti
coltelli disposti sopra un fondo rossiccio, alcuni semplici,
altri complicati e gravidi di lame, aperti gli uni come
ventagli, gli altri chiusi e tozzi. Alzò gli occhi: la bottega piccola e oscura era tutta rivestita di scaffali a
vetri; certuni contenevano rastrelliere con fucili, certi
altri dei collari da cani; piú lontano, sul banco, osservò
un ceppo di legno nel quale erano incastonati, in ordine
di grossezza, dei grani di piombo; parevano il sole e tutti
i suoi pianeti. Ora il venditore, un uomo stanco, magro,
brizzolato, dai gesti lenti, dagli occhi inespressivi, di-
sponeva sul vetro, una per volta, delle differenti rivol-
telle, e di ciascuna, appena la posava, diceva con voce
eguale il prezzo: cento, settanta, duecentocinquanta, no-
vantacinque; alcune erano piatte e nere, altre panciute
e lucide; automatiche le prime, a tamburo girante le se-
conde. " Per Leo ci vorrebbe quella " egli pensò con
ironia, guardando un'enorme pistola dal calcio pieghe-
vole, una specie di mitragliatrice appesa al muro: si sentiva calmo nei pensieri, spontaneo nei gesti; abbassò gli
occhi, scelse con decisione la piú economica: " Questa "
disse con voce chiara " e una carica ". Il portafogli in
mano; " Mi bastano appena i quattrini " pensò posando
i denari sul banco; un rumore metallico; alfine prese il
pacchetto, lo mise in tasca e uscí.

" Andiamo da Leo " si ripeté. Ora lo spazio grigio
e immobile pareva deformarsi ogni tanto di labili lacrime; all'angolo della strada c'era una specie di officina
meccanica per riparazioni; sulla soglia della porta un
uomo vestito di uno scafandro sudicio smontava una
ruota di bicicletta; faceva caldo; non una sola voce; le
lacrime del cielo deformavano al loro passaggio le case
di sei piani, ecco, le vedeva torcersi, piegarsi flessibil-
mente con tutte le loro finestre, ma non lasciavano trac-

cia sulle pietre del marciapiede; larghi sputi giallognoli
or qua or là ma nessuna lacrima; allucinazione?

Girò, sbucò in una strada piú importante; l'avrebbe
tutta percorsa, avrebbe attraversato la piazza, si sarebbe
trovato nella via di Leo; non c'era fretta; camminava
adagio, come un bighellone qualsiasi, osservando la gente, i cartelli cinematografici, le vetrine delle botteghe; la
rivoltella pesava in fondo alla tasca. Si fermò davanti ad
un negozio, e pian piano, con le dita disfece l'involto e
strinse l'impugnatura dell'arma; strano, freddo contatto;
il grilletto; una lieve pressione e tutto sarebbe finito; per
Leo; un colpo, due, tre colpi; e poi, ecco, la canna, ecco,
le scanalature... Strinse i denti, strinse il manico della
rivoltella... ecco... ecco, gli pareva di vedere come sarebbe
avvenuto tutto questo: avrebbe salito quella scala, sarebbe entrato in quel salotto; atteso con l'arma in mano;
finalmente Leo: " Cosa c'è Michele? " avrebbe domandato. " Ecco cosa c'è " egli avrebbe risposto, e subito
avrebbe sparato; la prima palla sarebbe bastato confic-
carla nel corpo, in una parte qualsiasi; largo bersaglio:
Leo sarebbe caduto ed egli avrebbe potuto mirare alla
testa; si sarebbe curvato; Leo era là, disteso sul pavimento, con le mani rattrappite sul tappeto, la faccia
rovesciata e rantolante; gli avrebbe appoggiato la canna
della rivoltella esattamente nel mezzo della tempia; strana sensazione; la testa si sarebbe mossa, oppure gli occhi
stravolti l'avrebbero guardato: allora avrebbe ancora sparato; il fracasso; il fumo; dopo bisognava uscire, senza
guardarsi indietro, uscire da quella piccola stanza dove,
sotto lo sguardo bianco delle finestre, vestito irrepren-
sibilmente, l'uomo ucciso giaceva con le braccia aperte,
sul pavimento, discendere la scala prima che qualche
inquilino accorresse, sbucar nella strada; la folla; il movimento; lassú, tra le quattro mura di quella piccola
stanza, l'ucciso; avrebbe cercato una guardia (dove sono
quei commissariati nei quali ci si va a costituire?), un
poliziotto fermo in mezzo ad un quadrivio, l'avrebbe
toccato leggermente sulla spalla; questi si sarebbe vol-

tato, credendolo qualche passante desideroso d'informazioni: " Per piacere " egli avrebbe detto tranquillamente, " arrestatemi... ho ucciso un uomo "; l'altro l'avrebbe guardato senza capire: " ho ucciso un uomo ", egli avrebbe ripetuto; " arrestatemi "; intorno a queste parole la folla si sarebbe mossa in tutte le direzioni, i veicoli sarebbero passati... e infine, l'altro l'avrebbe accompagnato, incredulo, incomprensivo; l'avrebbe accompagnato senza prenderlo per il collo, senza mettergli le manette, al piú vicino commissariato; stanza polverosa; registro; guardie; puzzo vecchio e freddo di fumo di sigaro; il banco; il commissario brizzolato, grosso, volgare; l'interrogatorio; egli era stato una volta a denunziare un furto; doveva essere cosí.

Si staccò dalla vetrina di quel negozio, camminò avanti: e poi l'avrebbero processato; tutti i giornali avrebbero parlato di questo suo delitto; titoli enormi; lunghi resoconti; fotografie di lui, dell'ucciso, del " solerte " Commissario di Pubblica Sicurezza che l'aveva arrestato, della stanza dov'era successo il fatto, e non sarebbe neppure mancata una crocetta indicante il luogo dove era stato trovato il cadavere. Interessamento morboso; il giorno del processo l'aula del Tribunale sarebbe stata affollata di pubblico; signore eleganti in prima fila; gente di conoscenza; come al teatro; attesa; sarebbe entrato il giudice, gli pareva di vederlo, vegliardo tranquillo e distratto che gli avrebbe parlato come un maestro di scuola parla allo scolaro, dall'alto del suo trono polveroso, inclinando la testa dalla sua parte, fissandolo senza severità sotto l'arco delle sue sopracciglia bianche, gli pareva di udirlo:

" Accusato cosa avete da dire? ".

A quest'invito egli si sarebbe alzato in piedi; tutti gli occhi appuntati su di lui; avrebbe raccontato il suo delitto; comodamente sedute, le signore del pubblico lo avrebbero seguito in ogni sua frase, attentissimamente, non senza ogni tanto compiere qualche gesto frivolo come acconciare un capello ribelle o accavalciare le gambe stanche; si sarebbe potuto udir volare una mosca; in questo silenzio egli avrebbe parlato; sinceramente; ogni sua parola densa di quella sua triste verità l'avrebbe sempre piú avvolto in una speciale atmosfera come la seppia che si avvolge nelle tenebre del suo inchiostro se viene assalita. A poco a poco, mentre avrebbe confessato la sua mancanza di sincerità, di fede, il suo dilettantismo, gli sarebbe sembrato che il vecchio giudice gli si fosse in qualche modo avvicinato, abbassandosi fino a lui; l'aula grigia si sarebbe spopolata senza rumore: non sarebbero restati che loro due, il giudice e lui, sul palco polveroso, davanti a quello squallore dei muri e delle sedie vuote; egli avrebbe continuato a parlare: " Ecco " avrebbe alfine concluso: " ho ucciso Leo senza odio, a mente fredda... senza sincerità... ". Avrei potuto con la stessa indifferenza, dirgli invece: " Mi congratulo con te, mia sorella è una bella figliuola... ". " Questo è il mio vero delitto... ho peccato d'indifferenza... ". Silenzio; il giudice lo avrebbe guardato con curiosità come si guarda un essere difforme; finalmente un rumore di sedie smosse, molto sonoro, come quegli echi che si ripercuotono sotto le navate delle chiese; il giudice avrebbe lasciato il suo trono, gli sarebbe venuto semplicemente incontro, sul palco polveroso del Tribunale: piccolo, basso, con dei grandi piedi, la veste nera gli sarebbe arrivata fino ai calcagni, come per nascondere qualche mostruosità; forse, a forza di sedere sul suo trono per far giustizia, le gambe gli si erano rattrappite; piccolo, basso, con una gran testa benevola:

" O giudice... giudice... "; egli si sarebbe gettato ai piedi del vecchio. " Sei assolto dal tuo delitto " avrebbe udito dopo un istante di silenzio, " ma sei condannato per la tua mancanza di sincerità e di fede... condannato per la vita ". Inesorabile verdetto; e quando avrebbe rialzato la testa, si sarebbe ad un tratto accorto di essere di nuovo nel Tribunale affollato, davanti il giudice distratto, tra due guardie armate; sogno nel sogno; fantasmi.

La realtà sarebbe andata diversamente; gli avrebbero dato un avvocato celebre; avrebbero esaltato la sua figura di fratello e di figlio prima sofferente ed umiliato, poi finalmente vendicatore; al processo lo avrebbero forse anche applaudito; sarebbero sfilati i testimoni; sarebbe venuta Lisa, sbrindellata, trascurata, avrebbe raccontato con quella sua voce falsa come aveva scoperto la tresca di Leo e di Carla; profonda impressione; avrebbe narrato come egli le aveva manifestato il proposito di ucciderlo Leo, ed ella non ci aveva creduto.

E perché non ci aveva creduto? per il tono con cui l'aveva detto.

E come l'aveva detto? tranquillamente, quasi scherzosamente.

Sapeva Michele di sua madre? sí, sapeva.

Come si comportava l'ucciso in casa dell'amante? da padrone.

Da quanto tempo durava questa relazione con la madre? da quindici anni.

E con la figlia? per quel che ne sapeva, da pochi giorni.

Sapeva la figlia del legame di sua madre? sí, lo sapeva.

Che rapporti correvano tra l'imputato e l'ucciso? amichevoli.

Di affari? anche.

Che specie di affari? non ricordava precisamente, le pareva un'ipoteca sulla villa.

Era vero che l'accusato aveva avuto da dire a proposito dell'ucciso che questi li riduceva in rovina? era vero.

Che ragioni l'avevano spinta a rivelare la tresca della sorella a Michele? ragioni di affetto per il ragazzo, di amicizia per la famiglia.

Quale fino allora il comportamento dell'ucciso verso Carla? come di un padre: l'aveva vista bambina, con le trecce sulle spalle e le gambe nude.

Aveva Carla reputazione di fanciulla onesta, seria o no? no... veniva generalmente giudicata con severità.

Credeva ella in qualche passione da parte dell'uomo? no.

E da parte di Carla? neppure.

Credeva che l'ucciso avesse intenzione di sposare Carla? no, per quanto ne sapeva.

Era vero che l'ucciso non nascondeva ai figli i suoi rapporti con la madre? era vero.

E che i dissensi erano frequenti tra i due amanti? sí.

Perché? la madre era gelosa.

Di chi? di tutti.

Sospettava la madre della figlia? no, anzi le aveva spesso confidato che l'amante nutriva per la fanciulla sentimenti puramente paterni.

Un'ultima domanda: avrebbe ella mai creduto che il ragazzo sarebbe stato capace di un simile delitto? no.

Perché? perché troppo debole.

Sarebbe venuta la madre, vestita a lutto, imbellettata, dignitosissima, malsicura; avrebbe oltrepassato la sbarra dei testimoni, sarebbe andata dritta al giudice come ad una persona di conoscenza; interrogata avrebbe fatto una lunga storia, risalendo alle piú lontane origini; una voce patetica, dei gesti teatrali, e tutti quei veli neri in continua agitazione, tutti quei veli neri come per una mascherata; interrogata insidiosamente dagli avvocati di difesa che si sarebbero gettati su quella preda come degli squali dai denti aguzzi sopra una molle balena, la madre avrebbe alfine riaffermato il suo attaccamento all'ucciso; alla domanda se era vero che questi l'aveva spogliata del suo patrimonio, avrebbe risposto di no.

E della seduzione di Carla cosa ne sapeva? che era stata una pazzia, ma chi non ne commette scagli la prima pietra.

" E chiamiamola pazzia " avrebbe sottolineato ironicamente l'avvocato di Michele; battibecco delle parti; energico richiamo del presidente.

E credeva ella che Leo avrebbe comunque riparato a questa pazzia, sposando Carla? incertezza...: no... non ne era sicura.

280

Sensazione: e si sarebbe ella adattata ad una tale
situazione, con quell'uomo per casa, amante suo e di sua
figlia? imbarazzo; no, ma Leo ci aveva già pensato e
aveva già deciso di dar marito a Carla.

Risa. Osservazioni ironiche.

Era vero che l'ucciso avrebbe dato alla fanciulla una
certa dote? era vero.

" E in cambio " avrebbe annotato l'avvocato di difesa " si era riservato in anticipo il *jus primae noctis* ".
Nuovo battibecco; fischi dalla folla; il pubblico avrebbe
parteggiato per lui; minaccia del presidente di fare sgom-
brare l'aula; avviene sempre cosí.

Era vero che tra l'ucciso e Michele c'erano stati negli
ultimi tempi violente spiegazioni? sí, era vero.

E che Michele una sera aveva gettato un portacenere
contro Leo? sí, ma aveva colpito lei, sulla spalla.

La ragione? Michele pensava a torto che l'ucciso volesse approfittar dell'ipoteca per spogliarli.

E come si era comportato l'ucciso in quell'occasione?
paternamente, da uomo superiore.

Era vero che frequenti dissensi scoppiavano tra lei e
l'ucciso? no, il piú perfetto accordo li univa.

Ma la teste Lisa aveva lasciato intendere diversamente? si capiva, aveva delle buone ragioni per calun-
niare la memoria dello scomparso.

Quali? Oh! una sola ma sufficiente: era stata sua
amante.

Sensazione: " Mi sembra " avrebbe osservato l'avvocato di Michele " che nessuna se ne salvava! ".

Quando? prima di lei.

In istruttoria aveva accusato Lisa di avere istigato
il delitto, e ora? ora ripeteva l'accusa.

Le ragioni di Lisa? ragioni di gelosia e d'invidia.

E l'accusava ancora di aver voluto corrompere Michele? sicuro... era una donnaccia senza pudore, una
svergognata.

Impressione; richiamo del presidente ad un linguag-
gio piú moderato; ribellione della madre.

Sí, era una donnaccia, l'avrebbe gridato forte, una donnaccia e un'assassina.

Nuovo richiamo.

Ed era vero che di fronte alla freddezza dell'amante ella aveva sospettato Lisa invece della figlia? Sí, perché aveva osservato da tempo che Lisa faceva la corte all'uomo.

Insomma, secondo lei, Lisa era la principale colpevole? sicuro, era lei che aveva istigato il delitto, esaltato Michele, era lei che aveva fatto tutto.

E secondo lei l'ucciso aveva anche fatto bene a sedurre sua figlia? no, ma si sa, le debolezze umane, e poi la colpa non doveva essere stata tutta dell'ucciso.

E Michele? Michele era un povero ragazzo irresponsabile, strumento di Lisa; per far da solo era troppo debole.

Ultima delle tre donne della sua vita sarebbe venuta Carla; un po' smagrita, pallida, donna; tra la frenetica curiosità del pubblico, si sarebbe avanzata, né timida, né spavalda; avrebbe indossato un vestitino chiaro, era la mattina, delle calze chiare, un cappellino chiaro; la pelliccia sulla spalla; forse dipinta, certo elegante. Il vecchio giudice l'avrebbe guardata senza severità, come aveva guardato lui; sarebbe venuta ad appoggiarsi alla sbarra, avrebbe parlato con lentezza; curiosità del pubblico, attesa avida di particolari scabrosi, sovraeccitazione; ma dopo una breve confabulazione, il presidente avrebbe ordinato di fare sgomberare l'aula e di continuare il processo a porte chiuse; delusione della folla; mormorii; fischi; l'aula si sarebbe lentamente vuotata; ecco Carla, sola, questa macchia di colore, tra gli strumenti grigi e neri della giustizia; l'interrogatorio sarebbe continuato.

Era vero che negli ultimi tempi dei legami intimi si erano stretti tra lei e l'ucciso? sí, era vero.

Sapeva ella di sua madre? certamente, fin dall'infanzia.

Come fin dall'infanzia? già, bambina li aveva visti un giorno abbracciarsi davanti uno specchio.

Sapeva ella che l'ucciso non poteva o non voleva sposarla? sí, lo sapeva.

Sapeva ella che l'ucciso aveva messo le mani sul loro patrimonio? anche questo sapeva.

E nonostante la conoscenza di tutti questi elementi si era data a lui? già.

Perché? cosí.

Come si era comportato l'ucciso con lei, come un uomo appassionato o come un libertino? come un libertino.

Allora non l'amava? già, non l'amava.

In che modo egli le aveva manifestato questa passione? un giorno che ella era sola in casa, e si annoiava, leggendo, era venuto, aveva parlato, a poco a poco erano giunti ad una specie di eccitata intimità, poi egli l'aveva baciata e l'aveva invitata ad andare a casa sua.

C'era ella andata? sí il giorno dopo.

Cosa era avvenuto in quell'incontro? tutto.

E ci era ritornata? sí, tutti i giorni.

Era vero che Lisa l'aveva sorpresa nell'anticamera la sera di un ballo, seduta sulle ginocchia dell'amante, abbracciata a lui? sí, era possibile.

Non aveva ella paura in quel momento di farsi scoprire dalla madre? no.

Non pensava ella di rovinarsi mettendosi con quell'uomo? no.

Perché? cosí.

Le nascondeva la madre i suoi rapporti con l'ucciso? no, anzi si confidava a lei.

Le aveva mai parlato l'ucciso della madre? Sí.

Come? male.

Cosa ne diceva? che era vecchia, stupida, che non l'amava piú.

Secondo sua madre, l'ucciso nonostante questa sua relazione con lei, si proponeva di darle una dote e di maritarla: era vero? no, non era vero.

Come lo sapeva? perché l'ucciso le aveva proposto di abbandonare la famiglia e di andare a vivere in un pic-

colo appartamento dove egli avrebbe potuto visitarla
quando avrebbe voluto.

Avrebbe ella accettato? forse.

Non pensava l'ucciso che Michele si sarebbe opposto
a questo programma? no.

Perché? perché diceva che con un po' di denaro Michele sarebbe restato tranquillo.

E la madre? la madre avrebbe gridato ma si sarebbe
poi calmata anche lei.

Sapeva ella di precedenti alterchi tra l'ucciso e Michele? sí, una sera l'ucciso aveva minacciato Michele di
tirargli gli orecchi.

E Michele? Michele gli aveva gettato in testa un portacenere, il quale aveva però colpito la madre.

Le aveva mai manifestato il fratello il suo proposito
di uccider Leo? mai.

Come si mostrava Michele negli affari di famiglia?
indifferente e debole.

Anche Carla se ne sarebbe andata; ma prima sarebbe
venuta a salutarlo; gli parve di vederla; impacciata, seria,
con degli occhi tra supplichevoli e commossi; gli avrebbe
domandato come stava, si sarebbero stretta la mano; poi
ella sarebbe partita, con quel passo frivolo dei tacchi
alti, in quel suo vestitino succinto; e dall'andatura di
una prudente e malsicura modestia, dal movimento morbido dei fianchi, dai particolari di tutta la persona, egli
avrebbe immaginato una nuova vita che il lutto cencioso
e senza dignità della madre gli aveva lasciato intravedere.

Sarebbero scomparse le tre donne dalla sua vita, la
sorella, la madre, l'amante, ciascuna per la sua strada;
il processo avrebbe continuato; pochi giorni dopo avrebbe parlato il pubblico ministero. Un forte discorso; dopo
essersi sforzato di dipingere con foschi colori l'ambiente
corrotto e corruttore nel quale il delitto era avvenuto,
pur concedendo a Michele le attenuanti avrebbe soste-
nuto in pieno la tesi della premeditazione.

" Sí, signori giurati " avrebbe esclamato a questo punto battendo il pugno sulla tavola, " si tratta di un de-

litto premeditato; Michele ha da Lisa la notizia della
seduzione della sorella e se ne va accennando, scherzosamente, secondo la deposizione della teste, ad una possibile uccisione del seduttore... dunque tutto era già deciso, Leo era già condannato. Michele non va da Leo per
domandargli spiegazioni ma per assassinarlo, siano o non
siano vere le parole di Lisa. Tra quella rivelazione e il delitto passano quasi due ore; cosa fa in questo tempo Michele? Appena uscito dalla casa della donna, in quella
stessa strada in cui ella abita, si precipita come un pazzo
da un armaiolo e compra per settanta lire una rivoltella;
dopo di che, erra senza scopo per la città, abbandonato
a se stesso e ai suoi sanguinosi propositi di vendetta come
una nave alla tempesta; lo vedete, con quella rivoltella in
tasca, fermarsi davanti ai negozi, guardare le vetrine,
camminare, percorrere piú volte la strada dove abita
Leo, lo vedete alfine davanti a quella porta, esitare, entrare, salire la scala... Eccolo nel salotto del suo nemico;
questi gli viene incontro ilare, affettuoso, amichevole,
sorridendogli... quel sorriso, signori giurati, quel sorriso
dell'uomo che senza saperlo andava verso la morte!...
tendendogli la mano... Allora Michele spara; l'uomo cade;
Michele si china e freddamente, spietatamente lo finisce
con un colpo alla tempia; poi, con una calma di delin-
quente inveterato, chiude dietro di sé la porta della casa
e va a costituirsi... ". L'oratore avrebbe analizzato l'ostinata, implacabile volontà che aveva avuto Michele di
uccider Leo, nonostante sapesse che " Carla, come ri-
sultava dalle testimonianze, non era quella pura, intatta,
virginea fanciulla che si poteva credere, tutt'altra invece,
e che di conseguenza, seduzione nel vero senso della
parola non c'era stata ". Impressione. " Carla ", avrebbe
definito l'oratore " è una di quelle fanciulle che non sono
mai state innocenti: oggi uno, domani un altro, scia-
gurata figura del nostro tempo corrotto ". Avrebbe insistito sul fatto che con ogni probabilità non era stato Leo
a far la corte alla fanciulla, ma viceversa, e questo per
una specie d'insana e morbosa rivalità tra la madre e la

figlia. " Signori giurati " avrebbe alfine concluso; " nessuno ha il diritto di sostituirsi alla giustizia umana, e tanto meno a quella divina; Michele ha osato questo; Michele ha condannato il suo nemico ed eseguito la condanna; questa atroce e fredda volontà d'uccidere è il suo vero delitto: non uno scoppio passionale, signori giurati, non l'esplosione di uno sdegno virtuoso, ma la preparazione e l'esecuzione di un sanguinoso proposito a lungo meditato; ricordatevi questo, ricordatevi che per Michele Leo era morto mentre ancora viveva, e il suo posto tra gli uomini non era ancora segnato da una tomba ". " E tu Michele " avrebbe esclamato rivolgendosi verso l'imputato " accetta questa condanna come una espiazione e una purificazione dopo la quale potrai tornare alla tua famiglia e agli uomini ".

" Chissà perché " pensò a questo punto il ragazzo " gli avvocati nelle loro discussioni credono di dover dar del tu agli imputati ". Scosse la testa: " Hai torto, pubblico accusatore " pensò con ironia; " hai torto... né purificazione, né espiazione, e neppure famiglia... indifferenza, indifferenza; soltanto indifferenza ". Sorrise distrattamente; e chi avrebbe parlato dopo l'accusatore? Il suo avvocato; si sarebbe alzato questo luminare, questo nuovo Demostene, avrebbe delineato una per una le torbide figure di questo processo, avrebbe dipinto anche lui con foschi colori l'ambiente e le persone della sua famiglia: donnaccia senza pudore la madre, profittatore e incestuoso Leo, femmina pettegola e di facili costumi Lisa; vittime loro due, lui e Carla, figli di un alcoolizzato (" il padre è sempre alcoolizzato " egli pensò), cresciuti senza l'amore dei genitori, senza religione, senza morale.

" Amante prima di Lisa, poi della madre " avrebbe gridato l'oratore " Leo lo diventa anche della figlia, della figlia, signori giurati... " avrebbe ripetuto con voce patetica e commossa " che aveva veduto innocente bambina, con le trecce sulle spalle e le gambe nude, che aveva tenuto sulle ginocchia, che aveva, si può dire, allevata per sé e per le sue voglie immonde... Quella casa era il suo harem... non contento di questo tende le mani avide sul patrimonio familiare... ". E dopo aver accumulato i soprusi di Leo come le pietre di uno scellerato edifizio, l'oratore avrebbe esaltato, in uno scoppio generoso di voce, la giustizia di quel delitto; e già gli pareva di vederlo, quel suo Cicerone, rosso, congestionato, i capelli al vento, i pugni sulla tavola, gli pareva di udirlo: " Condannerete voi Michele, per avere vendicato l'onore oltraggiato e calpestato della propria famiglia?... " quando, alzando gli occhi, si accorse di essere nella strada dove abitava Leo.

Un freddo, mortale disagio gli gelò il sangue; " Ecco, ci siamo " pensò. La strada era veramente quella che cercava; case nuove, candide, giardini ancor vuoti, qua e là costruzioni cariche d'impalcature, marciapiedi senza selciato; la campagna non doveva esser lontana; poca gente passava; nessuno si voltava per guardarlo, nessuno l'osservava. " Eppure vado ad uccidere un uomo " pensò; frase inverosimile; mise la mano in tasca, toccò la rivoltella; ucciderò Leo significava ucciderlo veramente, toglierlo dal numero dei vivi, farne scorrere il sangue: " Bisogna ucciderlo " pensò febbrilmente, " ucciderlo... cosí... senza troppo rumore... cosí... ecco: mirare al petto... egli cade... cade in terra... mi chino, senza far rumore, con lentezza, lo finisco ". La scena che doveva essere fulminea, gli appariva lunghissima, disgregata nei suoi gesti, silenziosa; un mortale malessere lo vinceva: " Bisognerebbe ucciderlo senza accorgersene " pensò; " allora sí, tutto andrebbe bene ".

Il cielo era grigio; poca gente passava; una automobile; ville; giardini; la rivoltella in fondo alla tasca; il grilletto; il calcio. Si fermò un istante a guardare il numero del portone: in quel momento la propria tranquillità lo spaventò: " Se continuo con questa calma " pensò atterrito " non se ne fa nulla...: bisogna essere sdegnati, furiosi... ". Riprese il cammino; il numero ottantatré era piú lontano. " Bisogna montarsi " pensò febbrilmente, " vediamo... vediamo le ragioni che ho di

odiare Leo... mia madre... mia sorella... era pura pochi
giorni fa... ora in quello stesso letto... nuda... perduta...
Leo l'ha presa... posseduta... mia sorella... posseduta...
mia sorella... posseduta... mia sorella... mia sorella... trattata come una donnaccia... distesa in quel sudicio letto...
orribile, orribile... nuda tra quelle braccia... la mia anima
freme al solo pensiero... piegata al vizio di quell'uomo...
mia sorella... orribile ". Si passò una mano sul collo, si
sentiva la gola secca. " Al diavolo mia sorella " pensò
disperato ritrovandosi nella stessa calma di prima; tutte
quelle fantasie non l'avevano scosso; guardò un portone;
era già il numero sessantacinque; un'atroce paura l'invase di non sapere agire, mise la mano in tasca, strinse
nervosamente la rivoltella: " Al diavolo tutti... cosa im-
portano le ragioni... ho deciso di ucciderlo e lo ucciderò ". Affrettò il passo, le case sfilavano, una dopo l'altra, piú presto, piú presto... bisognava ucciderlo e l'avrebbe ucciso... ecco tutto; il numero settantacinque, settan-
tasei, una strada, settantasette, settantotto; improvvisamente si mise a correre, la rivoltella gli sbatteva contro
la coscia; osservò sul marciapiede una bambina di forse
dieci anni che tenendo per mano un bimbo piú piccolo
gli veniva incontro; pensò d'incrociarli; ma raggiunse prima di loro il portone di Leo, ed entrò col rimpianto di
non averli almeno sfiorati. " E ora " pensò arrampican-
dosi su per la scala " il piú bello sarebbe non trovarlo in
casa ". Fece di corsa due rampe, al secondo pianerottolo,
a destra, trovò la porta del suo nemico; una targa di
ottone portava la scritta: Cav. Leo Merumeci.
    Non suonò; voleva entrare col respiro tranquillo ed
era ansante; aspettò dritto, immobile, davanti quella porta chiusa, che l'ansito e i battiti del cuore si fossero calmati; ma non si calmavano; il cuore pulsava, saltava con
fracasso nel suo petto, i polmoni gli si sollevavano contro volontà in un respiro doloroso. " O cuore, o respiro " pensò con un dispetto triste e nervoso, " anche voi
vi mettete contro di me? ". Premette con una mano il
fianco, tentò di dominarsi; quanto tempo sarebbe stato

necessario perché il corpo fosse stato pronto come la sua anima? Contò da uno a sessanta, ridicolmente, immobile contro quella porta silenziosa; ricominciò... finalmente, stanco, s'interruppe e suonò.

Udí il campanello echeggiare nell'appartamento vuoto; silenzio; immobilità: " non è in casa " pensò con una gioia e un sollievo profondi. " Suonerò ancora una volta per scrupolo... e poi me ne andrò " e già, apprestandosi a premere di nuovo il bottone, già immaginava di ridiscendere nella strada, andarsene per la città, libero, distrarsi; già dimenticava i suoi propositi di vendetta, quando dei passi pesanti risuonarono sul pavimento, di là dalla porta; poi questa si aprí e Leo apparve.

Indossava una veste da camera, aveva la testa arruffata e il petto nudo; squadrò dall'alto in basso il ragazzo.

" Tu qui " esclamò con faccia e voce assonnate, senza invitarlo ad entrare; " e cosa vuoi? ".

Si guardarono: " Cosa voglio? " avrebbe voluto gridare Michele. " Lo sai bene, spudorato, cosa voglio ". Ma si trattenne:

" Nulla " disse in un soffio, ché ora il respiro di nuovo gli mancava; " soltanto parlarti ".

Leo alzò gli occhi; un'espressione impudente e stupida gli passò sul volto: " Oh bella, parlare? a me? a quest'ora? " disse con stupore esagerato; si teneva sempre nel mezzo della soglia: " E cosa vuoi dirmi?... Senti, senti caro " soggiunse cominciando a chiudere la porta, " non sarebbe meglio un altro giorno? Stavo dormendo, non ho la testa abbastanza chiara... per esempio domani ".

La porta si chiudeva. " Non è vero che stavi dormendo " pensò Michele, e ad un tratto gli scaturí quest'idea: " Carla è di là... in camera sua ", e gli parve di vederla nuda, seduta sul bordo del letto, in atto di ascoltare ansiosamente questo dialogo tra l'amante e lo sconosciuto visitatore; diede una spinta alla porta ed entrò:

" No " disse con voce ferma e turbata, " no, oggi stesso ho da parlarti... ora ".

Un'esitazione: " E sia " profferí l'altro come chi è al

termine della sua pazienza; Michele entrò: " Carla è di
là " pensava e un turbamento straordinario lo possedeva.
" Di' la verità " profferí alfine con sforzo mentre quello chiudeva la porta, posandogli una mano sulla spalla;
" di' la verità, che ho turbato qualche dolce colloquio...
c'è qualcheduno di là non è vero?... eh, eh!... qualche
bella ragazza... ". Vide l'uomo voltarsi e schermirsi con
un sorriso odioso di malcelata vanità: " Assolutamente
nessuno... dormivo ". Capí di aver colto nel segno.
Mise la mano in tasca e strinse la rivoltella; " Dormivo proprio " ripeté Leo senza voltarsi, precedendolo
nell'anticamera; " dormivo profondamente e facevo dei
sogni bellissimi ".
" Ah! sí? ".
" Sí... e tu sei venuto a destarmi ".
" No, colpirlo alle spalle no " pensò Michele; trasse
di tasca la rivoltella e tenendo la mano contro il fianco
la puntò nella direzione di Leo... appena questi si sarebbe voltato, avrebbe sparato.
Leo entrò per primo nel salotto, andò alla tavola, accese una sigaretta; avvolto nella veste da camera, come
un lottatore, a gambe larghe, con la testa, arruffata e
tozza, china verso l'invisibile fiammifero, egli dava l'impressione di un uomo sicuro di sé e della sua vita; poi
si voltò; allora, non senza odio, Michele alzò la mano
e sparò.
Non ci fu né fumo né fracasso; alla vista della rivoltella Leo spaventatissimo si era gettato con una specie
di muggito dietro una sedia; poi il rumore secco del grilletto. " S'è inceppata " pensò il ragazzo; vide Leo urlare " Sei matto! " e alzare una sedia in aria mostrando
tutto il corpo: si protese in avanti e sparò daccapo; nuovo rumore del grilletto. " È scarica " comprese alfine
atterrito, " e le palle le ho in tasca io ". Fece un salto
da parte, per evitare la seggiola di Leo, corse all'angolo
opposto; la testa gli girava, aveva la gola secca, il cuore
in tumulto: " Una palla " pensò disperatamente, " soltanto una palla ". Frugò, arraffò con le dita febbrili al-

cuni proiettili, alzò la testa, tentando, curvo colle mani impazzate, di aprire il tamburo e cacciarvi la carica; ma Leo scorse il suo gesto ed egli ricevette di sbieco un colpo di seggiola sulle mani e sulle ginocchia, cosí forte che la rivoltella cadde in terra; dal dolore chiuse gli occhi, poi una rabbia indicibile lo invase; si gettò su Leo tentando di stringerlo al collo; ma fu preso, scagliato prima a destra poi a sinistra, e alfine respinto con tanta violenza che dopo aver ciecamente urtato e rovesciato una sedia, cadde sul divano... L'altro gli fu subito sopra e lo prese per i polsi.

Silenzio; si guardarono; rosso, ansante, costretto in malo modo dentro il divano, Michele fece uno sforzo per liberarsi; Leo gli rispose torcendogli i polsi; altro sforzo; altra torsione; alfine il dolore e la rabbia vinsero il ragazzo: gli parve oscuramente che la vita non fosse mai stata cosí aspra come in questo momento nel quale, cosí brutalmente oppresso, gli tornava un lamentoso desiderio di certe lontanissime carezze materne; gli occhi gli si empirono di lacrime; allentò i muscoli doloranti, si abbandonò. Per un istante l'uomo lo guardò: la veste da camera era aperta, il petto nudo e peloso gli si sollevava in un respiro che ogni tanto si sfogava per le narici frementi in una specie di soffio ferino: guardava, guardava e tutta la sua persona esprimeva un minaccioso furore a stento trattenuto.

" Sei matto! " profferí alfine con forza scrollando la testa; e lo liberò.

Michele si alzò fregandosi i polsi indolenziti: vedeva Leo dritto, immobile nel mezzo della stanza, la sedia rovesciata e là, nell'angolo, quella cosa nera, la rivoltella... veramente tutto era finito... tutto era stato fatto... ma non gli riusciva di capire... non sapeva se doveva mostrarsi ancora indignato o invece timoroso... guardava Leo e macchinalmente continuava a fregarsi i polsi.

" E ora " disse alfine l'uomo voltandosi verso la porta, " ora fammi il santissimo piacere di andartene ". Avrebbe voluto profferire qualche violenza ma si trattenne. " E di questa tua sciocchezza " soggiunse " parlerò con tua madre ".

Ma Michele non si mosse: " Non mi rimprovera, non si sfoga, ha fretta ch'io me ne vada " pensò " perché teme ch'io scopra Carla... Carla è di là... nella stanza attigua ". Guardava la seconda porta e quasi si meravigliava di vederla cosí comune ed eguale a tutte le altre, e che la presenza della sorella non vi si rivelasse in qualche modo, per esempio con un lembo di veste rimastovi serrato nel momento che precipitosamente era stata chiusa.

" Dov'è Carla " domandò alfine con voce chiara; un lievissimo stupore passò sul volto impudente dell'uomo: ma fu cosa labile:

" Carla? " egli ripeté con la piú grande naturalezza. " Cosa vuoi che ne sappia? sarà a casa, oppure in strada ". Gli si avvicinò, lo prese per un braccio: " Vuoi andartene sí o no? ".

" Ssst " fece il ragazzo impallidendo e guardandolo, senza svincolarsi; " non credere di farmi paura... me ne andrò quando vorrò ".

" Vuoi andartene sí o no " ripeté Leo con voce piú alta; fece un primo movimento per trascinare Michele verso la porta; l'altro resistette:

" Io credo " gridò in fretta puntando i piedi " che Carla sia proprio là, in camera tua ". Una spinta: " E tu lasciami " ingiunse dibattendosi; ma Leo non lo lasciò.

" Te ne andrai " ripeteva quasi con gioia; " in casa mia faccio quel che mi pare e piace... te ne andrai come un santo ". Spinto alle spalle Michele non sapeva come voltarsi.

" Ah! mascalzone! " gridò sentendosi mancare il pavimento sotto i piedi, " mascalzone... ".

" Mascalzone sí... quanto vorrai " ripeté Leo spingendolo, " ma te ne andrai ".

Fu in questo momento che la porta si aprí e Carla entrò.

Non aveva giacca, indossava una gonna succinta e una

maglia di lana marrone; doveva essersi vestita allora, in gran fretta, i capelli erano arruffati, era pallida, con quel particolare aspetto tra disadorno e stanco delle donne che non hanno potuto o voluto acconciarsi. Chiuse l'uscio dietro di sé, e dritta, con occhi fissi, si avanzò nel mezzo del salotto:

" Ho sentito del rumore " disse " e sono venuta ".

" Ma come? ". Dopo un primo istante di stupore Leo aveva lasciato Michele, le era corso incontro e ora la scuoteva per un braccio: " Ma come? ti dico di restar di là! e tu vieni lo stesso... ma come?... per chi mi prendi... siete tutti pazzi voi... ma come? ". Dal furore non riusciva a parlare; poi parve dominarsi: " Ebbene, dal momento che hai voluto venire " soggiunse, " ebbene, eccolo là tuo fratello Michele che spara addosso alla gente... parlaci tu, fanne quel che vuoi...: io me ne lavo le mani... ". La lasciò e, come chi non vuol essere disturbato, andò a sedersi presso la finestra.

Michele guardava Carla; dov'era restato lo sdegno virtuoso che aveva immaginato di dover provare in tal momento? Altrove; l'idea stessa della seduzione non gli sarebbe venuta se Leo non avesse con quei modi brutali afferrato per un braccio la fanciulla, e certa negligenza non avesse rivelato la frettolosa vestizione. " Dio sa com'era quando sono venuto " pensava e cercava, cercava con una dolorosa avidità, le tracce della colpa: sul volto pallido, gli occhi cerchiati, violati, le labbra scolorite dall'uso, l'espressione confusa e sazia, tutto confermava quel suo sospetto; ma il corpo ecco, il corpo posseduto, bruciato, piegato in mille modi dalla libidine, il corpo non rivelava nulla, era come tutti gli altri giorni; soltanto il principio del petto gli faceva la strana impressione di non essere piú quella cosa innocente che si era abituato a considerare staccata, separata dalle altre membra nascoste, ma un lembo impuro dal quale si poteva indovinare l'intero corpo nudo.

" Tutti i miei complimenti " disse alfine con sforzo, " ma era inutile che tu ti scomodassi a vestirti... potevi venire avanti come Leo... in veste da camera ". E addito l'uomo; questi ebbe un gesto irritato e si coprì il petto.

Silenzio: " Michele, non parlare cosí " ella disse ad un tratto supplichevole e ansiosa; " lascia che ti spieghi... ".

" Non c'è nulla da spiegare ". Michele si avvicinò alla tavola e vi si appoggiò: " Non so se tu lo ami " continuò come se l'altro non fosse stato presente anche lui, là presso la finestra, " ma certo, ti sei fatta un male enorme... Tu sapevi quel che egli rappresenta per mamma e che uomo sia, e ciò nonostante ti sei data a lui... e per di piú son sicuro che non lo ami... ".

" Non lo amo " ella ammise senza alzare gli occhi, " ma c'è un'altra ragione... ".

" Ah! c'era un'altra ragione! " si ripeté Leo; li guardava tutti e due, fratello e sorella, con una specie di divertito disprezzo; ora l'ira era sbollita e non restava altro da fare che aspettare gli eventi. " Te la direi io la ragione " pensò, e gli tornava in mente l'atteggiamento lascivo nel quale ricordava di aver veduto Carla non piú di dieci minuti avanti; " è la voglia, mia cara, il bisogno che avevi... ".

" Neppure tu sai perché hai fatto questo " continuò Michele; infervorato gli pareva di leggere nella colpa della sorella come in un libro aperto; " neppure tu sapresti dirlo ".

" Lo so " ella protestò alzando gli occhi.

" Allora dillo ".

Turbata Carla guardò Michele poi Leo: " per avere una nuova vita ", avrebbe voluto rispondere; ma non ebbe il coraggio; quella sua lontana ragione, ora che vedeva che nulla era mutato se non nel suo corpo posseduto, le pareva ridicola e indegna, e un pudore, un timore, di non essere creduta o di venir derisa le impediva di rivelarla; tacque abbassando la testa.

" Te lo dirò io il perché " continuò Michele trionfante e pur dentro di sé terribilmente irritato dalla parte che gli toccava fare (Cosa sono?, pensava, un padre di famiglia?): " Hai avuto un momento di debolezza, di noia, non hai voluto neppure cercare piú in là di Leo, lo hai accettato subito come avresti accettato un altro se si fosse fatto avanti... gli hai ceduto senza saper perché, forse soltanto per far qualcosa ".

" Sí... per far qualcosa " ella ripeté.

" Quel che ha fatto lo chiama qualcosa " pensò Leo con ironia; si sentiva senza pietà per quei due: soprattutto gli pareva assurdo e ridicolo che Michele, quel ragazzo stupido che aveva tentato di spargargli addosso e si era dimenticato di caricare la rivoltella, e quella sgualdrinella, Carla, che fino a pochi minuti prima egli aveva tenuto nuda tra le sue braccia, nel suo letto, e a cui aveva fatto tutto quel che aveva voluto, ora s'innalzassero entrambi su dei troni di giudici, si affibbiassero delle ali d'angiolo e delle aureole di santi, facessero i puri lasciando lui nella bassezza e nel fango: " Ma fatemi il santissimo piacere ", avrebbe voluto gridare, " lasciate quelle facce compunte, quei discorsi gravi... dite pane al pane, e vino al vino... siate quel che siete e nulla piú ". Ma si trattenne, curioso di veder come sarebbe finita questa scena fraterna.

" E poi ti sei accorta che non avevi fatto nulla " continuò Michele, " che eri uscita da una situazione impossibile per cercarne un'altra non meno triste e noiosa... ecco come è andata... ". Tacque per un istante guardando Carla; allora, vedendola, là, dritta, davanti a lui, muta e ostinata, non come una colpevole ma come una persona in atto di ascoltare con rispetto, magari anche con sottomissione, ma certo con indifferenza, un rimprovero qualsiasi, e sentendosi nel contempo tanto lontano dalla verità e a tal punto avvolto nelle menzogne a cui l'obbligava l'inerzia del suo spirito, una angoscia nera, una umiliata sofferenza lo invasero: " Non c'è che oscurità ", pensò, " nient'altro che oscurità... ". Abbassò gli occhi: " Ora tutto è da ricominciare... " soggiunse con voce profonda e malsicura. " I nostri errori sono stati ispirati dalla noia e dall'impazienza di vivere... tu non ami quest'uomo, io non lo odio... eppure ne abbiamo fatto il centro delle nostre azioni opposte... ". Il cuore gli tremava, dal disagio e dall'incapacità che si sentiva addosso avrebbe voluto gridare: " Tutto è da rifare " ripeté amaramente " sarà una nuova vita ".

" Una nuova vita? ". Scoraggiata Carla si avvicinò alla finestra; le prime gocce di pioggia rigavano i vetri polverosi; guardò per un istante trasognata. Una nuova vita? dunque nulla era davvero mutato? quella sua sudicia avventura restava una sudicia avventura e nulla piú? le parve di soffocare.

" No " disse con voce chiara, senza voltarsi. " Non credo che una nuova vita sia possibile ".

" Sono andata con lui ", ella indicò con un gesto goffo l'amante immobile, là, presso la sua sedia; " ho fatto questo, capisci? per questa nuova vita... Ora mi accorgo invece che nulla è cambiato...: meglio allora non far piú tentativi... restar cosí ".

" Ma no, ma no " incominciò Michele con voce indifferente; ora, costretto a scendere dal proprio commosso sentimento al caso particolare della sorella, si accorgeva con paura che anche quel po' di fede lo lasciava; " ma no... nulla è cambiato perché tu non ami Leo... è stato un errore inutile... bisogna, per vivere e cambiare, agire sinceramente... ": gli parve d'improvviso straordinario e stupido che tutti i casi convergessero nel suo come per quei malati che attribuiscono a tutti la loro stessa malattia; ebbe paura di essere egoista, di non veder che se stesso, di non capir Carla: " Almeno io credo che sia cosí " soggiunse scoraggiato; " credo che tu debba separarti da quest'uomo che non ami... venderemo la villa, lo pagheremo, se ci resterà qualche cosa tanto meglio... lasceremo tutte queste feste, questa gente, quest'ambiente, tutta questa roba che ci è venuta a noia... andremo a vivere in poche stanze... sarà una nuova vita". Ma gli mancavano, lo capiva, il calore, la voce forte, la mano sulla spalla, il tono sicuro e cordiale; si sentiva indifferente e stanco.

Carla distolse gli sguardi da quegli occhi senza fede e
senza illusione e li fissò verso la finestra: " È impossibile " disse alfine come parlando a se stessa.

Silenzio; il discorso del ragazzo aveva agghiacciato Leo
nel bel mezzo della sua acre e calda ironia: " Vender
la villa... quello è pazzo ", pensò; già, se vendevano la
villa l'affare sfumava; se la vendevano l'avrebbero fatta
stimare: allora sarebbe venuto fuori il vero valore di
questa ampia dimora, situata nel centro del miglior quartiere della città, circondata da quel vasto parco la cui
area poteva vantaggiosamente esser venduta a lotti, per
nuove costruzioni... allora l'affare sarebbe andato a monte. Guardava Carla, Michele: " È una rovina ", pensava,
" altro che nuova vita "; e ad un tratto un'idea gli venne, e, come quei medicamenti disperati che non vanno
discussi, decise subito di applicarla:

" Un momento " gridò " un momento... ci sono anch'io ". Si alzò, scostò Michele con un gesto, prese l'amante per un braccio, la costrinse a sedere: " Siediti qui ".
La fanciulla obbedí con una docilità che parve orribile
a Michele: " Non se ne farà mai nulla " pensò disperato; a sua volta Leo si era seduto di fronte a Carla:
" Certamente " cominciò con quella risolutezza e quella precisione che metteva in tutti i suoi affari, " certamente abbiamo fatto male... abbiamo commesso degli errori... ci ho pensato mentre voi parlavate, ci ho pensato
Carla... Ora, cosa diresti se ti proponessi una riparazio-
ne... se ti proponessi di sposarci? ". Un sorriso tra trionfante e persuasivo fioriva sulle sue labbra carnose; era
sicuro di convincerla: " Che ne diresti, eh? " ripeté pren-
dendole una mano sopra la tavola.

La mano di Carla tentò di svincolarsi ma non ci riuscí:
" Sposarci? " ella ripeté con un sorriso deluso; " noi due
sposarci? ".

" Già " insistette Leo " noi due sposarci... cosa ci sarebbe di strano? ".

La fanciulla scosse la testa: le ripugnava l'idea di
questo matrimonio, con la madre per casa, amante e

gelosa di suo marito; e poi era troppo tardi, non sapeva perché, troppo tardi per sposarsi; si conoscevano ormai troppo bene per divenire marito e moglie... meglio andar via... separarsi... oppure, chissà?... oppure restar cosí... amanti... Nel suo primo impulso di disgusto, nel suo primo istintivo movimento di difesa di quella pura e lontana idea del matrimonio, ogni piú vile e penosa situazione le pareva preferibile alle nozze; pensava ma non sapeva parlare, come affascinata dal sorriso e dagli sguardi dell'amante; poi sentí due mani posarsi sulle sue spalle, le mani di Michele. " No " egli le mormorò, " digli di no ", ma con voce non abbastanza bassa perché Leo non udisse.

Questi lasciò la mano di Carla e si alzò in piedi: " Vuoi farmi il piacere di lasciare una buona volta in pace tua sorella?... " gridò irritato. " È lei che deve sposarsi, non te... lasciala pensare... lasciala rispondere secondo il suo interesse... Anzi sarebbe quasi meglio che tu te ne andassi per un momento di là e ci lasciassi soli, me e Carla... poi ti si chiamerebbe quando si fosse finito "

" Calmati... io resto qui " rispose Michele in tono di sfida; l'altro fece un gesto impaziente ma non rispose:

" Allora " disse risedendosi " pensaci ". Strinse di nuovo la mano di Carla: " Pensaci... non sono un partito disprezzabile... ho un capitale, una posizione solida, sono conosciuto e stimato... pensaci... ". Tacque per un istante: " E poi " soggiunse " come vorresti trovare marito in queste tue condizioni? ".

" Come... in queste tue condizioni? " ella ripeté guardandolo.

" Cosí " Leo storse la bocca: " Sei senza un quattrino... e occorre dirtelo? assai screditata ".

" Come screditata " ella interruppe di nuovo con una voce esile.

" Screditata " ripeté Leo. " Tutti questi tuoi amici non ti considerano come una ragazza seria... mi spiego... abuserebbero di te ma non ti sposerebbero... finché si tratta di divertirsi tutti son buoni... ".

Silenzio; si guardarono: " È per colpa vostra, di te e di mamma che sono cosí " ella avrebbe voluto gridare; ma si trattenne e abbassò la testa:

" Invece io " continuò Leo " metterei tutto in regola... non solamente te ma anche la tua famiglia... si prenderebbe tua madre in casa... Michele lavorerebbe... magari gli farei fare io qualche cosa, gli troverei un posto " Ad ogni nuova promessa guardava attentamente Carla, come il legnaiuolo che ad ogni colpo di accetta osserva il tronco intaccato dell'albero per veder se cade; ma Carla contemplava la finestra sulla quale ora la pioggia silenziosa lacrimava violentemente, e non rispondeva.

Un'ombra umida di caverna aveva invaso il salotto; in quest'ombra, in su e in giú Michele passeggiava: " Trovare un posto... lavorare " si ripeteva turbato; senza alcun dubbio Leo parlava seriamente... quel che asseriva l'avrebbe fatto... lo avrebbe fatto guadagnare... a quella sua vaga sincerità l'uomo contrapponeva delle promesse solide... cosa scegliere?... La tentazione era forte... denaro, conoscenze, donne, forse viaggi, forse opulenze, ad ogni modo una vita sicura, diritta, chiara, piena di soddisfazioni, di lavoro, di feste, di parole cordiali... tutto questo glielo avrebbe dato il matrimonio di Carla... non avrebbe venduto sua sorella, non credeva a queste grandi e terribili parole, non credeva all'onore e al dovere... si sentiva indifferente, come sempre, speculativo e indifferente. " Non le dirò nulla " pensò alfine quasi senza volerlo; " la lascerò decidere... se accetterà sarà bene... se rifiuterà sarà anche bene ". Ma un lieve disagio l'avvertiva dell'ignobiltà di questi suoi pensieri; alzò gli occhi, guardò verso la finestra; le due teste in quella luce incerta si disegnavano nettamente, nere contro i vetri grigi; doveva piovere; riprese a passeggiare, ogni tanto si fermava, guardava: dove aveva già visto quelle due figure contro quella finestra? Ogni volta che le osservava una tristezza nervosa lo invadeva:

" Ecco " pensava, " ecco... io passeggio in su ed in giú in quest'oscurità... essi stanno seduti, là, presso la finestra, io passeggio... essi parlano... siamo separati... lontani... perché siamo cosí? è come se fossimo soli, è come se non ci vedessimo ". Gli occhi gli si empivano di lacrime; dove le aveva già viste?

Leo parlava: " Se esiti a causa di tua madre, mettiti l'anima in pace... ti assicuro che tutto fra me e lei è finito da tempo ".

Silenzio; Carla scosse la testa: " No, non è per mia madre " rispose, " non è per questo ".

" Forse per Lisa " suggerí ancora Leo.

" Oh! no ".

" Oh! allora? " egli esclamò, " perché rifiuteresti?... non vedo perché dovresti rifiutare... Non sarà certo... " soggiunse con un sorriso e una stretta alla mano della fanciulla " per ragioni sentimentali ".

Ella lo guardò; ora, al suo primo impulso di rifiutare, seguiva una specie di triste chiaroveggenza: " E veramente, perché dovrei negargli la mia mano dopo avergli concesso tutto il resto? ". Una nuova durezza era nella sua anima; le promesse di Leo non la convincevano, oh no: " Non ci amiamo " pensava, " sarà un matrimonio infelice "; ma quelle di Michele le parevano addirittura puerili: " La vita non cambia " pensò ancora, " non cambierà mai... Leo ha ragione.. meglio sposarci ". E già stava per cedere, per dirgli di sí, con un sorriso tra umiliato e vergognoso, già immaginava che il suo futuro marito l'avrebbe presa per la vita, baciata sulla fronte, immaginava una bella scena commovente, quando dal fondo del salotto si alzò la voce di Michele: " Per l'amor di Dio, Carla, per l'amor di Dio, digli di no ".

Si voltarono; in piedi nel mezzo del salotto, Michele pareva quasi vergognoso di quella sua commossa invocazione; e Leo si era alzato e batteva un pugno sulla tavola:

" Vuoi finirla " gridava, " vuoi finirla una buona volta di interessarti agli affari che non ti riguardano? ".

Michele fece un passo avanti: " È mia sorella " disse.

" È tua sorella " ripeté Leo, " e poi? non sarà forse libera di scegliere il marito che piú le piace? ". Risedette di nuovo: " Da' retta a me, Carla ", insistette " non ascoltare i consigli di tuo fratello... egli non sa quel che si dice ".

Ma la fanciulla gli accennò con la mano di tacere: " Perché? " domandò volgendosi verso il ragazzo "dovrei dir di no? ".

Lo vide esitare: " Non lo ami... " egli incominciò.

" Non è abbastanza... dell'amore si fa anche a meno ".

" C'è nostra madre... ".

" Oh! Lei ", Carla alzò le spalle " lei non dà fastidio ".

Silenzio: " Carla " insistette Michele dopo un istante " dovresti rifiutarlo soltanto perché te lo chiedo io... Se tu sposassi Leo, ecco... sarebbe una vera rovina... ". La sua voce tremava. " Certo " ella pensò osservando il ragazzo, " bello non sarebbe ". Ma dopo l'ubbriacatura della nuova vita un triste, meschino bisogno di realtà la possedeva:

" E in cambio " domandò con voce aspra " cosa ne avrei? ".

" Cosa ne avresti? ". Egli la guardò: gli occhi di Carla erano calmi e vuoti, nere le guance, una massa indolente di capelli irti le circondava la faccia: " Cosa ne avresti?... saresti libera... libera di farti una nuova vita ". Silenzio. " Non credere ch'io dica delle cose false " egli soggiunse, colpito dalla vacuità delle sue stesse parole, " sono anch'io in un certo modo nelle tue condizioni... so che si oppongono molte difficoltà... ma alla fine arriveremo... arriveremo alla nostra vita ". Vide Carla scuoter la testa senza staccare gli occhi dalla finestra. " Abbi fede " avrebbe voluto gridarle; Leo sorrideva, sicuro:

" Delle parole " ripeteva; " la vita non è né nuova né vecchia, è quello che è ".

Alfine ella si scosse e si voltò verso l'amante: " E cosí, Leo ", domandò con una sforzata civetteria " tu vuoi che ci sposiamo? ".

" Sicuro " egli rispose con veemenza.

" E non hai paura che vada male? " ella insistette.
" Io, per esempio " soggiunse tranquillamente, " sono
convinta che tu mi tradirai ".

" Sei tu che mi tradirai, sgualdrinella mia " pensò Leo,
fissando quella testa florida divorata dall'ombra; avrebbe
voluto darle un colpetto, là, sui grossi seni, un colpetto
di scanzonata e beffarda allegria, ché ogni tanto gli pareva
di rivederla come era stata pochi minuti prima, nuda e
bianca, con quei movimenti di bestia goffa che dà l'inesperienza. " Mi sposo una sgualdrina " si ripeté; tese una
mano:

" Ti giuro " disse con solennità " che ti sarò sempre
fedele ".

" Carla " insistette Michele " digli di no ". Le si avvicinò, le mise una mano sulla spalla. " Digli di no...
la ragione c'è... la saprai dopo ".

Carla taceva guardando la finestra; la grossa testa sfe-
rica pareva sproporzionata per quelle sue spalle esili;
era ormai notte; un resto di luce, una specie di incerta
fosforescenza si ritraeva dai vetri bagnati; pioveva; l'oscurità della casa li aveva raggiunti: non si vedevano che
le facce scavate, divorate, e le mani posate sulla tavola.

" È tempo di andare " ella disse finalmente; si alzò.

" E la risposta? " domandò Leo; si alzò anche lui,
andò a tastoni alla parete, accese la luce; per un istante
in quella chiarità si guardarono con occhi abbagliati, come
stupiti di vedersi, Carla e Michele, l'uno a fianco all'altra
presso la finestra, Leo presso la porta. Allora, per la prima volta, l'uomo osservò una certa somiglianza fra il
fratello e la sorella: stessa espressione indecisa, stesso
gesto timoroso delle braccia; ma il volto di Carla non
era che stanco, ecco, ella si passava una mano su quei
suoi occhi violati, mentre su quella di Michele era riconoscibile una tristezza tra nervosa e fantastica; stavano
l'uno accanto all'altro, nel vano della finestra e parevano
paurosi di lui.

" La risposta? " ripeté la fanciulla dopo un istante.
" Domani, Leo... domani...: ho da parlare alla mamma "

Si voltò verso suo fratello, gli mise una mano sul petto:
" Michele, aspettami qui ", soggiunse guardandolo attentamente: " vado a mettermi il cappello e vengo ". Passò
tra il ràgazzo e la tavola, con una frivola e disinvolta
agilità, passò davanti all'amante, aprí la porta a destra;
non la chiuse; poi quella stanza s'illuminò; Michele vide
un armadio con lo specchio, un tappeto, una sedia sulla
quale era stata gettata una camicia maschile; una manica
pendeva; davanti a quello specchio, Carla andava e veniva; prima, da persona pratica del luogo accese la lampada
sull'armadio e accuratamente si pettinò; poi uscí, tornò
con la giacca e il cappellino, indossò l'uno e l'altro non
senza civetteria, scomparve di nuovo, tornò con la bor-
setta, s'incipriò... Durante questi preparativi i due uomini non si mossero né parlarono; Leo restò presso la
porta, in quella sua veste da camera, stretta alla cintola,
corta e abbondante in pieghe, con le gambe larghe, il
petto nudo, e gli occhi e la testa rivolti in basso come
se avesse profondamente meditato; sulla sua fronte calva
i capelli arruffati e fini avevano l'aspetto di una piccola
nube livida; teneva le mani riunite sul dorso e ogni tanto, senza alzar la testa, si sollevava sulle punte dei piedi
e ricadeva pesantemente sui calcagni; Michele non si
staccò dalla finestra, donde con occhi trasognati, osservò
i movimenti familiari e frivoli della sorella davanti allo
specchio. Gli pareva che un'atmosfera pesante e corrotta
riempisse quella stanza attigua; doveva esserci un disordine impuro, lenzuola rovesciate, indumenti gettati
sulle sedie, cuscini caduti, profumi, odore di tabacco e
di sonno... e in quell'atmosfera, in questo disordine, Carla si muoveva liberamente, quasi gaiamente, con quelle
sue gambe agili... era scapigliata, stanca, pallida... Ora
eccola, pronta ad uscire, col cappellino ben calzato sugli
occhi, la faccia incipriata, fresca, rosea, le labbra dipinte,
due riccioli aguzzi sulle guance; eccola lasciar quello specchio appannato, quell'aria torbida, quella parete, quella
sedia, e venirgli incontro.

" Andiamo " ella disse tranquillamente; tese la mano a Leo: " arrivederci Leo ".

" Allora è di sí non è vero? " egli mormorò baciandole le punte delle dita; si sentiva contento e sicuro; Carla lo guardò ma non rispose; uscirono tutti e tre nel vestibolo, prima la fanciulla poi i due uomini; soddisfatto, quasi eccitato, Leo girava intorno all'amante: " Ci sposeremo... ci sposeremo " le mormorò mentre Michele nell'angolo opposto s'infilava il pastrano; avrebbe voluto vederla sorridere, o almeno concedergli uno sguardo, un segno che rivelasse un possibile acconsentimento; ma Carla fu inflessibile e distratta come se non avesse udito né veduto: " Arrivederci Leo " ripeté uscendo. Per un poco, attraverso la fessura della porta socchiusa, egli osservò quei due discendere la scala, senza parlarsi, senza voltarsi indietro, seguiti sulla parete da due ombre oblique e vaghe; finalmente egli chiuse la porta e tornò nel salotto; vide in terra la rivoltella di Michele, la raccolse, guardò distrattamente in aria soppesandola: si ricordò di avere un invito per il ballo del Grand Hôtel, si ricordò anche che la madre aveva deciso di andarci: " Sarà una buona occasione per rafforzare in Carla l'idea del matrimonio " pensò; completamente soddisfatto andò davanti allo specchio della camera da letto, si guardò: " Va là che vai bene " si disse ad alta voce, e avrebbe voluto darsi un colpetto sulla pancia: " Anche sposato sarai sempre il solito Leo ". Poi passò nel bagno e cominciò a lavarsi.

Quando furono sulla soglia del portone si accorsero
che pioveva dirottamente; senza violenza, ma con una
sciatta abbondanza come da un catino sfondato; un
gran fruscío torrenziale empiva l'oscurità; un livido velo
d'acqua ribolliva sul lastrico della strada; grondaie, stil-
licidi, rigagnoli, la grossa pioggia vecchia di due setti-
mane di tempo sfogava da ogni parte il suo fiotto impuro fermentato a lungo nei fianchi delle nubi; sotto il
diluvio le case stavano dritte e nere; i fanali affogavano;
i marciapiedi inondati assumevano l'aspetto anfibio delle
banchine per metà sommerse, nei porti di mare.
Curvi sotto l'acquata, camminarono in fretta, contro
i muri, badando a ripararsi sotto quell'unico ombrello
che avevano; ad una voltata un'automobile da piazza,
libera, li assalí col raggio dritto dei suoi fanali accesi;
salirono e partirono.
Sedettero l'uno a fianco all'altro, nell'oscurità; non
si guardarono, non parlarono; i sobbalzi della corsa li
facevano saltare e urtarsi come due fantocci senza vita,
dalle membra di legno, dagli occhi spalancati ed estatici;
Michele stava quasi disteso, appoggiato al fondo e pareva meditare; Carla seduta, un po' curva, tentava di
seguire la corsa; e non ci riusciva; i vetri erano bagnati.

un freddo vapore li appannava; impossibile veder nulla. Le parve di essere chiusa fuori dal mondo, sola col fratello in quella scatola buia e di essere portata a grande velocità verso un luogo sconosciuto; dove? Cosí finivano la giornata e la sua vecchia vita: con una domanda alla quale era impossibile rispondere; dove si va di giorno o di notte, con l'oscurità e la pioggia o in piena luce? Nessuno lo sa; ebbe paura! volle restringere la sua meta, rimpicciolire il suo mondo, vedere tutta la sua esistenza come una stanza angusta. " Sposerò Leo " pensò. Fissava con quei suoi occhi stanchi il vetro di faccia, e le parve di vedere affacciarsi, delinearsi su quella superficie lucida e buia delle figurette luminose; o vetri di casa, nelle notti piovose, vetri di treno, loquaci e monotoni, dagli scintillii misteriosi, finestre aperte sulla campagna nera dei sogni: Ecco... ecco... affiorare da quell'ombra i gradini assolati di una chiesa, lei tutta candida nei suoi lunghi veli di sposa, col volto un po' curvo, doveva essere una giornata di sole, aggrappata al braccio del suo compagno; e dietro di loro uscire, svestirsi di quell'oscurità, una per una, le figure del corteo nuziale; la madre molto lontana, doveva certamente piangere ma non si vedeva, con un rotondo e smagliante mazzo di fiori tra le mani; Michele a testa bassa come se avesse guardato dove metteva i piedi; Lisa in uno straordinario vestito primaverile; e molti altri invitati di cui non si distinguevano le facce, le donne vestite di bianco, gli uomini di nero, sparpagliati, affollati dietro di loro; alcuni ancora per metà nell'ombra, altri in piena luce, tutti molto eleganti, si potevano distinguere le pieghe impeccabili dei pantaloni degli uomini; ciascuno di essi stringeva tra le mani una luccicante tuba dai molti riflessi; si potevano distinguere fiore per fiore i mazzi colorati e tondi delle donne... Tutti uscivano dal portale invisibile della chiesa, discendevano dietro gli sposi; gli scalini erano pieni di sole; poi, improvvisamente scoppiava una musica lenta, religiosa, che a passo a passo pareva seguire il corteo nuziale; organo o campane? le pareva di udirli, quei suoni trionfali che l'accompagnavano; erano solenni, ma colmi di una tristezza amara ed esultante come se ella cosí vestita, cosí aggrappata al braccio di suo marito, non stesse andando verso la gioia, ma invece verso un sacrificio ingrato, verso una vita piena di sgomento e d'insuperabili difficoltà...

Si scosse; una mano, quella di Michele, stringeva la sua: l'ombra del vetro dilagava rapidamente sulle figurette luminose del corteo nuziale, come quella di una lastra fotografica bruciata dal sole; l'automobile aveva rallentato, si era fermata, aspettava, immobile, di attraversare una strada affollata; pioggia; fruscío; campanelli; trombe; voci; luci; facce; alfine con una scossa l'automobile si mosse, ripartí:

" Ebbene ", ella domandò voltandosi " cosa c'è? ".

Vide il fratello fare un gesto goffo e convulso con la mano: " Se non mi sbaglio " egli chiese con sforzo, " se non mi sbaglio non te l'ho detta la ragione per la quale dovresti rifiutare Leo ".

Ella lo guardò: " No ".

" Eccola ". Il ragazzo si chinò e cominciò in fretta senza transizione a raccontare: " Eccola la ragione... Oggi, prima di andar da Lisa...: a proposito, è stata lei a rivelarmi tutto, su te e Leo... "

" Ah! è stata lei ".

" Sí, a quel che pare vi aveva sorpresi ieri, nell'anticamera... Ma andiamo avanti... ieri, prima di andar da Lisa, non ricordo come, venni a pensare agli affari nostri, alle nostre condizioni che in verità sono molto cattive... e a poco a poco mi addentrai tanto nei miei ragionamenti, che persi, come dire? persi ogni ritegno, e mi sorpresi a pensare press'a poco questo: ' Ecco, noi siamo rovinati non c'è rimedio; tra un anno, se continuerà cosí, cadremo in miseria... per evitare questo disastro non sarebbe consigliabile venire a qualche sacrificio o magari ad un compromesso? '. La sola persona sulla quale si poteva contare per una simile combinazione era Leo... Dunque, per esempio, pensai allora quasi

senza accorgermene, dato il carattere dell'uomo, è don-
naiuolo, per una donna che gli piace darebbe tutto quel
che ha; non sarebbe utile fargli capire che in cambio
dei suoi denari io mi impegnerei, capisci? a portargli mia
sorella, Carla, tu, insomma, a portargliela in casa sua? ".

" Hai pensato questo? " ella domandò voltandosi vivamente e guardandolo; in quel momento la luce di un
fanale illuminò per un attimo la faccia di Michele; ella
vide gli occhi aperti, dilatati e sul volto bianco che ac-
cennava di sí, una ripugnante, goffa umiltà; stornò la
testa; una tristezza angosciosa strinse il suo cuore tremante; l'automobile correva; Michele parlava:

" Ho pensato questo... e mi pare di vederlo, sai? "
egli fece con la mano un gesto come se avesse voluto
afferrare qualche cosa; " mi pareva di vedere come saremmo andati tutti e tre, io, te e Leo in casa di quest'ultimo...; quando son turbato mi par di vedere le cose
che penso...; come avremmo preso il tè nel salotto di
Leo, come alfine io me ne sarei partito, discretamente,
secondo gli accordi prestabiliti, lasciandoti sola insieme
con Leo... ".

" È orribile " ella mormorò con spavento, ma Michele
non la udí.

" Allora... capisci? quando vi vidi poco fa, seduti l'uno
in faccia all'altro, davanti alla finestra del salotto, e udii
Leo proporti di sposarlo... mi sembrò di scorgere la scena che avevo immaginato... succede a tutti...: si va per
la strada, si pensa di trovare delle persone in certi atteggiamenti, e infatti si trovano... Ma nel mio caso c'era
quel calcolo in piú, quel calcolo sul denaro di Leo.
' Ecco ' mi dissi, ' tutto è avvenuto come avevo pensato,
come non avrei dovuto pensare, tutto è come se veramente io avessi detto a Leo: — Senti Leo... c'è Carla,
mia sorella... è una bella e florida ragazza... —'. Non offenderti... è cosí che immaginavo parlargli... ".

" Non mi offendo " ella mormorò senza voltarsi, " continua pure ".

" Una bella, florida ragazza " ripeté Michele; " tu mi

dai del denaro, molto, ti addossi il sostentamento della mia famiglia e io in cambio... in cambio ti lascio mano libera su Carla... fanne quel che vuoi... ".

" Ma cosa pensavi... " ella proruppe triste e irritata; " cosa pensavi ch'io fossi? un oggetto? un animale? ".

" No, ma sapevo " rispose Michele con un mezzo sorriso di vittoria " che ti annoiavi... come dire? che eri nelle condizioni adatte, che avresti facilmente ceduto... ".

" Sapevi questo? " ella mormorò.

" Che non avessi agito " continuò Michele senza rispondere " non aveva ormai piú importanza...: ne avrei subíto lo stesso il rimorso...: vedendovi, là, sposati, vivendo di quei denari, ne avrei sempre sofferto come di una vera colpa... capisci?... capisci?... " egli ripeté preso da una subita esasperazione, afferrandola per un braccio; " capisci?... Si pensa una brutta, malvagia azione, ma non la si fa... poi tutto avviene come si aveva pensato, ma non completamente, fino ad un certo punto, in modo da poterne ancora impedire l'esecuzione... Cosa si deve fare allora? si cercherà di opporsi, d'impedire che questa cosa orribile avvenga... se non lo si fa, è come se si fosse stati complici dal principio alla fine, è come se io ti avessi veramente ceduta a Leo per il suo denaro, e ti avessi veramente portata in casa sua... Capisci ora? se tu lo sposi per me è come se veramente io avessi favorito la vostra unione, la vostra colpa, avessi da una parte spinto te tra le braccia di Leo e dall'altra ricevuto il denaro... capisci?... capisci ora?... ". Un sobbalzo della vettura li gettò ripugnanti l'uno contro l'altro; silenzio, l'automobile correva:

" Mi perdoni " domandò alfine il ragazzo con voce commossa e umile, curvandosi in avanti, accanto alla sorella; " mi perdoni, Carla?... ".

Ella taceva e guardava davanti a sé; poi ebbe un riso sforzato e secco:

" Non c'è nulla da perdonare " rispose; " non mi hai fatto nulla... nulla di male... cosa avrei da perdonarti? ". Silenzio. " Non ho nulla da perdonare a nessuno " ella ripeté esasperata, con voce di pianto, senza distogliere gli occhi dal vetro dell'automobile; " a nessuno... non voglio che essere lasciata in pace ". Gli occhi le si empirono di lacrime; tutti erano colpevoli e nessuno, ma ella era stanca di esaminare se stessa e gli altri; non voleva perdonare, non voleva condannare, la vita era quel che era, meglio' accettarla, che giudicarla, che la lasciassero in pace.

Parve a Michele di trovare in queste parole la sua definitiva condanna: " Non ho fatto nulla " si ripeté con stupore, ché gli pareva di essere invecchiato, di aver molto vissuto in quel solo giorno: " è vero... non ho fatto nulla... nient'altro che pensare... ". Un fremito di paura lo scosse: " Non ho amato Lisa... non ho ucciso Leo... non ho che pensato... ecco il mio errore ". Si chinò, afferrò una mano della fanciulla:

" Ma lo rifiuterai, non è vero? " domandò ansiosamente; " dimmi che lo rifiuterai... ".

Silenzio: " Lo sposerò " ella disse alfine; silenzio ancora: " Cosa avverrebbe di me se non lo sposassi? " ella continuò con voce triste e dura; " che cosa diventerei...? Pensaci un istante... in queste condizioni... ". E fece un gesto come per mostrarsi quale era; nuda, perduta, povera: " Sarebbe una pazzia rifiutarlo, non mi resta che sposarlo... ". Tacque, guardando come prima davanti a sé.

La rigidità del tono aveva persuaso Michele piú di qualsiasi ragione: " Tutto è finito " pensò guardando le guance puerili di Carla, che il fanale dell'automobile illuminava; " è una donna ". Si sentí vinto: " E cosí Carla " domandò ancora come un bambino mal convinto, " lo sposerai? ".

" Lo sposerò " ella ripeté senza voltarsi.

La corsa dell'automobile volgeva alla fine; le strade si allargavano, si spopolavano; non piú case, ma ville chiare e cupi giardini fradici di pioggia; scarsi i fanali, larghi e deserti i marciapiedi. Carla seguiva attentamente la corsa e con quella stessa velocità i pensieri turbinavano nella sua mente eccitata e stanca; l'automobile era la sua vita, lanciata ciecamente nell'oscurità. Avrebbe sposato Leo... vita in comune, dormire insieme, mangiare insieme, uscire insieme, viaggi, sofferenze, gioie... avrebbero avuto una bella casa, un bell'appartamento in un quartiere elegante della città... qualcheduno entra nel salotto arredato con lusso e buon gusto, è una signora sua amica, ella le viene incontro... prendono il tè insieme, poi escono; la sua macchina le aspetta alla porta; salgono; partono... Ella si sarebbe chiamata signora, signora Merumeci, strano, signora Merumeci... Le pareva di vedersi, un po' piú alta, piú grande, le gambe ingrossate, i fianchi piú larghi, il matrimonio ingrassa, dei gioielli al collo e sulle dita, ai polsi; piú dura, piú fredda, splendida ma fredda, come se avesse avuto, là, dietro quei suoi occhi rigidi, un segreto, e per conservarlo nascosto, avesse ucciso nella sua anima ogni sentimento. Cosí atteggiata, vestita elegantemente, eccola entrare nella sala affollata di un albergo; suo marito la segue, Leo, un po' piú calvo, un po' piú grasso, ma non molto cambiato; si seggono, prendono il tè, ballano, molti la guardano e pensano: " Bella, donna bella ma cattiva... non sorride mai... ha gli occhi duri... sembra una statua... chissà a che cosa pensa ". Altri in piedi, laggiú presso le colonne della sala, mormorano tra di loro: " Ha sposato l'amico di sua madre... un uomo piú vecchio di lei... non lo ama e certamente deve avere un amante ". Tutti mormorano, pensano, la guardano; ella sta seduta accanto a quel suo marito, tiene le ginocchia accavalciate, fuma... effetto di gambe, il vestito è succinto, la scollatura è profonda... tutti l'osservano con bramosia come se volessero morderla; ella risponde loro con sguardi pieni d'indifferenza... Una camera... ecco: la signora Merumeci, in ritardo per qualche visita di obbligo, corre incontro al suo amante; tra quelle braccia perde quella sua durezza di statua, queste donne rigide sono sempre le piú ardenti, ridiventa fanciulla, piange, ride, balbetta, è come una prigioniera liberata che rivede alfine la luce... la sua gioia

è bianca, tutta la stanza è bianca, ella è senza macchia tra
le braccia dell'amante... la purezza è ritrovata. Poi, quando vien l'ora, stanca e felice, torna alla casa coniugale
e ricompone sul suo volto l'abituale freddezza... La sua
vita continua cosí per degli anni... molti la invidiano...
ella è ricca, si diverte, viaggia, ha un amante, che piú?
tutto quel che può avere una donna lo ha...

L'automobile si fermò; discesero; non pioveva piú;
l'aria era fredda e nebbiosa; un vento umido agitava
senza posa il fogliame cupo dei giardini. Carla saltò agil-
mente la larga pozza che si frapponeva fra il marciapiede e la via, e dritta, in piedi sotto un fanale, aspettò
che il fratello avesse pagato; allora osservò, arenata sul-
l'orlo della strada, come un cetaceo lasciato lí dall'allu-
vione, una forma nera e lunga, una grande automobile;
il cofano brillava; col berretto calato sugli occhi, inca-
strato sul suo sedile, il conduttore dormiva. " La macchina dei Berardi " ella pensò stupita, e ad un tratto si
ricordò di quell'invito per il ballo mascherato.

" Michele " disse al fratello che le veniva incontro
scavalcando con precauzione le pozze del fossato; " la
macchina dei Berardi ".

" Già " egli osservò con una rapida occhiata all'automobile: " saranno venuti a prenderci ".

Entrarono nel parco; l'attraversarono in silenzio, guardando con cautela dove mettevano i piedi; rumore della
ghiaia calpestata; umidità; ombre cupe e fantastiche contro il cielo nebbioso; vasto fruscío oceanico dei grandi
alberi; senso di tregua; non pioveva piú.

Nel vestibolo caldo e illuminato Michele si tolse il
pastrano e il cappello:

" Carla " disse alfine alla sorella che sulla soglia della
porta lo aspettava: " quando parlerai a mamma di questo matrimonio? ".

Ella lo guardò: " Domani " rispose tranquillamente.

Passarono nel corridoio; un rumore di voci e di risa
arrivava dal salotto; la fanciulla si avvicinò alle tende che

nascondevano quella porta, le allargò con precauzione, spiò per un istante:

" Sono tutti là " disse voltandosi; " tutt'e tre... Pippo, Mary e Fanny ".

Salirono la scala; nell'anticamera vennero loro incontro la madre e Lisa; la madre si era già travestita da spagnuola: aveva la faccia molle e patetica tutta impiastricciata di un lussureggiante belletto, guance accese e punteggiate di nèi, labbra vermiglie, occhi affogati in una languida tintura nera; il costume da spagnuola, lungo e tutto nero, le ondeggiava intorno ad ogni dondolío dei fianchi, con una molle abbondanza di pieghe; un sontuoso velo ricamato a giorno le ricadeva dal largo pettine di tartaruga sulle spalle grasse, sulle braccia larghe, tremule e nude; teneva tra le mani un ventaglio di piume di struzzo, sorrideva stupidamente e come paurosa di turbare con qualche movimento l'equilibrio della sua acconciatura, camminava con la testa dritta e rigida; al suo fianco, come il giorno accanto alla notte, stava Lisa, biondiccia, di una bianchezza farinosa, tutta vestita di chiaro.

Appena vide Carla e Michele la madre venne loro incontro: " È tardi " gridò prima ancora che avessero finito di salire. " I Berardi aspettano già da un quarto d'ora ".

Era soddisfatta, contenta: Lisa aveva passato tutto il pomeriggio con lei: di conseguenza l'amante le aveva detto la verità e non la tradiva; dalla gioia si era mostrata affabilissima con l'amica, le aveva fatto mille confidenze, e per un istante avrebbe anche pensato d'invitarla al ballo di quella sera; ma vi aveva rinunziato un poco per un parsimonioso egoismo, un poco perché i Berardi conoscevano pochissimo Lisa e avrebbero potuto offendersi di questa sua libertà. " Presto... presto " ripeteva a Carla che immobile la contemplava; " presto, vatti a mascherare... ".

" Devo mascherarmi? " domandò la fanciulla con voce dubitosa e profonda, senza alzare gli occhi da terra.

La madre rise: " Svegliati Carla ", disse agitandosi con

quel suo ondeggiante velo spagnuolo; "a che cosa pensi?... non vorrai mica andare al ballo senza mascherarti?". Prese la figlia per un braccio: "Andiamo" soggiunse "andiamo... se no facciamo tardi".

Con un gesto meccanico Carla si tolse di testa il cappello e scuotendo la grossa testa indolente e arruffata seguí la madre; il velo spagnuolo ondeggiava con eleganza dalle due sporgenze fasciate delle natiche; Carla la guardava e le pareva, vedendola cosí eguale a se stessa, cosí immutabile, che nulla in quel pomeriggio fosse avvenuto: "Eppure" pensava "bisognerà informarla di questo matrimonio". Cosí, l'una trascinando l'altra, uscirono dall'anticamera.

Restarono soli Lisa e Michele; fin dal primo momento la donna aveva osservato dal suo angolo, con una curiosità avida e turbata, quei due, fratello e sorella, che arrivavano insieme; ora, dopo avere invano aspettato che il ragazzo parlasse per il primo, gli si avvicinò:

"Ebbene" domandò senza nascondere questo suo indiscreto interessamento; "dimmi... com'è andata?".

Egli si voltò, la guardò: "Com'è andata" ripeté lentamente; "com'è andata?... male è andata... gli ho sparato addosso".

"Misericordia!" esclamò Lisa con un terrore esagerato, guardandolo vivamente "e l'hai ferito?".

"Neppure toccato".

"Vieni qui". Eccitata ella lo attirò sul divano e gli sedette accanto: "Siediti qui... raccontami...".

Ma Michele ebbe un gesto stanco e impaziente: "Ora no... piú tardi". Osservava quella carne rosea e bionda, quel petto florido... un desiderio insaziabile lo invadeva di dimenticare anche per un solo istante la sua miseria... "Vai al ballo?" domandò alfine poiché ebbe cessato di esaminarla.

"No".

"Allora"; egli esitò: "allora, poiché neppure io ci vado, vengo a cena da te... e cosí... ti racconterò tutto".

La vide assentire con entusiasmo: "Va bene, benis-

simo... ceneremo insieme ". E sorrise con amarezza.
" Questa volta " pensò irritato e compiaciuto " non aver
paura, non temere, non ti respingerò ".

Un disgusto opaco l'opprimeva; i suoi pensieri non
erano che aridità, deserto; nessuna fede, nessuna speranza alla cui ombra riposare e rinfrescarsi; la falsità e
l'abbiezione di cui aveva pieno l'animo egli le vedeva
negli altri, sempre, impossibile strapparsi dagli occhi
quello sguardo scoraggiato, impuro che si frapponeva
tra lui e la vita; un po' di sincerità, si ripeteva riaggrappandosi alla sua vecchia idea fissa, " un po' di fede...
e avrei ucciso Leo... ma ora sarei limpido come una goccia d'acqua ".

Si sentiva soffocare; guardò Lisa, pareva contenta:
" Come vivi? " avrebbe voluto gridarle: " sinceramente?
con fede? dimmi come riesci a vivere ". I suoi pensieri
erano confusi, contraddittori: " E ancora " pensava con
un brusco, disperato ritorno alla realtà, " forse questo
dipende soltanto dai miei nervi scossi... forse non è che
una questione di denaro o di tempo o di circostanze ".
Ma quanto piú si sforzava di ridurre, di semplificare il
suo problema, tanto piú questo gli appariva difficile, spaventoso. " È impossibile andare avanti cosí ". Avrebbe
voluto piangere; la foresta della vita lo circondava da
tùtte le parti, intricata, cieca; nessun lume splendeva
nella lontananza: " impossibile ".

Tornarono la madre e Carla, travestita quest'ultima
da Pierrot; aveva il volto nascosto da una mascherina
di raso nero, portava un enorme collare oscillante intorno al collo, giubbetto, pantaloni, scarpine di seta bianca con grandi bottoni neri; camminava sulle punte dei
piedi, col tricorno un po' di traverso, e sorrideva misteriosamente:

" Come vi sembriamo? " domandò la madre.

" Molto bene... molto bene " ripeté Lisa: " diver-
titevi ".

" È quel che faremo " disse la fanciulla con uno scoppio di risa; cosí travestita si sentiva un'altra, piú gaia,

piú leggera... Si avvicinò al fratello, gli diede sulla spalla un colpetto col ventaglio. " E con te domani parleremo " disse a bassa voce; la confessione nell'automobile le aveva lasciato una penosa impressione; le pareva che Michele si stesse rovinando la vita; " e invece tutto è cosí semplice ", aveva pensato infilandosi davanti allo specchio i pantaloni da Pierrot: " lo prova il fatto che nonostante quel che è avvenuto io mi travesto e vado al ballo ". Avrebbe voluto gridarglielo a Michele: " tutto è cosí semplice ", e già pensava di fargli trovar del lavoro, un posto, un'occupazione qualsiasi, da Leo, appena si sarebbero sposati... Ma la madre la trascinava:

" Andiamo " ripeteva " andiamo... i Berardi aspettano ".

Discesero la scala, l'uno accanto all'altra, il Pierrot bianco e la spagnuola nera; sul pianerottolo la madre fermò la figlia:

" Ricordati " le mormorò in un orecchio " di essere... come dire?... gentile con Pippo... Ci ho ripensato... forse ti ama... è un buon partito ".

" Non aver paura " rispose Carla seriamente.

Discesero la seconda rampa. Ora la madre sorrideva soddisfatta: pensava che anche l'amante sarebbe venuto al ballo, e pregustava una piacevole serata.

TASCABILI BOMPIANI
Periodico settimanale anno I numero 8 - 24/5/1976
Registr. Tribunale di Milano n. 133 del 2/4/1976
Direttore responsabile: Giovanni Giovannini
Finito di stampare nel gennaio 1992 presso
la Milanostampa S.p.A. - Farigliano (CN)
Printed in Italy

L. 12.000